STASI
I WILK

I WILK

DAVID YOUNG

Przełożyła Katarzyna Sosnowska

MARGINESY

Stasi Wolf

Dla Stephanie, Scarlett i Fergusa

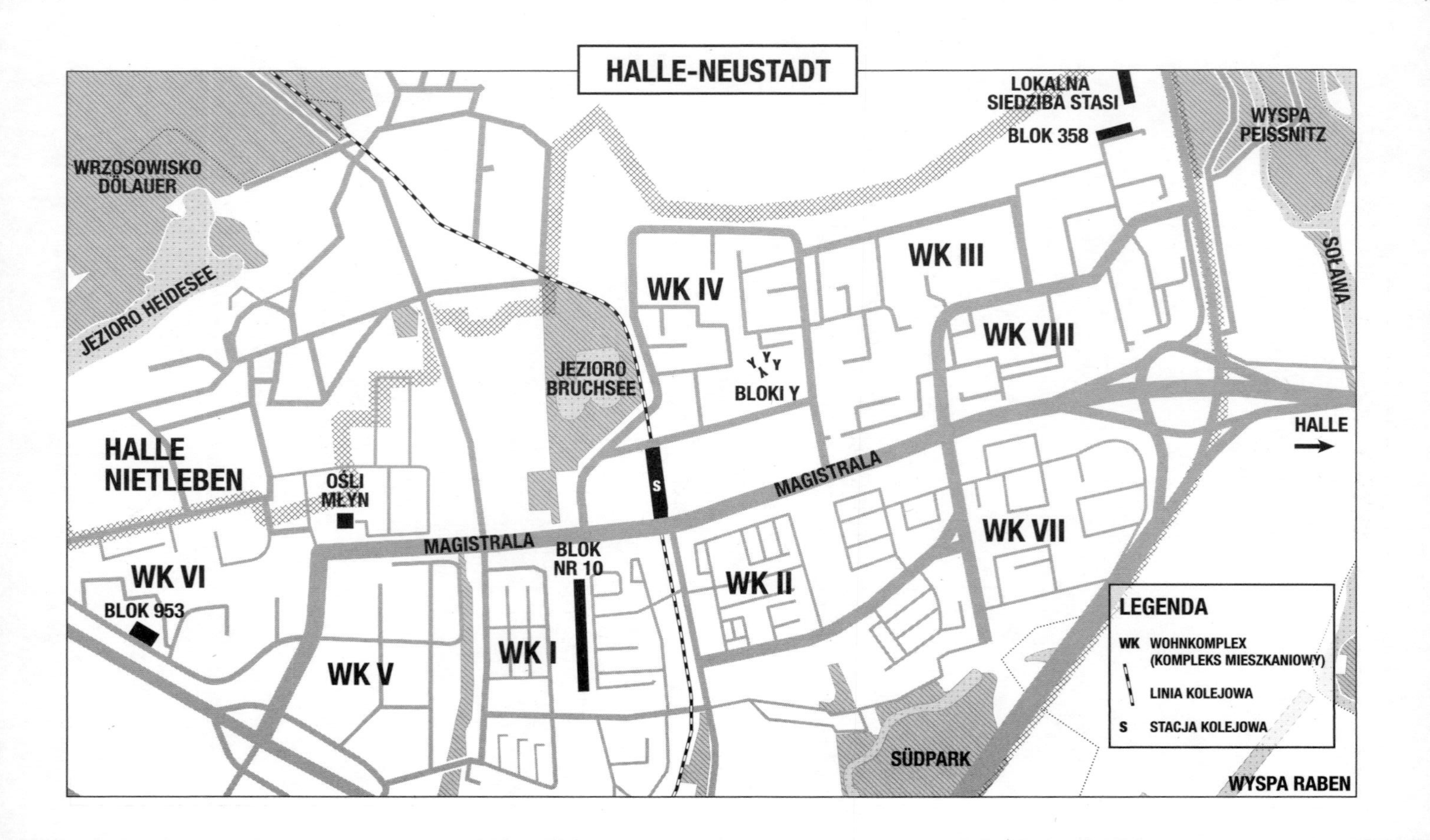
HALLE-NEUSTADT
LOKALNA SIEDZIBA STASI
BLOK 358
WYSPA PEISSNITZ
SOŁAWA
WRZOSOWISKO DÖLAUER
JEZIORO HEIDESEE
WK IV
WK III
WK VIII
JEZIORO BRUCHSEE
BLOKI Y
HALLE
HALLE NIETLEBEN
OŚLI MŁYN
S
MAGISTRALA
MAGISTRALA
WK VII
BLOK NR 10
WK VI
WK II
BLOK 953
WK I
WK V
SÜDPARK
WYSPA RABEN
LEGENDA
WK WOHNKOMPLEX (KOMPLEKS MIESZKANIOWY)
LINIA KOLEJOWA
S STACJA KOLEJOWA

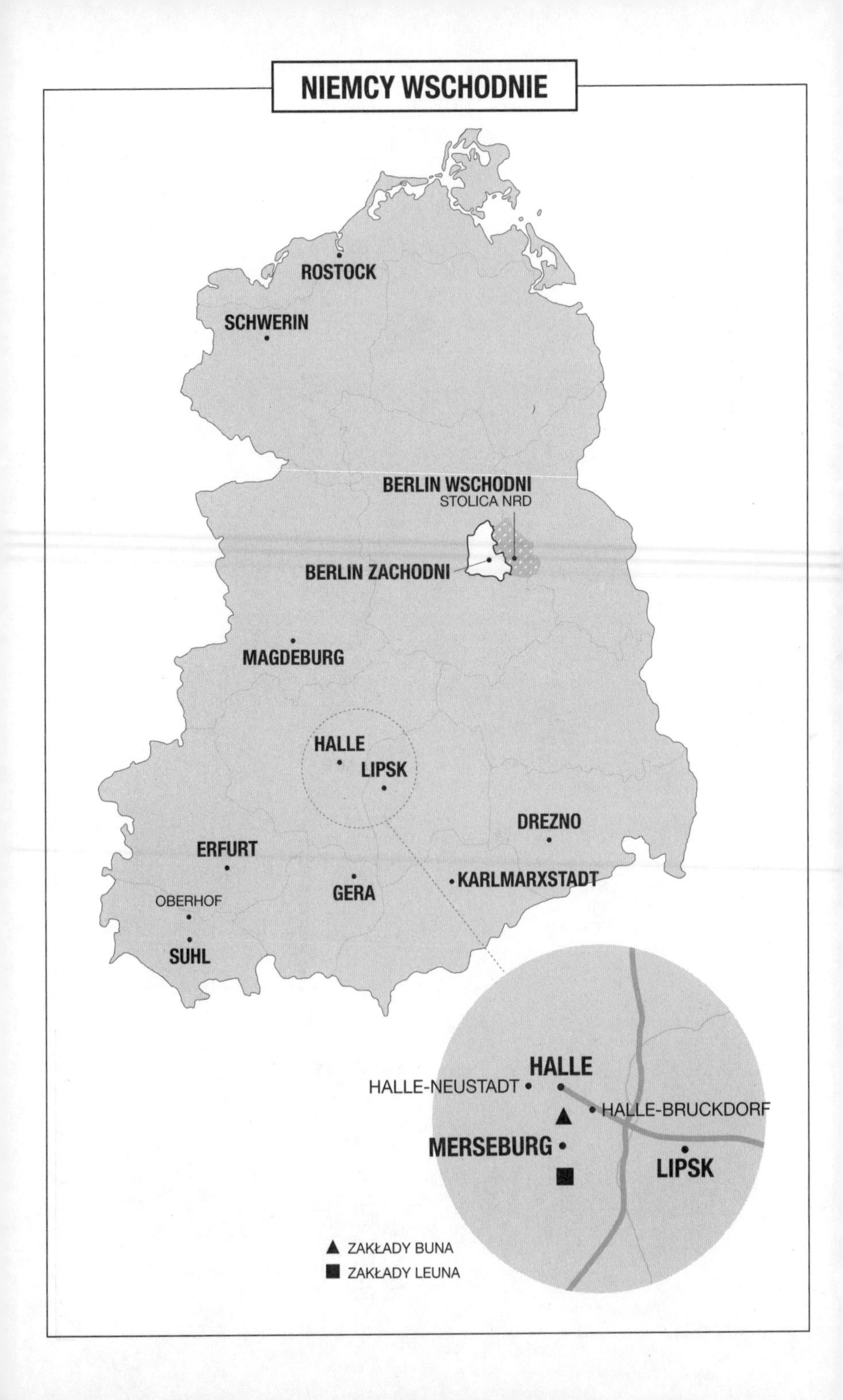
NIEMCY WSCHODNIE
ROSTOCK
SCHWERIN
BERLIN WSCHODNI
STOLICA NRD
BERLIN ZACHODNI
MAGDEBURG
HALLE
LIPSK
DREZNO
ERFURT
GERA
KARLMARXSTADT
OBERHOF
SUHL
HALLE
HALLE-NEUSTADT
HALLE-BRUCKDORF
MERSEBURG
LIPSK
ZAKŁADY BUNA
ZAKŁADY LEUNA

Wstęp

Oto druga część mojej serii kryminalnych thrillerów o porucznik Karin Müller. Ich akcja rozgrywa się w komunistycznej Niemieckiej Republice Demokratycznej w połowie lat siedemdziesiątych XX wieku. Wydarzenia rozpoczynają się kilka miesięcy po zakończeniu sprawy opisanej w pierwszej powieści, *Stasi i dziecko*, ale – podobnie jak tamta – są samodzielną historią w obrębie serii i starałem się napisać ją tak, by czytelnicy, którzy nie zetknęli się z poprzednią książką, nie czuli, że cokolwiek tracą, i czerpali przyjemność z lektury.

Ci, którzy czytali *Stasi i dziecko*, znają już pewne informacje ze wstępu do tamtej powieści, więc przepraszam ich za powtórzenie.

Niemcy Wschodnie – kraj zwany oficjalnie Niemiecką Republiką Demokratyczną (NRD), po niemiecku Deutsche Demokratische Republik (DDR), był komunistycznym państwem utworzonym po zakończeniu II wojny światowej i zdominowanym przez Związek Radziecki. W bloku wschodnim mógł się pochwalić jednym z najwyższych poziomów życia i chociaż politycznie był marionetką Moskwy, codzienność jego mieszkańców pozytywnie różniła się od standardów radzieckich.

Moja główna bohaterka, Karin Müller, jest porucznikiem w państwowych organach policyjnych – Milicji Ludowej (Volkspolizei, Vopo) – chociaż jako detektyw w wydziale zabójstw pracuje dla jej wydziału kryminalnego (Kriminalpolizei, Kripo).

Ogromne wpływy w państwie miały tajne służby, czyli Ministerstwo Bezpieczeństwa Państwowego, powszechnie znane jako Stasi.

Niektóre fakty dotyczące prawdziwych wydrzeń wykorzystanych w powieści zostały zmienione. Szczegóły podaję w nocie od autora na końcu książki.

Serdecznie dziękuję wszystkim, którzy przeczytali *Stasi i dziecko*, zwłaszcza tym, którzy o tej książce pisali i ją recenzowali. To wspaniałe (i nieco obezwładniające), że od tak wielu osób otrzymałem za nią podziękowania. Chociaż nie napisałem książki dla podziękowań, cieszę się ze wszystkich listów i mejli.

Kontakt do mnie oraz więcej informacji znajdziecie na mojej stronie internetowej www.stasichild.com oraz na Twitterze @djy_writer.

Dziękuję, że mnie czytacie!

D.Y. (luty 2017)

Prolog

LIPIEC 1945
HALLE-BRUCKDORF, OKUPOWANE NIEMCY

Gdy przesuwasz ciało na skalnej półce, by zyskać trochę miejsca, czujesz pieczenie w nodze. *Frau* Sultemeier spadła na ciebie tej niekończącej się nocy. Podziemny tłok, przebywanie z innymi w ciasnocie opuszczonej kopalni, zapewnia nieco ciepła i być może odrobinę nieuzasadnionego poczucia bezpieczeństwa. Czujesz się niezbyt lojalna, gdy nieznacznie się poruszając, zdobywasz więcej przestrzeni. Szukasz miejsca w ciemności, bo tutaj słońce nigdy nie dociera, nawet za dnia. Nie odważysz się postawić nogi, bo wiesz, że buty znowu napełnią się zimną, brudną od węgla wodą, a ból stanie się nie do wytrzymania. Słyszysz ten szmer – wodę cieknącą ze wszystkich miejsc, wsączającą się w każde zadrapanie i każdą ranę. Nie widzisz jej, ale wiesz, że tam jest.

Sultemeier odchrząkuje, ale się nie budzi. Prawie chciałabyś, żeby jednak otworzyła oczy. Chcesz z kimś porozmawiać. Żeby ktoś ci powiedział, że wszystko będzie dobrze. Dagna by tak zrobiła. Młodsza siostra, która nigdy niczego się nie bała. Ani warkotu bombowców, ani wybuchów, ognia na niebie czy chmur kurzu i gruzu. Mówiła tylko: „Jesteśmy. Nadal żyjemy. Podziękuj za to i czekaj, aż się polepszy". Ale Dagny tutaj nie ma. Poszła z innymi. Słyszała – wszystkie słyszałyśmy – historie, które opowiadano nam w Związku Niemieckich Dziewcząt. O tym, że żołnierze Armii Czerwonej są gorsi od zwierząt, że gwałcą i rozdzierają ciało kawałek po kawałku. Inne nie chciały się przekonać, czy to prawda, więc spróbowały dotrzeć do strefy amerykańskiej.

Sultemeier znowu chrząka. Obejmuje cię ramieniem, jakbyś była jej kochankiem. *Frau* Sultemeier, ta żałosna stara sklepikara, która przed wojną wpuszczała do swojego sklepu najwyżej dwoje dzieci naraz. Bezbłędnie przyłapywała cię, gdy chciałaś przywłaszczyć sobie jednego cukierka, bo myślałaś, że patrzy w drugą stronę. Jak większość tych tutaj była za stara, by uciekać. A ty po prostu nie mogłaś pójść, bo ostatni nalot bombowy Brytyjczyków zakończył się dla ciebie zranieniem nogi. Musiałaś więc zejść tu z nimi. Do starej kopalni węgla brunatnego. Przeważnie wydzierano go prosto z ziemi wielkimi maszynami. Karmiono nim tę niekończącą się wojnę, która kiedyś wydawała się czymś tak chwalebnym. Potem stała się czymś brudnym, znienawidzonym, wysysającym wszystkie siły. Ale wy, *Kinder des Krieges*, dzieci tej wojny, już wcześniej dowiedziałyście się o istnieniu tej kopalni – nazywałyście ją jaskinią. Bawiłyście się tutaj przed wojną. Ty i twoja siostra Dagna wprawiałyście w osłupienie waszą *Mutti* przynoszonym do domu brudem. „Czarne jak Murzynki" – śmiała się, klepiąc was po pupach, gdy biegłyście do wanny. Już jej nie ma, oczywiście. Umarła... Kiedy to było? Rok temu? Dwa lata? A ty nadal nie widziałaś żadnego czarnoskórego, chyba że w książkach. Zastanawiasz się, czy jakiegoś zobaczysz w rzeczywistości. Zastanawiasz się, czy uda ci się ujść stąd z życiem.

Najpierw widzisz światło latarek, potem słyszysz krzyki w obcym języku i chlupot wody tryskającej spod butów. *Frau* Sultemeier natychmiast się budzi, przyciska cię swoimi kościstymi rękami. Myślisz, że chce cię bronić. Masz taką nadzieję. Czujesz drżenie wywołane przez strach, przechodzi z jej ciała na twoje.

Światło latarki trafia cię prosto w twarz, przesuwając się szybko po szeregu babć, starych panien i wdów. Kobiety, które przeżyły za wiele wiosen. Za wiele zim. Wszystkie poza tobą. Ty widziałaś tylko trzynaście zim – to twoje czternaste lato.

– *Frauen! Herkommen!* – Słowiańska wymowa zniekształca niemieckie wyrazy, ale przekaz jest jasny. Kobiety mają wyjść.

Nagle Sultemeier, ta stara wiedźma, wypycha cię przed szereg. Uświadamiasz sobie, że trzymała cię tak mocno nie po to, by cię chronić. Chciała zapobiec twojej ucieczce.

– Tutaj, tutaj! – woła. Światło latarki zawraca w twoją stronę. – Weźcie tę dziewczynę. Jest młoda, ładna, popatrz tylko! – Podnosi twój podbródek, przytrzymuje ręce, którymi chcesz osłonić oczy przed światłem.

– Nie! – krzyczysz. – Nie, nie pójdę. Nie chcę! – Ale radziecki żołnierz już ciągnie cię do siebie. Widzisz jego twarz po raz pierwszy, w ostrym świetle latarki. Jego dzikie słowiańskie rysy. Zupełnie takie, jakie opisywał Führer. Na tej twarzy maluje się głód. Potrzeba. Jest głodny ciebie, potrzebuje właśnie ciebie.

Powtarza wezwanie, tym razem po rosyjsku: *Prichoditie!*

– Nie rozumiem – odpowiadasz. – Mam tylko trzynaście lat.

– *Komm mit mir!*

Chodź ze mną. Nie musi ci rozkazywać, po prostu ciągnie cię przez zalaną kopalnię, twoje niedożywione nastoletnie ciało prawie nic nie waży. Z każdym krokiem ból przeszywa twoją stopę. Słyszysz śmiech jego towarzyszy.

– Ładna dziewczynka – drażnią się. – Ładna dziewczynka.

Dopiero co zapadł zmrok, ale resztki światła na zewnątrz i tak cię oślepiają. Żołnierze. Żołnierze. Wszędzie. Śmieją się. Gwiżdżą. Przesyłają całusy. Próbujesz iść, ale ciągle się potykasz, a on trzyma cię mocno. Czujesz, że się zmoczyłaś.

Zabiera cię do budy. Do tej rozpadającej się, na wpół zardzewiałej metalowej budy, w której ty i Dagna bawiłyście się przed wojną, zanim rozpętało się to piekło. Odgrywałaś panią domu, a ona była twoją niegrzeczną córką, która psociła, by tylko dać ci pretekst do karcenia. Żołnierz wpycha cię do środka, rzuca na ziemię i kopniakiem zamyka za sobą drzwi.

– Ładna dziewczynka. – Naśladuje zwierzęcą aprobatę towarzyszy, gdy przez chwilę zatrzymuje na tobie wzrok. – Ładna dziewczynka.

Przesuwasz się do tyłu, na sam koniec budy, przez brud i gruz. Widzisz, jak odpina pasek, potem przechyla się w twoją stronę, a jego spodnie opadają na ziemię. Jest już na tobie. Zdziera z ciebie ubranie, przytrzymuje cię za ramiona, jego śmierdzący oddech napiera na twoją twarz w poszukiwaniu pocałunku.

I się poddajesz. Po prostu opadasz na plecy i pozwalasz mu robić, co chce. Cokolwiek mu przyjdzie na myśl.

Zaraz po tym, jak skończył, chce zaczynać od początku. Wtedy otwierają się drzwi i wchodzi kolejny żołnierz. Patrzy na ciebie z tym samym głodem w oczach. Przez mgłę bólu, przez wstyd i smród nieumytego mężczyzny uświadamiasz sobie, że to, co ci powiedzieli w Związku Niemieckich Dziewcząt, było prawdą.

Führer mówił prawdę.

Żołnierze Armii Czerwonej rzeczywiście są gorsi niż zwierzęta.

1

LIPIEC 1975
BERLIN

Porucznik Karin Müller nie odrywała wzroku od pryszczatego młodzieńca siedzącego naprzeciwko niej w pokoju przesłuchań przy Keibelstrasse. Odpowiadał jej spojrzeniem spod przetłuszczonych, długich do ramion czarnych włosów. Spojrzenie było tak bezczelne, że wręcz obawiała się, co się stanie z chłopakiem w trakcie jego pobytu w areszcie śledczym Milicji Ludowej.

Dotychczas się nie odzywała. Teraz pociągnęła nosem i spojrzała w notatki.

– Nazywasz się Stefan Lautenberg, masz dziewiętnaście lat, zameldowany w stolicy, na Fischerinsel, mieszkanie numer trzy tysiące dziewiętnaście, blok numer czterysta trzydzieści jeden. Zgadza się?

– Wiesz, że tak.

– Grasz na gitarze w zespole pop o nazwie... – Znowu zerknęła do notatek. – Hell Twister. Zgadza się?

Młodzieniec tylko westchnął, jakby z rezygnacją.

– Zgadza się? – powtórzyła milicjantka.

– Jesteśmy zespołem rockowym – powiedział z naciskiem na ostatnie słowo.

– Hmmm. – Müller odnotowała to sprostowanie.

Nie chodziło jej o to, by oddać sprawiedliwość chłopakowi, chociaż czuła do niego sympatię. Miała wrażenie, że nie powinno go tu być, nie powinna go przesłuchiwać, uważała, że nie zgłosiła się do pracy tego rodzaju. Była detektywem zajmującym się zabójstwami. Pierwszą kobietą, która stanęła na czele takiego zespołu w całej Republice Demokratycznej. Dobrze się tam spisywała – przynajmniej we własnym mniemaniu – a teraz przenieśli ją tutaj, gdzie musiała wykonywać te okropne zadania zwykłego milicjanta. Westchnęła, zablokowała długopis i odłożyła go na stół.

– Słuchaj, Stefan, możesz mi to ułatwić albo utrudnić. Jeśli przyznasz się do zarzutów, dostaniesz ostrzeżenie i cię zwolnimy. I możesz wrócić do gry z tymi... – Znowu zerknęła do notatek. Zapamiętała nazwę grupy, ale nie chciała dać mu satysfakcji i się z tym zdradzić. – Z tymi Hell Twister. W każdej chwili. Albo mi to utrudnisz, odegrasz cwaniaczka. Wtedy zamkniemy cię w celi na tak długo, jak nam się spodoba. Wszelkie nadzieje na studia, na porządną pracę, cóż... to już będzie dla ciebie historia.

– Porządna praca, towarzyszko porucznik? – prychnął Lautenberg. Dwa ostatnie słowa wymówił z sarkazmem. – W tym gównianym kraiku? – Pokręcił głową i się uśmiechnął.

Müller znowu westchnęła, przebiegła ręką po brudnych blond włosach, ciężkich i wilgotnych od atakującego zewsząd upału.

– Dobrze, niech będzie, jak chcesz. W niedzielę piętnastego czerwca towarzyszka Gerda Hutmacher doniosła, że Stefan Lautenberg hałasował w rodzinnym mieszkaniu: puszczał muzykę przez wzmacniacz. Gdy zwróciła mu uwagę, odpowiedział jej antysocjalistycznym żartem o tym, jak towarzysz Honecker zgubił zegarek pod łóżkiem. Zgadza się?

Młodzieniec zakaszlał. Pochylił się w stronę Müller i wytrzymał jej spojrzenie.

– Zgadza się co do joty, towarzyszko porucznik. Niestety, zgubił zegarek i pomyślał, że mu go ukradli. Poprosił więc ministra bezpieczeństwa państwowego, by przeprowadził śledztwo.

Müller położyła łokcie na stole i oparła podbródek na splecionych dłoniach. Nie chciała, by Lautenberg powtórzył jej ten żart, ale najwidoczniej do tego zmierzał.

– O ile dobrze pamiętam – kontynuował młodzieniec – towarzysz Honecker w końcu znajduje zegarek i dzwoni do ministra, by odwołać śledztwo. – Umilkł na chwilę i spojrzał twardo na Müller. – Może wy dokończycie?

Milicjantka znowu westchnęła, zmęczona tym wszystkim.

– Dobrze, więc ja to zrobię. Minister odpowiedział: „Obawiam się, że już za późno. Aresztowaliśmy dziesięć osób i wszystkie się przyznały". – Lautenberg zakołysał się na krześle ze śmiechu.

Müller wstała. Już słyszała ten dowcip, nie śmieszył jej i na dzisiaj miała dość Stefana Lautenberga. Jak również swojej pracy.

– Straż! – krzyknęła w stronę korytarza. – Zabierzcie tego tutaj do celi.

Weszło dwóch mundurowych, jeden zakuł chłopaka w kajdanki. Lautenberg spojrzał na Müller z pogardą, gdy go wyprowadzali. Potem odwrócił się i splunął jej pod nogi.

Postanowiła przejść te parę kilometrów do swojego mieszkania przy Schönhauser Allee. Wolała to od podróży metrem lub tramwajem. Upał, który tak jej doskwierał w głównej siedzibie milicji przy Keibelstrasse, zelżał dzięki wieczornemu wiatrowi. Mimo to nie mogła otrząsnąć się z poczucia samotności i wyobcowania. W Wydziale Kryminalnym Dzielnicy Mitte, którego biura mieściły się pod wiaduktem stacji Marx-Engels-Platz, tworzyła z Wernerem Tilsnerem niewielki zespół. Zdarzyło im się pójść do łóżka, ale przede wszystkim byli przyjaciółmi. Teraz on zniknął z pola widzenia – ciągle leżał w szpitalu, po tym jak został niemal śmiertelnie postrzelony, i nie wiadomo było, kiedy wróci do służby, jeśli w ogóle. Na Keibelstrasse pracowało wielu milicjantów, ale Müller nie znała ich wystarczająco dobrze, by móc nazwać te relacje bliskimi, może z wyjątkiem technika kryminalnego Jonasa Schmidta. W tym roku pracowała z nim nad sprawą dziewczyny, której ciało znaleziono na cmentarzu.

Ampelmann, berliński ludzik z sygnalizatorów świetlnych, rozbłysnął zielonym światłem na Prenzlauer Allee. Przyspieszyła kroku. Po drodze zastanawiała się, czy jej niegdyś tak obiecująca kariera zawodowa właśnie się skończyła. Wszystko dlatego, że odmówiła podpułkownikowi Klausowi Jägerowi. Nie chciała wstąpić do Stasi, pracować z nim w Ministerstwie Bezpieczeństwa Państwowego. Powinna była wiedzieć, że tego rodzaju propozycji się nie odrzuca.

Gdy dotarła do drzwi wejściowych swojej kamienicy, wykrzywiła twarz w uśmiechu. Samochód, który obserwował ją od tygodni, wreszcie zniknął. Prawie jakby już się nie liczyła. A drzwi do mieszkania *Frau* Ostermann były zamknięte na głucho. Nawet ona zmęczyła się wściubianiem nosa w sprawy Müller.

Porucznik przekręciła klucz w zamku i weszła do mieszkania. Kiedyś było to gniazdko, które dzieliła z mężem Gottfriedem. Już byłym mężem. Jako wrogowi państwowemu, podejrzanemu o działalność antyrewolucyjną, pozwolono mu wyjechać na Zachód, gdzie z pewnością czekała go wspaniała kariera w zawodzie nauczycielskim. Zastanawiała się, ile czasu minie, nim władze każą jej się przenieść do mniejszego mieszkania. Była w końcu samotną rozwódką. Być może nawet będzie to milicyjny hotel pracowniczy. Przeszedł ją dreszcz. Nie mogła znieść tej myśli. Zapachniało jej powrotem do szkoły milicyjnej. Nie chciała sobie przypominać tego okresu.

Poszła prosto do sypialni, zrzuciła buty i położywszy się na łóżku, zaczęła się wpatrywać w stiuki na suficie. Musiała wziąć się w garść. Podjąć decyzję. Albo zostać w milicji i spróbować znowu pchnąć do przodu swoją karierę, albo się wycofać. W grę wchodziła tylko jedna z tych opcji. Nie da rady spędzić kolejnych dni na wyciąganiu zeznań z kretynów w rodzaju Lautenberga, którzy popełnili drobne wykroczenia przeciwko porządkowi państwowemu. Wyczerpywało ją to bardziej niż śledztwo w sprawie morderstwa.

Wzięła głęboki wdech. Miała za sobą jeden z tych dni, gdy po powrocie z pracy wylewasz żale mężowi, żonie czy rodzinie, wypuszczając parę, wyrzucając z siebie frustracje. Tyle że Gottfrieda już nie było, i to ona częściowo się do tego przyczyniła. Po raz pierwszy od dawna pomyślała o swojej rodzinie. Nie chodziło o to, że u krewnych znalazłaby jakieś wsparcie. Mieszkali setki kilometrów na południe od Berlina, w Oberhofie, i skoro nie miała ochoty odwiedzić ich w Boże Narodzenie, tym bardziej nie pojedzie tam teraz.

Przebiegła w myślach to, co wydarzyło się w górach Harzu w decydujących dniach jej ostatniego wielkiego śledztwa. Przypomniała sobie, jak próbowała odgrywać bohaterkę i wpadła wraz z Tilsnerem w pułapkę, w której on prawie stracił życie. Poszli bez wsparcia. Teraz Werner Tilsner leżał w szpitalu Charité, nie mógł mówić, nie mógł chodzić, rzadko odzyskiwał przytomność.

Wstała z łóżka. Weźmie prysznic i pójdzie go odwiedzić. To przypomni jej, że niektórzy mają gorzej niż ona. Znacznie gorzej.

2

Jeszcze nim otworzyła drzwi do sali Tilsnera, przez szybę dostrzegła, że jego stan się poprawił. Siedział w łóżku i czytał. Zazwyczaj jej czarujący zastępca nie sięgał po książki. Gdy weszła do sali, jej zdziwienie szybko się ulotniło. Tilsner błyskawicznie schował książkę pod kołdrą, starając się nie zaplątać w przewody kroplówek. Jednak Müller udało się dostrzec okładkę – to była powieść erotyczna. „A więc nic się nie zmienił" – pomyślała.

– Ka-rin – wycharczał, bo nadal miał trudności z artykulacją, choć od postrzelenia minęły cztery miesiące.

Milicjantka usiadła przy łóżku i wzięła go za rękę, uważając, by nie dotknąć podłączonej do niej rurki.

– Cieszę się, że masz się znacznie lepiej, Werner. I że czytasz, jak widzę.

Przekornie sięgnęła po ukrytą książkę, ale Tilsner przycisnął pościel i skrzywił się z bólu.

– Tak, znacz-nie le-piej. – Skinął głową. – Czy-tam. – Zerknął na nią z lekkim zawstydzeniem.

– Chciałabym powiedzieć ci to samo – westchnęła. – Ale w pracy jest okropnie, wolałabym leżeć w łóżku i czytać.

Nie mogła przecież obarczać Tilsnera swoimi problemami. Tylko że brakowało jej codziennych rozmów z dawnym zastępcą.

– Jak le-ci w... – wycharczane zdanie zostało przerwane. Dostrzegła wysiłek na twarzy kolegi. Jego mocna szczęka dopiero dostosowywała się do mówienia po długiej przerwie. – ...w biu-rze.

Twarz Müller przez chwilę wyrażała skupienie, gdy milicjantka starała się zrozumieć pytanie. Wreszcie zaskoczyła.

Zrobiła niewyraźną minę.

– Nie pracuję już przy Marx-Engels-Platz. Przenieśli mnie na Keibelstrasse. Ktoś inny przejął mój zespół. – W jej głosie zabrzmiał żal, a w oczach Tilsnera dostrzegła współczucie. – Odwalam teraz nudną robotę, którą mógłby się zająć każdy mundurowy. Odsunęli mnie, Werner. – Nachyliła się do jego ucha. – Tylko dlatego, że nie przyjęłam propozycji twojego kumpla Jägera. To chyba nie była najmądrzejsza decyzja w moim życiu.

Tilsner uśmiechnął się i uścisnął jej dłoń.

– Jest-eś... na to... za... do-bra.

Znów musiała się skupić, by zrozumieć, co starał się z takim wysiłkiem powiedzieć. Gdy już do niej dotarło znaczenie słów, skrzywiła się.

– Nie szermuj komplementami. To do ciebie niepodobne.

Odwrócili głowy, gdy zaskrzypiały podwójne drzwi do sali. Tilsner miał kolejnego gościa. Był nim pułkownik Reiniger z Milicji Ludowej, który wypromował Müller, chronił ją podczas poprzedniego śledztwa, kiedy musiała działać wbrew regułom, a teraz przypieczętował jej przeniesienie na Keibelstrasse. Müller nie ucieszyła się na jego widok, ale on zdawał się być w wyśmienitym nastroju.

– Cieszę się, że już się podnosicie, towarzyszu podporuczniku – powiedział do Tilsnera i przysunął sobie krzesło po drugiej stronie łóżka. Guziki rozporka omal nie odpadły pod naciskiem ogromnego brzucha. Müller obserwowała zwykły rytuał strzepywania niewidocznych pyłków z epoletów, co miało przyciągnąć uwagę do gwiazdek określających rangę pułkownika. Podczas gdy Reiniger patrzył na swoje ramiona, Tilsner zamarkował wstawanie, choć nie pozwalały mu na to rurki. „Ten sam łobuzerski Tilsner. Naprawdę wraca do siebie" – pomyślała Müller. Reiniger podniósł wzrok w tym samym momencie, w którym Tilsner wrócił do pozycji półleżącej.

– Jeśli tak dalej pójdzie – powiedział pułkownik – zaraz będziesz prowadził kolejne śledztwo.

– Tyl-ko... z... Ka-rin! – skrzywił się Tilsner.

Müller nie wiedziała, czy grymas na twarzy kolegi pojawił się z bólu czy z powodu trudności, jaką sprawiło mu podkreślenie tej kwestii.

Reiniger się zachmurzył i spojrzał pytająco na milicjantkę.

– Co on mówi, Karin? Rozumiesz to?

– Wydaje mi się, że powiedział „tylko z Karin", towarzyszu pułkowniku.

Na twarz Reinigera wpełzł rumieniec.

– Tak, no cóż. Na razie to nie jest możliwe. Obawiam się, że to nie ja decyduję. – Patrzył na nią przez chwilę. – Właściwie cieszę się, że cię tu spotkałem. Musimy porozmawiać.

Tilsner chciał się wtrącić, ale zanim cokolwiek wykrztusił, Reiniger wstał i oczami wskazał Müller drzwi. Nie chciał rozmawiać w obecności jej zastępcy.

Poczłapał do wyjścia niczym pingwin, lekko pochylony do przodu. Zawsze sprawiał wrażenie, że cokolwiek zamierza, jest to ważniejsze niż wszystkie inne sprawy.

Przed wyjściem Müller wymieniła znaczące spojrzenie z Tilsnerem.

Reiniger przywołał Müller ręką, wskazując rząd siedzeń na szpitalnym korytarzu. Usiadł i odezwał się ściszonym głosem:

– Domyślałem się, że cię tu znajdę. Byłem na Keibelstrasse i powiedzieli mi, że na dziś skończyłaś. – Müller wiedziała, że przełożony ją ostrzega, ale było jej już wszystko jedno. – Mamy problem, Karin. I ty możesz nam pomóc. To byłby sposób, by przywrócić cię do pracy w wydziale kryminalnym. Zakładam, że tego chcesz?

Müller nagle nabrała podejrzeń. Z jakichś powodów zostawiono ją samej sobie na zesłaniu przy Keibelstrasse. W co próbuje ją teraz wciągnąć pułkownik?

Mimo wątpliwości powoli skinęła głową.

– Na czym polega ten problem, towarzyszu pułkowniku?

– W okolicach Lipska mają trudną sprawę. Okręg Halle, Halle-Neustadt, ściślej mówiąc. Słyszałaś o nim?

– Oczywiście. – Nigdy tam nie była, ale kojarzyła to miejsce z programów telewizyjnych i gazet. W pewnym sensie była to duma Republiki Demokratycznej. Prawie sto tysięcy obywateli miało wkrótce przenieść się do nowego miasta obok Halle. Sto tysięcy obywateli we własnych mieszkaniach. Szeregi niebotycznych bloków z *Plattenbauten*, wielkiej płyty, a pomiędzy nimi lokale usługowe dla ludności, wszystko w najlepszym gatunku. Socjalistyczny sen na jawie. Komunistyczny Wschód pokazujący, że robi te rzeczy lepiej niż skorumpowany kapitalistyczny Zachód.

– Musieliśmy to zatuszować – powiedział Reiniger, rozglądając się po korytarzu, by sprawdzić, czy nikt ich nie słyszy. – Zaginęła dwójka niemowląt. Bliźnięta. Ministerstwo Bezpieczeństwa Państwowego włączyło się w sprawę, przejęło nad nią kontrolę.

W tym momencie Müller poczuła, że coś w niej tąpnęło. Nie chciała znowu prowadzić śledztwa, w którym byłaby na każde zawołanie Stasi, chociaż bardzo tęskniła za porzuceniem codziennej harówki na Keibelstrasse.

– Chcą, żeby pomogła im milicjantka. Kobieta. Wspomniano o tobie. To szansa, by wrócić do obiegu, Karin. Jesteś dobra. Wiem, że ty też to wiesz. Ta sprawa z Jägerem… Cóż, to był nieszczęśliwy zbieg okoliczności. To dobry znak, że znów się o tobie mówi.

– Tyle że ja stałam się dziewczyną ze stolicy, towarzyszu pułkowniku. Berlin to moje miasto. Mój dom. Chyba nie chcę pracować gdzie indziej. Może lepiej zostawić to miejscowym detektywom, niż sprowadzać kogoś z zewnątrz?

Reiniger powoli wciągnął powietrze, przez co mundur na jego brzuchu napiął się jeszcze bardziej.

– Powiem prosto z mostu. Jeśli nie chcesz na zawsze zostać porucznikiem, czasami musisz się na coś zgodzić. Na robotę, która nie do końca ci odpowiada, na wyjazdy tam, gdzie niekoniecznie masz ochotę przebywać. To dla ciebie szansa. Tyle że tutaj nie możesz już źle ocenić sytuacji. Będziesz pilnowana – nie tylko, jak się pewnie domyślasz, przez Milicję Ludową.

– Czy mogę się zastanowić?

– Tak, ale krótko. Nic nie mów Tilsnerowi.

Pułkownik podniósł się i zaczekał na Müller przy przeszklonych drzwiach do sali Tilsnera. Pokazał oczami rekonwalescenta, który znów potajemnie sięgnął po swoją książkę.

– Nie chcę, żeby napalił się na prowadzenie z tobą tej sprawy, bo gotów za wcześnie wypisać się ze szpitala. Widzisz, że już mu lepiej, rany praktycznie się zagoiły. Ale jeszcze nie jest w formie umożliwiającej powrót do pracy. Stracił tak wiele krwi w krótkim czasie, że spowodowało to mały udar – tak mówią lekarze. Z czasem pewnie zupełnie z tego wyjdzie. Mamy oczywiście nadzieję, że nastąpi to w miarę szybko. Ale teraz musi na nowo nauczyć się mówić. Potrzebna mu fizjoterapia... może nawet psychoterapia... Zanim zdecydujemy, czy może już wracać, minie co najmniej kilka miesięcy.

Müller tylko skinęła głową. Przez moment oboje stali bez słowa, przestępując z nogi na nogę. Reiniger wydawał się na coś czekać.

– Zastanowiłaś się?

– Miałam na myśli, że dam odpowiedź jutro, gdy sobie to przemyślę – odparła zaskoczona.

– Nie mamy na to czasu – westchnął Reiniger. – Obiecałem dać odpowiedź Halle jeszcze dzisiaj. – Spojrzał na zegarek i znowu na Müller. – Właściwie mam już do nich zadzwonić.

Milicjantka zaśmiała się krótko i pokręciła głową z niedowierzaniem.

– Muszę ci powiedzieć jeszcze jedno, Karin. To pomoże ci podjąć decyzję. Śledztwo nie dotyczy tylko zaginięcia. Jedno z niemowląt zostało znalezione. Martwe. I nie z przyczyn naturalnych. Mamy odnaleźć mordercę. Jeśli się zgodzisz, dostaniesz nowego zastępcę – też człowieka z zewnątrz. Najważniejsze, że znowu będziesz szefować własnemu zespołowi w sprawie o zabójstwo.

Reiniger przyglądał jej się uważnie. Miał w ręku wszystkie atuty i wiedział, że ta sprawa ją skusi. Że tego chciała. Oboje wiedzieli, że tego chciała. Wrócić do pracy, którą kochała.

– No dobrze, zgadzam się – powiedziała z westchnieniem. – I tak wiedzieliście, że się zgodzę. Powiecie mi coś więcej o sprawie?

Reiniger lekko się uśmiechnął. Müller domyśliła się, że ma to, po co przyszedł.

– Wiesz wszystko, co musisz wiedzieć. Nie ma sensu, bym mącił ci w głowie. Na miejscu wprowadzą cię w szczegóły.

Zmarszczyła brwi. Śledztwo, o którego szczegółach jej szef nie chciał mówić – wyglądało na coś potencjalnie problematycznego. A konieczność sprowadzenia kogoś z Berlina była wysoce podejrzana. Jednak w jej obecnej sytuacji nawet problematyczne i podejrzane sprawy były lepsze niż nuda biurowego życia na Keibelstrasse.

Müller i Reiniger pożegnali się z Tilsnerem, nic mu nie mówiąc o pilnej sprawie, która skróciła ich wizytę, i ruszyli szpitalnym korytarzem w stronę wyjścia. Po drodze milicjantka natknęła się na znajomego. Doktora Wollenburga poznała niedawno, podczas wyjątkowo przerażającej autopsji. Uśmiechnęli się do siebie, i chociaż żadne z nich się nie zatrzymało, Müller nie oparła się pokusie, by się za nim obejrzeć. W tej samej chwili Wollenburg zrobił to samo i ich spojrzenia ponownie się spotkały. Odłączył się od grupy lekarzy i pielęgniarek, z którą szedł, i podbiegł do milicjantów.

– Macie chwilę, towarzyszko? – zagadnął.

Müller spojrzała na przełożonego.

– Jedna minuta – zgodził się Reiniger. – Nie dłużej. Poczekam przy wyjściu.

– O co chodzi? – spytała, gdy Reiniger odszedł. – Nie mam teraz czasu.

– No więc... – Na policzki lekarza wystąpiły rumieńce.

„Jest uroczy, gdy się czerwieni" – pomyślała.

– Tak się zastanawiałem... hmm, widzę, że nie nosicie już obrączki, towarzyszko porucznik.

Ta uwaga ją zaskoczyła. Karin poczuła jednak również ukłucie ekscytacji... i wstydu. Spojrzała na swój palec serdeczny, a potem pytająco na Wollenburga.

– No więc... to trochę... hmmm, jakby dziwne, wydaje mi się – ciągnął lekarz, jąkając się. – Tak sobie myślałem, że może pójdziemy razem na kawę albo do teatru, albo...

Müller uśmiechnęła się lekko. Był całkiem słodki. Położyła mu rękę na ramieniu.

– Z radością. Niestety, przenoszą mnie na jakiś czas do Halle-Neustadt. Nie wiem, kiedy wrócę.

Wollenburg szeroko się uśmiechnął.

– Halle-Neustadt, mówicie. Hmmm. No więc... to nie jest przeszkoda.

– Dlaczego? Was też tam nagle zesłali?

– Zdarzają się dziwniejsze rzeczy. – Odwrócił się w stronę czekających na niego kolegów. – Muszę już iść, ale się odezwę.

Myślę, że niedługo. Będę mógł was znaleźć w komendzie w Halle-Neustadt, prawda?

Müller uśmiechnęła się i bez słowa ruszyła w kierunku, w którym oddalił się Reiniger.

3

NASTĘPNEGO DNIA

Reiniger wyraził zgodę, by Müller zabrała ze sobą technika kryminalnego z Berlina i wzięła nieoznakowanego wartburga z zasobów wydziału kryminalnego – podobnego do tego, którym jeździli z Tilsnerem w czasach pracy przy Marx-Engels-Platz. Technik Jonas Schmidt wielokrotnie wybawił ją z opresji, kiedy prowadzili poprzednie śledztwo, nie wspominając o tym, że uratował od śmierci przynajmniej jedną młodą dziewczynę. Müller cieszyła się, że znowu ma go przy sobie.

Zdawała sobie sprawę, że powinna częściej wyjeżdżać na południe kraju, do swojej rodziny w Lesie Turyńskim. Jednak ciągle tego unikała, zasłaniając się natłokiem pracy w wydziale kryminalnym. Nawet w najgorszym momencie, po rozstaniu z Gottfriedem, nie zwierzała się matce, bratu czy młodszej siostrze. Wiedziała, że teraz, gdy przeniesie się do Halle-Neustadt, trudniej będzie jej odkładać tę wizytę. Właściwie dlaczego tak bardzo nie chciała ich odwiedzić? Nie potrafiła odpowiedzieć na to pytanie. Miała poczucie, że jej dom znajdował się teraz w Berlinie i że w jakiś sposób nigdy do końca nie należała do górskiej wioski Oberhof, a raczej do własnej rodziny.

Przez lata zdarzały się w jej życiu momenty tęsknoty za matczyną opieką, jakiej doświadczali niektórzy jej przyjaciele. Za ciepłą, ekspansywną miłością matki, zawijającej dziecko w miękki ręcznik, utulającej do snu przy wtórze kołysanki. Müller widziała, jak jej matka robiła to z Sarą – młodszą córką – ale sama tego nie doświadczyła. Czy była po prostu zazdrosna, że Sarę, beniaminka rodziny, traktowano lepiej? Czy chodziło raczej o to, że nigdy nie dogadywała się z matką i nigdy się nie dogada? Jej wspomnienia pełne były kłótni, nie oznak miłości. To spojrzenie, gdy zapytała, co się stało z jej małym przyjacielem Johannesem i jego rodziną. Zatarta nieco w pamięci wizyta miłej kobiety, która z jakiegoś powodu chciała zobaczyć się właśnie z nią, Karin, a która doprowadziła jej matkę do wściekłości. Pomimo tego wszystkiego Müller wiedziała, że w pewnym momencie – niezależnie od wydarzeń związanych ze śledztwem – będzie musiała pojechać dalej na południe, do rodzinnego domu.

Wjeżdżali na przedmieścia Halle. Schmidt oderwał jedną rękę od kierownicy i znowu potarł czoło. Robił to często podczas tej podróży. Pod pachą jego białej koszuli widniały plamy potu, otoczone szpecącymi liniami osadu. Zastanawiała się, czy Schmidt kiedykolwiek odczuwał takie samo odłączenie od swojej rodziny. Chociaż kolegowali się nie tylko w ramach pracy, jako wyższa stopniem nie powinna zadawać mu tak osobistych pytań. Podkopałoby to jej autorytet. Poza tym Schmidt w tej chwili bardziej przejmował się upałem.

– Nawet przy otwartym oknie siedzenie w tej puszce nie jest fajne – poskarżył się. – Nie mogę się doczekać, kiedy dojedziemy.

Müller uśmiechnęła się lekko i porzuciła myśli o rodzinie, bo przypomniał jej się luksusowy mercedes, którym pojechali z Tilsnerem do Berlina Zachodniego kilka miesięcy temu, jeszcze zimą. Czy samochód był wyposażony w najnowsze urządzenia klimatyzacyjne, jakie pokazywano w zachodnich programach motoryzacyjnych? Oglądała je z Gottfriedem, chociaż jako funkcjonariusz Milicji Ludowej nie powinna. Cóż, Gottfried był teraz na swoim ukochanym Zachodzie, więc może wypróbować te luksusowe samochody, jeśli tylko pozwoli mu na to nauczycielska pensja. „Jeśli kogokolwiek poza bogatymi przedsiębiorcami na nie stać" – pomyślała. Tutaj ludzie mogą mieć trabanta; jeśli komuś się poszczęści, dostanie wartburga, a jeśli jest naprawdę wielkim szczęściarzem – skodę albo ładę, oczywiście odczekawszy ładnych parę lat. Te najbardziej luksusowe samochody dostępne w Republice Demokratycznej nie miały klimatyzacji, przynajmniej Müller o tym nie słyszała. Nigdy też żadnym z nich nie jechała.

Zbliżali się już do centrum Halle. Dla milicjantki to miasto niczym specjalnym się nie wyróżniało, chociaż wiedziała, że miało swoją historię: urodził się tutaj kompozytor Georg Händel. Obecnie było znane głównie z ważnego dla rozwoju gospodarczego Republiki Demokratycznej przemysłu chemicznego. O jego intensywności świadczyła mgła unosząca się nad miastem, a także gryzący ostry zapach, który błyskawicznie osiadał w gardle, kłując niczym igła.

– Jesteśmy na miejscu. – Schmidt wskazał widok rozciągający się przed nimi.

Müller podniosła rękę, by ochronić oczy przed nisko wiszącym zachodzącym słońcem i otaczającą je różową poświatą. Wyglądało to, jakby mu salutowała. Jechali wiaduktem dwupasmowej trasy, droga wydawała się unosić w powietrzu. Wielkie modernistyczne latarnie uliczne, wysokie niczym bloki mieszkalne, rzucały już pomarańczowe światło. Poniżej, na drugim brzegu Soławy, rosły następne wysokościowce. Socjalistyczne miasto przyszłości. Prostokątne kształty budynków nakreślone w różowawym zmierzchu przypominały sceny z filmu science fiction. Inny świat, gdzieś w kosmosie.

– Imponujące – rzuciła Müller. – Byłeś tu już kiedyś?

– Nie, ale mam krewnych w Dreźnie. Obok zbudowali Hoyerswerdę, kolejne nowe miasto. Bardzo podobne. Każdy chce tam dostać mieszkanie. Mają własne łazienki, własne toalety. Przy nich nawet niektóre zachodnie mieszkania wyglądają biednie.

Ostro przyhamował, by uniknąć zderzenia z ciężarówką jadącą przed nimi. Müller aż oparła się o deskę rozdzielczą. Mapa, którą Schmidt trzymał na kolanach, spadła na podłogę.

– Mam cię poprowadzić?

– Nie ma potrzeby, towarzyszko porucznik. Chyba wiem, gdzie jesteśmy.

– Może chociaż będę odczytywać nazwy ulic?

– To byłoby trudne. Jesteśmy na ulicy o nazwie Magistrala.

Zjeżdżali właśnie z wiaduktu nad rzeką – a raczej rzekami, gdyż wydawało się, że są dwie – ale dwupasmowa trasa biegła dalej, pomiędzy blokami z wielkiej płyty.

– Wystarczy zapamiętać tylko tę jedną nazwę ulicy – dodał Schmidt.

– Dlaczego?

– Bo inne ich nie mają. Tutaj ulice nie mają nazw.

W tymczasowej siedzibie lokalnego wydziału zabójstw – znajdującej się nad strażą pożarną – nie spotkali żadnego milicjanta. Twarz Müller wyrażała frustrację. Nadal nie znaleziono zaginionej dziewczynki. Czy ktoś nie powinien tu pełnić nocnego dyżuru? A jakiś kapitan czekać na jej przybycie, by wprowadzić ją w sprawę? – zastanawiała się. Trzeba doprowadzić ich do porządku. Przynajmniej na recepcji ktoś był – młoda kobieta dała im kopertę z adresem mieszkania, w którym mieli się zatrzymać, i kluczami.

Przydzielono im lokal w Kompleksie Mieszkaniowym VI, na zachodnim skraju nowego miasta, które, jak wyjaśnił Schmidt, podzielono na osiem kompleksów mieszkaniowych, każdy składający się z kilku bloków, także ponumerowanych. Zapamiętując kilkucyfrowe „kody”, zawierające numery mieszkania, bloku i okolicy, można było trafić pod wskazany adres. Ale Schmidt szybko zwrócił uwagę na pewną niekonsekwencję tego systemu: gdy dojechali na swoje osiedle, zdali sobie sprawę, że każdy tamtejszy blok oznaczono liczbą powyżej 900, a nie 600, czego mogli się spodziewać po kompleksie mieszkaniowym oznaczonym numerem VI. Sami mieszkali w bloku numer 953.

Schmidt prowadził samochód po bezimiennej ulicy otaczającej ich kompleks mieszkaniowy, a Müller odliczała kolejne numery, zdeterminowana, by to nowe miasto i ten zmierzch wśród jego anonimowych ulic i prawie identycznych domów jej nie pokonały. Bloki tworzyły nieprzerwany łuk, każdy budynek przechodził w następny. Wydawało się, że tylko nieliczne budynki w tym mieście stały w linii prostej. Betonowy mur od czasu do czasu przerywało przejście dla pieszych, wpuszczając resztki światła w zapadającej nocy.

– Nie widzę naszego numeru – poskarżył się Schmidt.

Müller też go nie widziała. Dostrzegła za to zaparkowaną na poboczu ładę. W środku siedział kierowca, jakby coś obserwował albo na coś czekał. Müller wydało się to dziwne. Gdy go mijali, odwrócił się i spojrzał prosto na nią. Jego oczy błysnęły na moment w zachodzącym słońcu. Lekko zadrżała, ale może to tylko przez pot, który wychłodził jej ciało? Poczuła się, jakby ktoś właśnie zmierzył ją spojrzeniem – tak jak przyłapany na otwartej przestrzeni lis patrzy na człowieka.

– Co chcesz zrobić? Zatrzymamy się i zapytamy?

Rozejrzała się. Na ulicy nie było żywej duszy. Przypomniała sobie o kierowcy łady. Odwróciła się, spodziewając się, że ujrzy samochód zaparkowany na poboczu. Ale go tam nie było. Teraz zdawał się jechać za nimi. Jeśli tak, nie był to zwykły zbieg okoliczności. Karin podejrzewała, dla kogo pracuje kierowca.

4

NASTĘPNEGO DNIA

Gdy nazajutrz tuż po ósmej rano dwójka milicjantów z Berlina dotarła do tymczasowej siedziby zespołu do spraw zabójstw nad komendą straży pożarnej, wrzało tam jak w ulu. Być może lokalni stróże prawa nie wierzyli w nocne nadgodziny, za to do pracy zabierali się od rana. Zespół do spraw zabójstw opierał się teraz na pracownikach spoza Halle-Neustadt: Müller i Schmidcie ze stolicy oraz kolejnym podporuczniku, przydzielonym jako zastępca w miejsce Tilsnera. Müller jeszcze nie wiedziała, kim on – lub ona – jest. Tymczasem wspierał ją miejscowy zespół umundurowanych milicjantów.

Od razu odniosła wrażenie, że miejscowi niechętnie zrzekną się prowadzenia sprawy; nie mają ochoty nawet się nią podzielić. Kilku oficerów wpatrywało się w sterty papierów i zdjęć, jakby nie dostrzegli przybycia nowej szefowej. Wiedziała, że będzie musiała zdobyć sobie ich uznanie i objąć dowodzenie, inaczej milicjanci postarają się ją zdominować. Być może nie podobało im się, że szefem będzie teraz kobieta, jednak ta decyzja została podjęta na wyższym szczeblu. Muszą się z tym po prostu pogodzić.

Rzuciła teczkę na stół i odchrząknęła.

– Kapitanie Eschler, mogę prosić na słówko?

Ten oficer miał według Reinigera wprowadzić ją w sprawę. Rozpoznała go po czterech złotych rombach na srebrnych naramiennikach. Uśmiechnęła się do niego.

Eschler nie odwzajemnił uśmiechu. Bez słowa podszedł do wychodzącego na główną ulicę okna, przy którym stała Müller. Patrzył jakby ukradkiem, rysy twarzy miał raczej ostre, prawie wyrażały złośliwość. Może zwyczajnie chciał okazać niechęć.

– W czym mogę pomóc, towarzyszko porucznik? – spytał.

Z każdej sylaby przebijał wysiłek, z jakim podporządkowywał się nowej szefowej. Jako kapitan był wyższy rangą, tyle że tutaj kryminalni górowali nad mundurowymi i Eschler zdawał sobie z tego sprawę.

– Proszę wprowadzić mnie we wszystkie szczegóły. Trochę już się orientuję, ale chcę wiedzieć, na jakim etapie śledztwa jesteście, nad czym obecnie pracujecie i jak najwięcej o rodzinie, o którą chodzi.

– Oczywiście – zgodził się Eschler. – Znaleźliśmy wam małe biuro, towarzyszko.

Być może jej się wydawało, ale odniosła wrażenie, że Eschler podkreślił słowo „małe", jakby chciał wskazać jej miejsce.

– Pokażę wam – dodał – i przyniosę akta.

Małe biuro okazało się właściwym określeniem. Chociaż siedzieli w nim tylko we dwoje, sprawiało wrażenie przepełnionego. Zmieściło się w nim biurko z fotelem ustawionym tyłem do okna, a obok drewniane krzesło, które przypomniało Müller pokój przesłuchań przy Hohenschönhausen w Berlinie, gdzie po raz ostatni spotkała się z Gottfriedem – to było bardzo emocjonujące spotkanie. Zdecydowała się usiąść za biurkiem, na którym stały telefon i maszyna do pisania. W końcu to miejsce należało do niej. Ręką nakazała Eschlerowi, by przysunął sobie krzesło i usiadł naprzeciwko.

Delikatnie położył akta na biurku.

– No dobrze, co chcecie wiedzieć, towarzyszko?
– Wszystko, towarzyszu. Od początku. – Oparła się łokciami o blat i złożyła dłonie w piramidkę.

Kapitan zaczął streszczać przebieg śledztwa, a Müller siedziała z rękami skrzyżowanymi na beżowej bluzce, zachęcając go skinięciami głowy.

Martwe niemowlę nazywało się Karsten Salzmann i było czterotygodniowym chłopcem. Wraz z bliźniaczą siostrą Maddaleną urodziło się przedwcześnie w głównym szpitalu Halle-Neustadt. Oboje trafili na oddział intensywnej opieki ze względu na zły stan zdrowia. Jakiś tydzień temu zostali przeniesieni na pediatrię.

– Rodzice często je odwiedzali. Matka, Klara Salzmann, przesiadywała z bliźniętami do późna, chociaż nie pozwala się rodzicom spędzać nocy w szpitalu. Dzień po przeniesieniu na pediatrię oba niemowlęta zniknęły.

– Wykradziono je ze szpitala? – Müller zmarszczyła brwi.

– Obawiam się, że tak. Niezbyt dobrze to świadczy o tamtejszej opiece, prawda? Chociaż zabrano je w nocy, gdy na dyżurze przebywa mniej lekarzy i pielęgniarek. Wszystkich przesłuchaliśmy. Nikt nie zauważył nic nietypowego. Twierdzą, że nie mają tyle personelu, by pilnować każdego pacjenta przez cały czas. Ktoś pewnie obserwował pielęgniarki i czekał na właściwy moment. Jak możecie sobie wyobrazić, to dość delikatna sprawa.

Delikatna? To nie wyjaśniało tak karygodnego złamania zasad bezpieczeństwa.

– Mówcie dalej – zachęciła kapitana.

– Matka wpadła w rozpacz, jak sobie pewnie wyobrażacie, i trzeba było jej podać środki uspokajające. A ze względu na... delikatność... tego wydarzenia do akcji włączyło się Ministerstwo Bezpieczeństwa Państwowego. Ostrzeżono rodziców i personel, by nie rozmawiali o tej sprawie.

– Więc Stasi włączyło się już na początku?

– Nie tyle się włączyło. – Eschler się skrzywił. – Prowadziło śledztwo praktycznie od pierwszej chwili.

Müller bardzo starała się nie okazać, że ta informacja ją zaniepokoiła. Jeszcze nie poznała podwładnych kapitana i nie wiedziała, który z nich jest wtyczką Stasi. Ktoś na pewno nią był, może nawet Eschler.

– W którym momencie śledztwo przejęła lokalna milicja?

– Nie przejęła go. Właśnie miałem do tego przejść.

– Proszę mi wybaczyć, towarzyszu. Słucham więc.

Eschler uśmiechnął się niewyraźnie.

– Mój zespół, umundurowana jednostka milicji w Halle-Neustadt, wkroczył, gdy znaleziono ciało Karstena. – Sięgnął po jedną z teczek, wyciągnął dwie fotografie dużego formatu i podał je Müller.

Skupiła się na pierwszym zdjęciu. Niczym specjalnym się nie wyróżniało. Widniała na nim sfatygowana czerwona aktówka leżąca obok torów kolejowych. Skórzana albo raczej ze sztucznej skóry, poobdzierana i porozdzierana, jakby była stara albo skądś wypadła, a może i to, i to.

– W tym znajdowało się ciało – wyjaśnił Eschler. – Znalazł je trzy dni temu pracownik kolei, w okolicy Angersdorf, przy linii prowadzącej do zakładów chemicznych Leuna i Buna, niedaleko Merseburga. Na szczęście nie miał zamiaru jej otwierać i zawiadomił milicję. Być może bał się o pracę. Moi podwładni przybyli na miejsce, stwierdzili, że teczka jest ciężka i śmierdzi zepsutym mięsem, dlatego szybko mnie zawiadomili. Mamy więc mocne dowody do analizy. Może nawet znajdziemy jakieś odciski palców. Jednak to, co najistotniejsze, widnieje na drugim zdjęciu. – Delikatnie przełożył fotografie, które Müller trzymała w ręku.

Poprzednie zdjęcie – przynajmniej na pierwszy rzut oka – wyglądało dość niewinnie, czego nie dało się powiedzieć o drugim. Müller odruchowo się cofnęła. Obraz był szokujący nawet dla niej, wyrobionego detektywa prowadzącego sprawy zabójstw.

Otwarta w siedzibie milicji teczka.

W środku ciałko niemowlęcia.

Jego oczy były zamknięte, a buzia raczej spokojna. Szpeciły ją jednak fioletowe i czerwone pręgi. Młode życie przerwane, wciśnięte w walizkę i wyrzucone z pociągu. Müller musiała odetchnąć głęboko, by się uspokoić.

– Jaka jest przyczyna śmierci? – spytała wreszcie.

Eschler rozłożył ręce i wzruszył ramionami.

– Dopiero jutro przeprowadzimy autopsję. Możecie przy tym być. Ale podczas wstępnych oględzin patolog doszedł do wniosku, że chłopczyk został pobity na śmierć. Widać to po tych okropnych śladach. A więc go zamordowano.

– Powiedzieliście, że wydział kryminalny w Halle nie został dopuszczony do śledztwa. To raczej dziwne, prawda?

Eschler ponownie wzruszył ramionami.

– Na prośbę Ministerstwa Bezpieczeństwa Państwowego. Dlatego was tutaj sprowadzono, towarzyszko porucznik. Stasi chciała, by zespół prowadzący śledztwo składał się z detektywów spoza miasta i okolic. Z tego, co rozumiem, próbują zatuszować sprawę, by uniknąć paniki wśród ludności.

Müller westchnęła. Coś tu się nie zgadzało. Przed nią, Schmidtem i trzecim funkcjonariuszem, którego jeszcze nie znała, stało trudne zadanie. Będą musieli zdobywać informacje, pracując w nieznanym terenie, ramię w ramię z potencjalnie wrogo nastawionymi milicjantami, niezbyt zadowolonymi z tego, że zostali wysadzeni z siodła przez kolegów ze stolicy, podczas gdy tutejszych detektywów trzyma się z daleka od sprawy.

– Mimo to wasz zespół także prowadzi dochodzenie, towarzyszu. Nie zastanawialiście się dlaczego? – spytała.

Jeśli Eschler zrozumiał ukrytą za tymi słowami wiadomość, nie dał po sobie nic poznać.

– Czasami, towarzyszko, najmądrzej jest nie kwestionować rozkazów.

– Tak jakby. Ale waszemu zespołowi to zaufanie ze strony Stasi chyba dodaje skrzydeł.

Nie musiała wyjaśniać, że istnieje tylko jeden logiczny powód, dla którego ministerstwo tak ufa ludziom Eschlera. Musiało mieć wśród nich swojego człowieka. Pytanie brzmi: kto nim jest?

Odsunęła zdjęcia.

– A Salzmannowie? – spytała. – Co o nich wiemy? Chyba też należałoby uznać ich za podejrzanych?

– Tak, dopóki nie będziemy mieli pewności. Ale odnosiliśmy się do nich dobrze, z wiadomych względów. Szczerze mówiąc, ostrzejsze przesłuchania rodziców zostawiamy wam, ekipie kryminalnej.

– Dobrze. Zajmiemy się tym, oczywiście. Powiedzcie mi, co o nich wiecie.

– Wydają się przykładnymi obywatelami. Jako jedni z pierwszych dostali mieszkanie w Halle-Neustadt. To było osiem lat temu. Znajduje się ono bezpośrednio naprzeciwko nas. – Eschler przeniósł wzrok na okno za plecami Müller. Milicjantka odwróciła się, by spojrzeć we wskazanym kierunku. – To ten wysokościowiec, znany jako blok Y, bo ma trzy skrzydła ustawione w literę Y, jeśli popatrzeć na nie z góry. W każdym razie oboje należą do partii. Reinhard Salzmann, ojciec bliźniąt, jeździ wózkiem widłowym w zakładach chemicznych. Jest w nich zatrudniona większość mieszkańców miasta. Klara Salzmann była na urlopie macierzyńskim, gdy to się wydarzyło. Pracuje w głównym domu towarowym, w centrum miasta.

– Mamy na ich temat jakieś raporty? Przemoc? Drobne wykroczenia?

– Nic. Są czyści jak łza. Jak dwie łzy, właściwie. Oczywiście mówię o aktach Milicji Ludowej. Stasi może dodać coś od siebie.

Müller wydęła policzki.

– Mówicie więc, że Stasi coś na nich ma?

– Ależ skąd, towarzyszko porucznik. – Eschler potrząsnął głową. – Ależ skąd. Zakładam tylko ewentualność, że chociaż nie ma na nich nic w kartotekach milicji, nie znaczy to, że inne władze nie wiedzą czegoś więcej. Jednak jeśli o nas chodzi, są czyści. Nie mieli powodu, by skrzywdzić własne dzieci, o ile wiem.

– I żadnej okazji?

– Nie. Ich alibi nas przekonują, o ile możemy coś wnioskować z łagodnego przesłuchania. Tamtej nocy mieli zaproszenie do znajomych na kolację. Po siedzeniu w szpitalu oboje byli bardzo zmęczeni – zbyt zmęczeni, by gotować, i ci znajomi im pomagali. Wszystko wydaje się zgadzać, ale może zechcecie to sprawdzić.

Müller skinęła głową w zamyśleniu, podniosła zdjęcie Karstena i zmarszczyła brwi.

– Nawet jeśli to było morderstwo, musimy przede wszystkim znaleźć dziewczynkę. Mam nadzieję, że nadal żyje. Przeszukujemy domy?

Eschler spojrzał na nią przepraszająco.

– Powiedziano nam, żebyśmy tego nie robili, towarzyszko porucznik. Kapitan Janowitz i jego szef, major Malkus ze Stasi, stwierdzili, że to tylko wywoła panikę.

– Musimy jednak stawić temu czoło. Przeszukania to najlepszy sposób na odnalezienie dziewczynki i powstrzymanie porywacza czy też zabójcy, nim on, ona lub oni znowu uderzą.

Eschler ciężko westchnął.

– Próbowałem się z nimi o to wykłócać, wierzcie mi. Zgadzam się, że tak powinniśmy zrobić. Ale major Malkus chce, byśmy użyli jakichś bardziej subtelnych metod. Spotkaliście się już z nim? Szukał was zeszłej nocy?

Przypomniała sobie kierowcę łady. To był major czy jego podwładny? Nie wiedziała. Nie miała też dowodu, że tamten samochód rzeczywiście jechał za nimi, a nie po prostu w tym samym kierunku.

Potrząsnęła głową.

– Jak dotąd nie miałam przyjemności.

Eschler lekko się uśmiechnął.

– Pewnie niedługo to nastąpi.

Müller przytaknęła i podniosła się z fotela. Wyprostowała plecy.

– Chcę poznać resztę zespołu, dobrze? Interesuje mnie, czym się zajmowaliście, skoro nie było przeszukiwania domów. Może za pół godziny, o dziewiątej? Zakładam, że do tego czasu wszyscy zjawią się w pracy, a może nawet już są do dyspozycji?

Eschler spojrzał na zegarek i się zastanowił.

– Niektórzy o tej porze jedzą śniadanie. Zaczynamy wcześnie, jak widzicie.

Müller powoli wciągnęła powietrze. Cała ta sytuacja była jak pchanie wody pod górkę.

– Poproście ich, by zjedli później. Myślę, że nie powinno to być problemem, skoro chodzi o morderstwo.

Wszyscy funkcjonariusze, którzy mieli pracować przy tym dochodzeniu, przybyli zgodnie z prośbą równo o dziewiątej. Müller rozejrzała się po zebranych, obliczając w myślach, ilu ludzi ma do dyspozycji. Ona, nieznany jeszcze podporucznik z wydziału kryminalnego, Schmidt jako jedyny technik kryminalny – choć miał dostać wszelką pomoc od umundurowanych milicjantów – oraz Eschler stojący na czele swojego oddziału. Towarzyszyli mu sierżant Fernbach oraz trzech posterunkowych, a także pracownicy biurowi.

Gdy wszyscy usiedli, Müller odchrząknęła i zaczęła przemowę.

– Dziękuję za przybycie. Jestem porucznik Karin Müller z wydziału kryminalnego berlińskiej milicji. To jest... – wskazała na Schmidta, który usiłował zapiąć guziki białego fartucha – ...technik Jonas Schmidt, także z Berlina, który obejmie pieczę nad badaniem dowodów. W ciągu kilku dni dołączy do nas jeszcze jeden oficer. Przypuszczam, że zastanawiacie się, dlaczego w sprawę włączono detektywów z Berlina, a nie oddano jej ludziom z Halle-Neustadt lub choćby z tutejszego okręgu. Nie umiem odpowiedzieć na to pytanie, ale zapewniam, że decyzję podjęto na wyższym szczeblu, więc musimy się z tym pogodzić i wykonać naszą robotę najlepiej jak potrafimy.

Rozejrzała się po pokoju. Za wszelką cenę chciała zaskarbić sobie poparcie zespołu, nawet jeśli miałaby to rozegrać na poziomie ich uprzedzeń do kobiet w roli przełożonych. Zaczerpnęła powietrza, uśmiechnęła się i mówiła dalej:

– Czasami Jonas i ja będziemy musieli polegać na waszej znajomości miasta. Wczoraj mieliśmy problem ze znalezieniem naszego lokum. Ten system numerowania ulic i bloków... Dla mnie to wyższa matematyka. – Rozległy się stłumione śmiechy. – Kapitan Eschler wprowadził mnie w szczegóły dochodzenia i z pewnością wy też już je znacie. Chcę podkreślić, że to delikatna sprawa. Halle-Neustadt jest ważnym miastem dla Republiki Demokratycznej. Chcemy, żeby ludzie chcieli tu mieszkać i pracować, mamy więc szybko znaleźć mordercę lub morderców, ale też musimy to zrobić subtelnie. Nie chcemy paniki. Z pewnością to rozumiecie. Dlatego ponownie poruszę sprawę przeszukiwania mieszkań, chociaż do tej pory nie wyrażono na to zgody. Sierżancie Fernbach, kapitan Eschler powiedział, że wyjaśnicie mi, co wasz zespół zamierza dzisiaj zrobić.

Fernbach miał rumiane policzki i krzaczaste brwi. Podniósł się z krzesła i podszedł do wiszącego na ścianie planu miasta. Müller i pozostali uczestnicy spotkania otoczyli go. Milicjantka wpatrywała się w mapę, na której poszczególne sektory miasta zostały przedstawione różnymi kolorami – system opierał się mniej więcej na podziale na kompleksy mieszkaniowe. Osiem sektorów składających się z licznych bloków mieszkalnych.

– Jeśli ktoś nas pyta, co robimy, wyjaśniamy, że chodzi o operację zabezpieczającą miasto przed kontrrewolucjonistami i szpiegami – zaczął Fernbach. – Tak kazała nam mówić

Stasi. – Uniesieniem gęstych brwi wyraził dezaprobatę dla tego wybiegu. – Zachód tak nam zazdrości tego, co osiągnęliśmy w Neustadt, że chce szpiegować nasze założenia architektoniczne i inne. Nie sądzę, by wiele osób w to uwierzyło, ale naszym zdaniem na razie nikt nie słyszał o zaginionych dzieciach. Personel szpitala ma zakaz poruszania tego tematu pod groźbą dyscyplinarki. Problem polega na tym, że w mieście jest wiele miejsc, które mogą służyć jako kryjówka. Nie wiemy też, czy dziewczynka nadal tu jest. Niestety, ogólnie rzecz biorąc, niemowlęta są do siebie bardzo podobne. Czasami trudno odróżnić chłopców od dziewczynek tylko po twarzy.

Müller odkaszlnęła.

– Jestem pewna, że matka się nie pomyli.

– Macie rację, towarzyszko porucznik. Zapomniałem, że jest z nami kobieta. Nam, mężczyznom, sprawia to wiele trudności.

Müller oparła się pokusie rozerwania Fernbacha na strzępy i zwyczajnie się uśmiechnęła.

– Proszę, kontynuujcie. Mówiliście o potencjalnych kryjówkach? Na przykład?

Fernbach pokazał linie między poszczególnymi kompleksami mieszkaniowymi, a następnie między różnymi blokami w każdym z sektorów.

– Pod ziemią – wyjaśnił. – Wszystkie bloki są ogrzewane z ciepłowni w centrum miasta. Stamtąd rozchodzą się rury. To wiele kilometrów rur. Przeszukujemy opuszczone tereny zarośnięte krzakami, które otaczają miasto, a także linie kolejowe, w razie gdyby nie tylko jedno z dzieci...

Dalsze słowa zawisły złowieszczo w powietrzu. Müller wiedziała, co Fernbach chciał powiedzieć. „W razie gdyby nie tylko jedno z dzieci zostało zamordowane. W razie gdyby Maddalena także już nie żyła".

– Dobrze. Dziękuję, towarzyszu sierżancie. Dzisiaj będziecie kontynuować waszą pracę pod dowództwem kapitana Eschlera.

W ciągu kilku najbliższych dni może zmienimy nasze priorytety. Chcę jednak, żebyście zdecydowanie przyspieszyli, sprawdzając miejsce, gdzie znaleziono ciało Karstena i – jeśli to się okaże konieczne – uzyskali od majora Malkusa zgodę na pełne przeszukanie wszystkich mieszkań w mieście i okolicach.

– Powodzenia – mruknął pod nosem Fernbach. Na tyle głośno, że Müller go usłyszała, lecz wystarczająco cicho, by w razie czego wyprzeć się swoich słów.

Müller puściła to mimo uszu. Dopóki nie oceni w pełni dynamiki zespołu, nie miała zamiaru czepiać się byle czego.

Temat został wyczerpany i Müller wzrokiem dała Eschlerowi do zrozumienia, że teraz to on obejmuje dowództwo. Podeszła do stołu z dowodami. Zignorowała czerwoną aktówkę, w której znaleziono ciałko Karstena Salzmanna, zignorowała zdjęcia jego zmasakrowanej twarzy. Szukała fotografii Maddaleny, jego siostry. To, że ta sprawa dotyczyła bliźniąt, za bardzo przypominało jej wydarzenia z własnej przeszłości. Usunęła bliźniaczą ciążę. Wróciły bolesne wspomnienia, tak jak wtedy, gdy prowadziła sprawę zamordowanej nastolatki z domu poprawczego. To było jeszcze w tym roku. Miała teraz przed oczami niewinną twarz Maddaleny. Dziewczynka się uśmiechała, możliwe, że do matki. Ten uśmiech był jak nóż wbity w serce Müller – ostre, dogłębne przypomnienie, że od jej zdolności do rozwiązania tej sprawy, i to szybkiego rozwiązania, zależy czyjeś życie.

5

TEGO SAMEGO DNIA

Ekspres przejechał ze sporą prędkością kilka centymetrów od miejsca, które badała Müller. Oddzielony taśmą kwadrat kolejowego tłucznia, którego sterta nosiła jeszcze ślady uderzenia przez aktówkę z ciałem dziecka. Milicjantka cofnęła się instynktownie. Tak bardzo była skupiona na próbie odtworzenia wydarzeń, że nie zauważyła pociągu.

– Ostrożnie, towarzyszko porucznik – powiedział technik Jonas Schmidt, pracujący u jej boku. – Ostrzegałem, że nie zatrzymają dla nas pociągów.

Müller oddychała miarowo, próbując uspokoić łomoczące serce. Potem wygładziła dłonią włosy i uśmiechnęła się do kolegi.

– Przyniosłeś zdjęcia?

– Oczywiście, towarzyszko porucznik.

Sięgnął po nie do teczki, a w tym czasie Müller spojrzała na drugą stronę torów, gdzie dwaj posterunkowi, którzy im towarzyszyli, opierali się o oznakowanego milicyjnego wartburga. Po tym, jak poprzedniej nocy Müller i Schmidt mieli problemy ze zlokalizowaniem swojego mieszkania, z wdzięcznością przyjęli propozycję odwiezienia na miejsce znalezienia ciała. Mimo to Müller dręczyła myśl, że praca tych milicjantów polegała również na pilnowaniu berlińskich detektywów. Jednak chciała obejrzeć miejsce osobiście. Musiała sprawdzić, czy przekonanie Eschlera, że aktówkę wyrzucono z pociągu, miało mocne podstawy.

– Proszę, towarzyszko porucznik. – Schmidt wręczył jej stosik owiniętych w plastik fotografii. Müller oczywiście widziała je już wcześniej, podczas spotkania z Eschlerem, jednak taki miała styl pracy. Wizualizowała sobie miejsce zbrodni. Podniosła zdjęcie zamkniętej aktówki i zaczęła je porównywać z otoczeniem torów, starając się sobie wyobrazić, jak ciało mogło tutaj trafić. Potem przyjrzała się smutnej fotografii zmasakrowanego ciała Karstena.

Oddała zdjęcia Schmidtowi, by włożył je z powrotem do torby. Czego się z nich dowiedziała? Niewiele. To był tylko rytuał. W końcu do morderstwa nie doszło w tym miejscu – jeśli rzeczywiście mieli do czynienia z morderstwem... Autopsja została zaplanowana na następny dzień. Jeszcze nie nadeszła pora na wyciąganie jakichkolwiek wniosków.

Müller zauważyła, że Schmidt odsunął się i badał tory, po których pociągi jeździły do centrum Halle-Neustadt. O co mu chodziło? Potem spojrzała przelotnie na towarzyszących im milicjantów. Podjechał do nich inny samochód – nieoznakowany – i obaj posterunkowi rozmawiali z siedzącymi w środku pasażerami. Nowo przybyli wyglądali na ważne osoby. Mieli na sobie garnitury. Kto to mógł być?

Schmidt spacerowym krokiem wrócił do niej, trzymając w ręku torbę na dowody. Były w niej dwie rzeczy: jednorazowa zapalniczka i niedopałek. Müller pomyślała, że zapalniczka wygląda interesująco. Zwykle używali takich Niemcy z Zachodu albo osoby, które mają dostęp do sklepów dewizowych.

– Nie skupiałbym się na tym, że ma to jakiś związek ze sprawą – zastrzegł Schmidt. – Ale możemy im się przyjrzeć. Aktówka mogła polecieć dalej, chociaż była ciężka. Dlatego rozejrzałem się na torach w stronę Ha-Neu.

Ten skrót nazwy uderzył Müller. Brzmiał jak nazwa wietnamskiego miasta. W Republice Demokratycznej pracowało wielu Wietnamczyków. Nic dziwnego, że ktoś wymyślał tego typu dowcipy.

– To wszystko nie ma sensu, Jonas, nie wydaje ci się? Przecież cięższy przedmiot szybciej spadłby na ziemię. – Westchnęła ciężko. – Myślę, że na dziś skończyliśmy. Tak naprawdę chciałam tylko poczuć to miejsce. Nie sądzę, byśmy mieli tu dowiedzieć się czegoś, czego nie wie lokalna milicja.

Schmidt skinął głową i oboje ruszyli nasypem do milicyjnego wartburga. Gdy byli już blisko, z drugiego auta wysiadło dwóch mężczyzn i podeszło do nich.

– Dzień dobry, towarzyszko porucznik – powiedział jeden, wyciągając rękę do Müller i patrząc jej prosto w oczy. – Mieliśmy nadzieję, że was złapiemy w komendzie w Ha-Neu, ale tam przekazano nam, że pojechaliście tutaj. Jestem major Uwe Malkus, a to kapitan Horst Janowitz. Jesteśmy z lokalnego oddziału Ministerstwa Bezpieczeństwa Państwowego. Chcieliśmy tylko wam powiedzieć, że służymy wszelką pomocą.

Müller i Schmidt wymienili uściski dłoni z nowo przybyłymi. W tym momencie letnie słońce wyszło zza chmury, oświetlając starszego mężczyznę. Müller nie mogła oderwać od niego wzroku. Wpatrywała się w tę twarz i wkrótce uświadomiła sobie, dlaczego to robi. Słońce odbijało się w jego tęczówkach o niezwykłym żółtobrązowym kolorze. Ich głębia miała w sobie coś magnetycznego, prawie wciągała Karin.

Spuściła oczy, niczym zwierzę przed walką uznające wyższość dominującego konkurenta. Zezłościła się o to na siebie i szybko podniosła głowę. Odpowiedziała najostrzejszym tonem, na jaki mogła się zdobyć wobec tych ludzi:

– Myślę, że damy sobie radę z pomocą lokalnej Milicji Ludowej oraz wydziału kryminalnego, towarzyszu majorze. Mimo wszystko bardzo dziękuję.

Malkus nieznacznie skinął głową i się uśmiechnął, ale Müller dostrzegła kątem oka, że stojący obok Janowitz wpatrywał się w nią z poważną miną, którą chwilę przedtem przybrał także jego zwierzchnik.

– W każdym razie – odparł Malkus – w tym śledztwie mamy do czynienia z pewnymi delikatnymi sprawami.

Müller zastanawiała się, czy nie przycisnąć go pytaniem, co to za „delikatne sprawy". Eschler ogólnie nakreślił, o co chodziło, ale nadal brakowało jej wielu informacji. Jednak może nie był to najlepszy moment. Na chwilę zapadła cisza, potem odezwał się Malkus.

– Ha-Neu to ważny projekt dla Republiki Demokratycznej. Na pewno zdajecie sobie z tego sprawę. Dlatego będę wdzięczny, jeśli po południu wpadniecie do mojego biura w oddziale ministerstwa, bym mógł wam przekazać pełne informacje. – Podał milicjantce swoją wizytówkę. – Pasowałoby wam o trzeciej?

Müller nie spieszyła się z odpowiedzią, choć wiedziała, że nie ma wyboru.

– Oczywiście, towarzyszu majorze.

– To dobrze. Do zobaczenia – odparł oficer Stasi.

Przelotnie spojrzał z dezaprobatą na Schmidta, który zdążył już rozwinąć kanapkę i właśnie przeżuwał duży kęs z półotwartymi ustami, tak że widać było ich zawartość, co nasuwało na myśl pracującą betoniarkę.

– Oczekuję tylko was, towarzyszko. Z pewnością towarzysz Schmidt będzie chciał wrócić do pracy, gdy tylko skończy swój wczesny obiad.

6

DZIESIĘĆ LAT WCZEŚNIEJ: 1965

HALLE

Hansi jest dla mnie taki miły. Wie, że to trudny czas i że trochę się martwię o moją ciążę. Zawsze mnie wspiera, masuje mi plecy, robi kawę i chodzi po moją ulubioną szarlotkę do domu towarowego. Aż tyle mi się nie należy, ale Hansi twierdzi, że tak ma być. „W końcu jesz za dwoje, Franzisko" – mówi, gładząc mnie po brzuszku.

Kilka tygodni temu powiedziałam mu, że się martwię, bo nie czuję kopnięć dziecka. Inne kobiety ze szkoły rodzenia ciągle o tym mówią. „Och, malutkie kopnięcie. Myślę, że ten mały będzie piłkarzem, jak dorośnie". Ale Hansi zabrał mnie do zaprzyjaźnionego lekarza i ten powiedział, że nie ma się czym przejmować. Co za ulga. Chociaż wiem, że jestem w ciąży, wiedziałam, jak tylko skończyły się moje pory truskawkowe. To piękna nazwa, prawda? Zawsze się z tego śmiałam, nawet gdy miałam ją wtedy... Nie! Nie będę o tym myśleć. Hansi mówi, że wspominanie tamtych dni mi szkodzi.

Od czasu do czasu będę udawać. Jeśli *Frau* Becker znowu powie, że jej piłkarz ją kopie, powiem: „Och, poczułam lekkie szturchnięcie. Bardzo delikatne. Nie sądzę, żebym miała piłkarza. To pewnie dziewczynka". Zrobiłam tak dzisiaj i *Frau* Becker się śmiała. Miłe są te spotkania z nowymi znajomymi. W ostatnich latach nie miałam ich tylu.

Oczywiście *Frau* Becker mocno cierpiała z powodu porannych mdłości. Akurat w tym jej nie ustępuję. Hansi daje mi małe tableteczki przeciwko wymiotom. Jest taki mądry. Pracuje w zakładach chemicznych Leuna. To dobra praca, wiesz... Studiował. Ja nie byłam na to dość mądra. Pracuje także dla Ministerstwa – jest ważną osobą. Czasami pomagam mu w tych ministerialnych sprawach. Mam zwracać uwagę, jeśli coś jest nie tak. Jeśli ktoś dziwnie się zachowuje i może potrzebować pomocy władz.

Dość tego rozmarzenia. Ciągle marzę, to mój problem. Muszę się uspokoić, myśleć o przyszłości, przyszłości z nowym dzieckiem. Tyle mamy przed sobą, powtarza Hansi.

W Schkeuditz otworzyli nowy sklep i dziś po południu się tam wybieram. Oczywiście nie będę niczego kupować. Obiecałam Hansiemu, że spróbuję się powstrzymać. Ale to takie fajne. Wszystkie te małe nowiutkie ciuszki. Uwielbiam ich zapach, ich dotyk. W szufladach mam już niezły stosik. Dwie pełne szuflady. Hansi chyba nawet nie wie, ile tego mam. Ale trzeba się przygotować. A co, jeśli nagle będą problemy z zaopatrzeniem w ubranka akurat wtedy, gdy urodzi się moje dziecko? Zostało tylko kilka miesięcy.

Mam szczęście, że jeszcze nie bardzo po mnie widać. Nie lubię plotkować, ale jeśli masz tak oczywisty bandzioch jak *Frau* Becker, jest to dość niewygodne, co nie? Pewnie może spać tylko na plecach. To też mnie przez jakiś czas martwiło. Hansi powiedział, że doktor uważa mnie za dużą dziewczynę, a dużym dziewczynkom brzuszki nie wychodzą tak od razu. Aż się zakrztusiłam. Nie jestem wcale taka duża, ale muszę przyznać, że chętnie sięgam po kawałek szarlotki, a nawet dwa kawałki. Która kobieta w ciąży by się oparła?

W autobusie do Schkeuditz trafiłam na okropną babę. Co ona sobie myśli? Chyba wszyscy jesteśmy równi, prawda? A ona tak sykała i wzdychała, gdy koło mnie usiadła, twierdząc, że zajmuję dwa miejsca. Odpowiedziałam, że jestem w ciąży, i zaczęłam głaskać brzuszek, udając, że mnie boli. Więc się zamknęła. Głupia baba.

W drzwiach sklepu zaskakuje mnie dzwonek i przez chwilę nie wiem, gdzie jestem. Nagłe dźwięki czasem to ze mną robią, wiesz, po tym jak...

Ale szybko zbieram się w sobie i zaczynam się rozglądać. Widzę śliczny różowy kombinezon i myślę, że dobrze byłoby go obejrzeć. Materiał jest mięciutki jak czesana wełna. Przez chwilę go głaszczę. To cuda naszego nowego kraju. Możemy produkować materiały lepsze niż kiedyś. I bardziej wytrzymałe, wiesz. Nie to co na tym rozrzutnym Zachodzie.

– W czym pomóc, obywatelko? – pyta młoda sprzedawczyni. Jest ładna, świeżo po szkole. To pewnie jej pierwsza prawdziwa praca.

– Nie wiem – wzdycham. – To takie piękne, ale nie jestem pewna, czy mnie na to stać.

– To ostatni krzyk mody, właśnie je rzucili. Są bardzo popularne. Jakaś przyjaciółka spodziewa się dziecka?

Czuję się trochę obrażona i wskazuję na mój brzuch.

– Ja się spodziewam. Naprawdę nic nie widać? Zostały tylko dwa miesiące.

Dziewczyna się czerwieni. I dobrze. Potem się do niej uśmiecham. W końcu nie ona pierwsza się pomyliła.

– To rzeczywiście piękny ciuszek, ale mój mąż nie pozwala mi już kupować ich więcej – szepczę do niej.

– Ale się nie dowie, prawda? – odpowiada również szeptem, jakbyśmy były dwiema uczennicami, które mają wspólny sekret. – Nie możecie tego gdzieś schować aż do wielkiego dnia?

Myślę, że tak. Lekko potakuję i idziemy do kasy.

7

DZIESIĘĆ LAT PÓŹNIEJ: LIPIEC 1975

HALLE-NEUSTADT

W komendzie milicji w Ha-Neu Schmidt badał swoje kolejowe znaleziska – szukał odcisków palców na zapalniczce i niedopałku – podczas gdy Müller szykowała się do spotkania z Malkusem. Spojrzała w zawieszone na drzwiach lustro, by poprawić delikatny makijaż – głównie podtuszowała rzęsy – i wygładzić krótki płaszczyk. Ostatnie słoneczne dni w Berlinie i tutaj sprawiły, że jej skóra wyglądała zdrowo. Trauma związana z ostatnią sprawą i rozstanie z Gottfriedem odbiły się na jej wyglądzie. Teraz bardziej przypominała prawdziwą siebie. Może nawet wyglądała za młodo jak na szefową zespołu rozwiązującego sprawę morderstwa.

Dlatego zmieniła wierzchnie ubranie. Wprawdzie upał nie ustępował, ale przywiozła z Berlina lekką czerwoną kurtkę i zostawiła ją w tymczasowym małym biurze, które przydzielił jej Eschler. Celowo teraz po nią sięgnęła, by się wyróżnić. Nie robiła tego podczas spotkań w miejscach publicznych, chyba że pracowała z innymi funkcjonariuszami. Czerwień sprawiała, że Karin czuła się silniejsza. Może to tylko efekt psychologiczny, ale z porannego spotkania z Malkusem wywnioskowała, że psychologiczne bitwy mogą stać się kluczem do ich relacji.

Wprawdzie to Malkus wezwał ją na spotkanie, nie zostawiając jej żadnego wyboru, jednak chciała wykorzystać je do uzyskania zgody na otwarte i pełne przeszukania domów. Jeśli to Stasi się temu opierała – jak twierdził Eschler i jego podwładni – Karin chciała wiedzieć dlaczego. Chęć uniknięcia paniki wydawała się banalnym powodem, zwłaszcza w porównaniu z losem dziewczynki, na której uratowanie mieli coraz mniej czasu.

Chwyciła ze stołu kluczyki do wartburga i ruszyła w stronę milicyjnego parkingu. Za nią poszedł Eschler, w jednej ręce trzymając torbę na zakupy, a w drugiej jakąś kartkę.

Schodzili w dół, a ich kroki dudniły na gołym betonie, kiedy kapitan wręczył jej kartkę. Była to kolorowa mapa.

– Pomyślałem, że wam się przyda. Nie tylko wy gubicie się w systemie adresowym naszego miasta. Mnie ona pomaga. Każdy kompleks mieszkaniowy jest zaznaczony innym kolorem, podobnie jak na mapie, która wisi u nas w biurze. Czasami nie widać dobrze granic między kompleksami. To powinno pomóc.

Müller wzięła mapę i skinęła mu głową w podziękowaniu. Miała nadzieję, że kapitan gra w jej drużynie i już nie traktuje milicjantki z Berlina jak niemile widzianego intruza, a mapa jest tego znakiem.

Ku jej zaskoczeniu Eschler zajął miejsce pasażera. Torbę na zakupy postawił między nogami.

– Chcielibyście mi towarzyszyć?

– Nie – roześmiał się. Pochylił się w jej stronę, wyjął mapę z jej ręki i rozłożył. – Pomyślałem tylko, że wam zaznaczę, gdzie mieści się siedziba Stasi dla naszego okręgu. Tam macie spotkać się z Malkusem. Łatwo ją znaleźć, jest po wschodniej stronie nowego miasta. Na skraju Kompleksu Mieszkaniowego numer osiem, tu zaznaczonego na niebiesko.

Müller śledziła ruchy jego palca, którym wytyczył jej trasę. Potem cofnął rękę po torbę.

– A podczas gdy ja będę na spotkaniu, wybierzecie się na zakupy?

Eschler wykrzywił twarz w uśmiechu, który złagodził jego rysy. Jeszcze kilka godzin temu Müller uznałaby jego minę za wyraz niechęci, a nawet groźby.

– Nie, skądże. – Zaśmiał się. – To dla was.

Otworzył torbę i Müller zobaczyła jej zawartość.

– Trochę warzyw z rodzinnej działki. Pomyślałem, że nie macie dostępu do niczego takiego, a u mnie w tym roku obrodziło.

– To bardzo uprzejme z waszej strony... – Przerwała na chwilę. – Bruno... Mogę zwracać się do was po imieniu?

Eschler poprawił się na fotelu i wyciągnął do niej rękę.

– Oczywiście, towarzyszko porucznik. Ale w obecności zespołu...

– Bez obaw. W obecności zespołu będę się do ciebie zwracać oficjalnie. A ty mów mi Karin.

Eschler skinął głową.

– Przepraszam, jeśli zachowałem się zbyt ostro podczas porannego spotkania. Myślę, że wiesz, jak trudno jest oddać dowództwo komuś z zewnątrz. Ale chcę, żebyśmy jak najlepiej współpracowali i odnosili się do siebie przyjaźnie.

– Oczywiście – odparła Müller. – Rozumiem.

– Przyjmij te warzywa na przeprosiny.

– Bardzo dziękuję. – Uśmiechnęła się. – Jonas Schmidt i ja jesteśmy poza naszym terenem. Wsparcie twojego zespołu będzie nam potrzebne. Jeszcze raz dziękuję za prezent.

Eschler wysiadł z samochodu, ale zanim zamknął za sobą drzwi, ponownie pochylił się w stronę Müller.

– Jeszcze jedno, Karin. Ostrożnie z tym, co ustalisz z Malkusem. Wiem, że wszyscy gramy w jednej drużynie i mamy ten sam cel. Ale on i kapitan Janowitz to zabawna parka. Major jest w porządku, jeśli odpowiednio go podejdziesz, ale Janowitz... Cóż, pewnie okaże się, że będziesz go miała na głowie codziennie. A on jest zimny. Trudno mu dogodzić, wierz mi. Byłbym z nim bardzo ostrożny. – Lekko stuknął w dach samochodu. – Nie zatrzymuję cię dłużej. Powodzenia.

Zatrzasnął drzwi i poszedł do biura.

Müller wyjechała nieco przed czasem i miała do spotkania jeszcze dwadzieścia minut. Postanowiła zorientować się w rozkładzie Ha-Neu za dnia. Poprzedniego wieczoru byli ze Schmidtem zbyt zajęci szukaniem mieszkania i urządzaniem się w nim.

Do braku nazw ulic trudno jej było się przyzwyczaić, ale kolorowa mapa od Eschlera okazała się bardzo przydatna. Karin rzuciła się w oczy powszechnie panująca letnia beztroska: emanowały nią dzieci taplające się w fontannach, matki w krótkich sukienkach pchające wózki, pionierzy w biało-niebiesko-czerwonych mundurkach. To, co przydarzyło się niemowlętom Salzmannów, w ogóle nie wpłynęło na codzienne życie mieszkańców. „Może polityka niedoinformowania narzucona przez Stasi była właściwa" – pomyślała Müller. Jednak coś nie dawało jej spokoju, przypominało o zaginionej Maddalenie, w której odnalezieniu mogą pomóc masowe przeszukiwania domów. Spojrzała na kolejną matkę z wózkiem, starając się dojrzeć twarz dziecka. Chociaż prawie rzuciła się na Fernbacha za tamte słowa, miał częściowo rację, mówiąc, że większość niemowląt wygląda podobnie. Jeśli ktoś chciał ukraść dziecko, mógłby je ukryć, podając za własne. Czy można to było sobie wyobrazić?

Gwałtownie nacisnęła hamulec, by nie potrącić starszej kobiety na rowerze obwieszonym siatkami na zakupy, pod których ciężarem jednoślad chwiał się niebezpiecznie. Gniewne spojrzenie staruszki przypomniało Karin o niemiłym obowiązku. Takim samym spojrzeniem często obdarzała ją matka. Nie dało się już dłużej odkładać wizyty w rodzinnym domu. Nie cieszyła jej ta perspektywa. Kariera w milicji zapewniła jej ucieczkę z tamtej duszącej atmosfery i od tamtych gniewnych spojrzeń, rzucanych, gdy tylko zrobiła coś nie tak. Dlaczego matka nigdy nie odnosiła się w ten sposób do jej siostry Sary i brata Rolanda? Z pewnością każdy rodzic woli traktować swoje dzieci tak samo, mimo to matka w najlepszym razie była wobec Karin skwaszona, a czasami nastawiona wręcz wrogo. Czy to była wina córki, wina matki czy kogoś jeszcze?

Kolejne kilkaset metrów przejechała niemal automatycznie, ale nagle się zatrzymała i spojrzała na mapę. Tutaj bloki wyglądały na nowsze, niedokończone, a pomiędzy nimi walały się resztki materiałów budowlanych i zaschnięte błoto. Müller zdała sobie sprawę, że się zgubiła i mapa jej nie pomoże. Ponadto w tej części miasta praktycznie nie było ludzi. Żadnych matek pchających wózki. Żadnych pionierów w wykrochmalonych mundurkach. Dreszcz przebiegł jej po plecach – spóźni się na spotkanie z Malkusem, i w tej sytuacji nawet czerwona kurtka na niewiele się przyda. Jeśli rzeczywiście ją kontrolowali, to zaczęło się nie najlepiej.

Jakieś przeczucie kazało jej spojrzeć w lusterko wsteczne. Być może wypatrywała czerwonej łady, którą widziała wczoraj. Nigdzie jej nie dostrzegła, ale kilkaset metrów za nią stała czarna skoda z kierowcą w środku. Czy ten pojazd za nią jechał? Jeśli tak, to Müller nic nie zauważyła. W głębokim cieniu rzucanym przez stojący nieopodal blok trudno jej było rozróżnić, czy za kierownicą skody siedzi mężczyzna czy kobieta. Miała nadzieję, że ta osoba zdoła jej pomóc – choćby nawet była ze Stasi.

Müller wysiadła i z mapą Eschlera w ręku ruszyła w kierunku drugiego samochodu. Za kierownicą siedział mężczyzna. Patrzył prosto na nią. Wydawał się nastawiony nieprzyjaźnie, chociaż nic nie zdradzało, że Müller jest milicjantką. Miała na sobie cywilne ubranie, a jej samochód był nieoznakowany. Oczywiście kierowca mógł wiedzieć, kim była, i dlatego się tu znalazł. Pilnował jej.

Przez chwilę patrzyli sobie w oczy, zaraz jednak mężczyzna odwrócił wzrok i spojrzał na deskę rozdzielczą. Müller usłyszała dźwięk odpalanego silnika. Podniosła rękę z mapą, ale kierowca skody ją zignorował.

Osłoniła oczy złożoną mapą, czując nadciągającą migrenę. Jej ciało walczyło ze straszliwym suchym upałem oraz rosnącym niepokojem. Zwróciła uwagę na blok stojący przed nią. Należał do najnowszej części Ha-Neu, w której ponumerowano budynki. Poczuła olbrzymią ulgę, gdy zlokalizowała go na mapie. Znowu odzyskała kontrolę. Betonowe wieżowce, które zdawały się zamykać ją w labiryncie bezimiennych ulic jak w pułapce, znowu sprawiały wrażenie niegroźnych, martwych.

Spojrzała na zegarek, nie przestając studiować mapy. Dotarła na zachodni kraniec miasta, w okolice mieszkania, które jej przydzielono, chociaż dopiero teraz zdała sobie z tego sprawę. Straciła przez ten niepotrzebny objazd i panikę dwadzieścia minut. Nawet jeśli wróci teraz jak najszybciej na wschodnią stronę miasta, tam, gdzie mieściła się siedziba Stasi, będzie spóźniona.

Na zjeździe z Magistrali znowu zerknęła w boczne lusterko. Serce zabiło jej mocniej, bo dostrzegła, że czarna skoda zjeżdża tą samą ulicą w stronę siedziby Stasi. Początkowo Karin postanowiła, że pora zatrzymać własną paranoję. To mógł być tylko zbieg okoliczności. Wyhamowała przed barierką odgradzającą teren Ministerstwa Bezpieczeństwa Państwowego. W tym momencie skoda minęła ją i pojechała dalej.

Kiedy sprawdzano jej przepustkę i potwierdzano umówione spotkanie, jej spóźnienie zakrawało już na lekkomyślność. To nie był najlepszy sposób na rozpoczęcie i tak trudno zapowiadających się relacji z Malkusem i Janowitzem. Ledwie wysiadła z samochodu i włożyła czerwoną kurtkę, pojawił się u jej boku funkcjonariusz po cywilnemu, który miał jej towarzyszyć na terenie ministerstwa, czy tego chciała czy nie.

– Dzień dobry, towarzyszko porucznik. Mam was zaprowadzić na spotkanie z majorem Malkusem. Proszę za mną.

Müller posłusznie wykonała polecenie. Po drodze przyjrzała się fasadzie budynku. Przypominał inne wysokościowce w Ha-Neu. Był prawie nowy, miał siedem pięter i ozdobne paski z terakoty pod linią okien. Wyglądało to, jakby budynek pocięto na poziome pasy. Dwie wieże z udekorowanych betonowych bloków dzieliły go na trzy części, na każdej widniało godło Stasi: flaga Republiki Demokratycznej przymocowana do strzelby trzymanej przez muskularne ramię robotnika.

Wejście, do którego się kierowali, znajdowało się w jednej z wież. Przypomniało Müller wejście do głównej siedziby ministerstwa w Berlinie, przy Normannenstrasse. Tym razem jednak po raz pierwszy miała wejść do siedziby Stasi innej niż więzienie w Hohenschönhausen, gdzie niegdyś trzymano Gottfrieda. Wspomnienie tego, jak chciano użyć sfabrykowanych dowodów, by obciążyć jej byłego męża, oraz tak świeże jeszcze spotkanie z agentem w skodzie sprawiły, że zadrżała mimo gorąca. Malkus mówił o „wszelkiej pomocy" ze strony ministerstwa. Ale Karin wiedziała, że pomoc tej instytucji to często zatruty kielich.

Malkus powitał ją ciepło. Wstał ze skórzanego fotela za swoim biurkiem, by uścisnąć jej dłoń. Następnie poprosił, by usiadła na niskiej sztruksowej sofie w kącie pokoju. Sam wrócił za biurko, a jego pozbawiona włosów czaszka lśniła w popołudniowym słońcu. Siedział jakiś metr wyżej niż gość. „Na pewno zrobił to celowo" – pomyślała Müller. Ta różnica działała na jej niekorzyść.

– Dziękuję, że przyszliście, towarzyszko porucznik – zaczął, jakby miała jakikolwiek wybór w tej kwestii. – I nie martwcie się, proszę, spóźnieniem, rozumiem, że wasz zespół ciężko pracuje nad uporządkowaniem sprawy.

Wypowiedział te słowa z lekkim uśmiechem, ale zabrzmiały jak ostrzeżenie i do Müller ono dotarło.

– Proszę wybaczyć, towarzyszu majorze – odparła. – Dopiero przyzwyczajam się do tego, że nie macie tu nazw ulic. To coś zupełnie innego niż w Berlinie.

– Rzeczywiście – przyznał Malkus.

Rozsiadł się w fotelu i powoli kręcił młynka palcami. Nagle pochylił się do przodu, podciągnął mankiety swojej białej koszuli i oparł łokcie na biurku. Müller wpatrywała się w stojące na nim białe popiersie Feliksa Dzierżyńskiego, szefa sowieckiej Czeka. Wiedziała, że oficerowie Stasi lubili myśleć o sobie jak o „niemieckiej Czeka". Obok popiersia stała otwarta butelka wódki z napełnionym do połowy kieliszkiem. Malkus dostrzegł spojrzenie Karin, zakręcił butelkę i wraz z kieliszkiem schował ją do szuflady biurka.

Ponownie się uśmiechnął.

– Chciałem omówić z wami zakres dochodzenia. Taki, żeby pasował i Milicji Ludowej, i Ministerstwu Bezpieczeństwa Państwowego. Domyślam się, że macie doświadczenie we współpracy z nami. To był podpułkownik Klaus Jäger z Ósmego Departamentu z Berlina, prawda?

Müller przytaknęła z rezerwą.

– Klaus i ja jesteśmy przyjaciółmi. Znamy się ze szkoły. Polecił was do tej pracy. Chociaż staniecie wobec pewnych koniecznych ograniczeń w śledztwie, na pewno kierowanie własnym zespołem dochodzeniowym tutaj i tak będzie lepsze niż nudne przesłuchania drobnych złodziejaszków na Keibelstrasse. Zgodzicie się ze mną, prawda?

Informacja, że do tego zadania wybrała ją Stasi, a konkretnie Jäger, nie przełożeni z milicji, była dla Müller mocnym ciosem. Drugi raz w ciągu kilku miesięcy miała zatańczyć, jak jej zagra Ministerstwo Bezpieczeństwa Państwowego. Nie dała jednak nic po sobie poznać i ponownie lekko skinęła głową.

– Więc... – zagaił Malkus, wyciągając papiery z aktówki i klikając długopisem. – Wprowadzę was w niektóre zagadnienia, z którymi mamy do czynienia w tym śledztwie, oraz zapoznam z naszymi sugestiami co do jego efektywnego przebiegu. – Podniósł głowę i spojrzał prosto na Karin.

Nagle zdała sobie sprawę, co ją tak niepokoiło w jego oczach, od pierwszego spotkania przy torach kolejowych. Nie były żółtobrązowe, raczej jasnobursztynowe. Ten połyskujący kolor zbijał ją z tropu i musiała bardzo się skoncentrować, żeby zrozumieć, co major do niej mówi.

– Naszym głównym zmartwieniem jest zapobieżenie panice. Musimy oczywiście znaleźć mordercę i porywacza. Znaleźć zaginione dziecko... – Przerwał na moment, by spojrzeć w notatki. – Maddalenę. To są niezmiennie nasze priorytety. Ale najważniejsze jest uniknięcie paniki oraz zachowanie dobrego imienia miasta, chyba się ze mną zgodzicie. Przede wszystkim będę więc naciskał, żeby nie było żadnego przeszukiwania mieszkań.

– Ale z pewnością... – najeżyła się Müller.

– Bez dyskusji, towarzyszko porucznik. Ustalono to na najwyższym szczeblu, między Ministerstwem Bezpieczeństwa Państwowego a Ministerstwem Spraw Wewnętrznych, które odpowiada za milicję.

Müller poczuła, że opanowuje ją gniew. Nie tak miało potoczyć się to spotkanie. Z miejsca storpedowano jej próby podniesienia istotnej dla śledztwa kwestii. Spróbowała po raz ostatni.

– Raczej nie odnajdziemy dziewczynki, nie trafimy na jej trop, jeśli nie przeszukamy każdego mieszkania w tym mieście. Nadal uważam, że powinniśmy to zrobić.

Malkus pokręcił głową, nim zdążyła dokończyć zdanie.

– Musicie spróbować innych metod. Na pewno coś wymyślicie. Poza tym jeśli dziecko rzeczywiście jest gdzieś przetrzymywane, to czy na pewno w jednym z mieszkań w tym mieście? Czy to nie byłoby zbyt ryzykowne dla porywacza? Zresztą nie będę się nad tym dłużej rozwodził, ta kwestia nie podlega dyskusji. Druga ważna rzecz: oczekujemy, że będziecie się dzielić z nami informacjami. Gdy wpadniecie na nowy trop, dacie nam znać. Jeśli chcecie poprowadzić dochodzenie w nowym kierunku, najpierw ustalicie to z nami. W ten sposób unikniemy nieporozumień. – Malkus odłożył długopis i rozparł się w fotelu, składając dłonie na brzuchu. – Z moich rozmów z Klausem wynika, że mieliście ze dwa takie nieporozumienia w trakcie tamtego śledztwa.

Müller w milczeniu wytrzymała jego spojrzenie.

– Jeszcze jedna kwestia, zanim pójdziecie. Mam przekazać pozdrowienia od Klausa. Żałuje, że nie przyjęliście jego propozycji pracy w Głównym Inspektoracie Wywiadu. Jest już pełnym pułkownikiem i wyjechał na Kubę. Być może nie przepadacie jednak za podróżami zagranicznymi. Nie to, co wasz były mąż.

Müller westchnęła. Nie była zaskoczona, że tutejszy oddział Stasi wie o niej wszystko. Ale nie miała zamiaru dać Malkusowi satysfakcji. Nie udało mu się jej zirytować, choć tak bardzo się starał. Poprawiła spódnicę i wstała.

– Czy to już wszystko, towarzyszu majorze?

– Tak, Karin. – Zamachał do niej zza biurka. – Nie chcę was zatrzymywać. Macie tam dużo roboty. Jeśli wypłynie coś ważnego, dajcie mi znać. Na co dzień będzie się z wami kontaktował kapitan Janowitz. Uważajcie na niego, nie zawsze jest tak wyrozumiały jak ja. Znacie drogę do wyjścia, prawda?

Wyszła bez pożegnania. To wszystko miało tylko pokazać, gdzie jest jej miejsce. Malkus nie powiedział jej nic, o czym nie mógł jej poinformować tam, przy torach. Wiadomość, że ma się kontaktować bezpośrednio z Janowitzem, nie brzmiała zbyt pocieszająco. Wręcz przeciwnie. Kierowca skody – a może nawet kierowca łady z wczoraj – był zapewne jednym z fagasów kapitana.

Gdy szła po betonowych schodach, a następnie przez parking, ponownie w towarzystwie tego samego funkcjonariusza, ogarnęły ją takie same przeczucia jak w sprawie dziewczyny z domu poprawczego. Być może borykanie się na Keibelstrasse z hipisami w rodzaju Lautenberga nie było złym wyjściem.

8

W drodze powrotnej do komendy Müller postanowiła wstąpić do przydzielonego im mieszkania. Czuła, że potrzebuje się odświeżyć po spotkaniu z Malkusem. Może założenie czerwonej kurtki nie było dobrym pomysłem. W trakcie ich rozmowy, czy raczej wykładu oficera Stasi, Karin czuła, jak poci się pod pachami. Ponownie zerknęła w boczne lusterko – jak dotąd nie dostrzegła żadnego ogona. Może tym razem lepiej się kryli i nie chcieli wyprowadzić jej z równowagi. Jechała z poczuciem większej kontroli, pewności siebie, mimo za ciepłego na tę pogodę ubrania.

Skręciła w stronę Kompleksu Mieszkaniowego VI i jego osobliwych pofalowanych bloków. Czuła się tu już prawie jak w domu. Po lewej stronie widziała obwodnicę oplatającą miasto. Za nią – jak jej powiedziano – znajdowały się park i jezioro. Postanowiła, że się tam wybierze któregoś dnia po pracy, chociaż najpierw pewnie będzie musiała sprawdzić, czy Eschler i jego ludzie przeszukali ten teren. Rozglądała się na wszystkie strony, zaznajamiając się z otoczeniem. Pofalowany budynek wydawał się nie mieć końca: takie same okna, takie same drzwi wejściowe, wszędzie ta sama szarość. Tyle że świeża i czysta, a nie ta brudna, która dominowała w Berlinie.

Numery bloków nie zostały przydzielone w żaden logiczny sposób i trudno było rozszyfrować kryjący się za nimi wzór. By się zorientować w terenie, rozglądała się, czy nagle nie wyłoni się skądś jej blok. Zaparkowała i podeszła do wejścia, jeszcze raz przeżuwając słowa Malkusa. Oficer Stasi dał jej ostrzeżenie. Przy poprzedniej sprawie wysłuchiwała takich uwag od Jägera. Po wejściu do budynku zaczęła szukać windy, która zabrałaby ją na czwarte piętro, i nagle sobie przypomniała: tu nie ma windy. Zainstalowano je tylko w blokach, które miały więcej niż pięć kondygnacji. Zastanawiała się, jak te młode matki, które widziała wcześniej na spacerze, dostawały się do swoich mieszkań. Może taka była cena mieszkania w tym nowoczesnym mieście. Wiele rodzin w Republice Demokratycznej mogło tylko pomarzyć o życiu w takim standardzie.

Weszła po schodach i stanęła na korytarzu, który zdawał się nie mieć końca. Zanim włożyła klucz do zamka, rozejrzała się. „Co mnie tak niepokoi?" – zastanawiała się. „Przecież powiedzieli, że będą mieć mnie na oku, a nie mam nic do ukrycia". Z mieszkania dochodziło podśpiewywanie. Głos był męski, ale nie przypominał głosu Schmidta. Mimo to wydawał się znajomy. W kuchni natknęła się na młodego umięśnionego mężczyznę o kręconych włosach. Miał na nosie okulary i rozpakowywał jedzenie. Uśmiechnęli się w tym samym momencie.

– Martin! – zawołała i go objęła. – Nie spodziewałam się, że cię tu spotkam.

To był Vogel, młody podporucznik, który pomógł jej i Tilsnerowi w górach Harzu, gdy kilka miesięcy temu prowadzili śledztwo w sprawie dzieci z domu poprawczego.

– Nie sądziłam, że wyjedziesz z Harzu. Myślałam, że jesteś oddany temu miejscu na śmierć i życie.

Vogel wyswobodził się z jej uścisku z grymasem na twarzy.

– To już nie to samo, towarzyszko porucznik. Bez...

Umilkł, nim wymienił nazwisko kapitana Baumanna. Müller dostrzegła jednak w jego oczach, że myślał o ostatnich chwilach życia kapitana Milicji Ludowej, który w nieczynnej kopalni na granicy został śmiertelnie postrzelony przez kogoś, kto powinien stać po jego stronie.

– W każdym razie potrzebowałem nowych wyzwań. – Vogel wziął głęboki wdech i otrząsnął się ze smutku. – Poprosiłem o przeniesienie do Berlina i wskazałem was jako oficera, z którym chciałbym pracować, towarzyszko.

– Karin. Proszę, mów mi Karin. Znamy się przecież dość dobrze.

Vogel wyszczerzył zęby w uśmiechu.

– Cóż, nie dostałem tego, co chciałem. Nocne życie Halle-Neustadt w zamian za nocne życie Berlina. Ale cieszę się, że znowu będziemy razem pracować, Karin. Chociaż przypuszczam, że to kolejna trudna sprawa.

Przytaknęła i postawiła czajnik na kuchence.

– Napijmy się, a potem wprowadzę cię w szczegóły śledztwa. To dość delikatna sprawa, podobnie jak poprzednia.

Vogel wysunął jedno z kuchennych krzeseł i usiadł przy stole.

– Tak słyszałem. Przypuszczam, że Ministerstwo Bezpieczeństwa Państwowego znowu jest w to zaangażowane.

Müller sięgała właśnie do szafki po kubki. Spojrzała z zastanowieniem na swojego nowego zastępcę.

– Kto ci to powiedział?

– Jeszcze w Harzu odebrałem telefon. Zaraz po tym, jak zgodziłem się tu przyjechać. To był kapitan Stasi. Janowitz? Chyba tak się nazywał.

Müller przytaknęła bez pośpiechu, a na jej twarzy pojawił się grymas.

– To nasz oficer kontaktowy. On i jego przełożony, major Malkus.

Stasi nie tylko wtrącała się w śledztwo, ale też kontaktowała się z członkami zespołu Müller, jeszcze zanim ona ich poznała. Malkus nie przypadł jej specjalnie do gustu, ale wyglądało na to, że powinna uważniej przyjrzeć się Janowitzowi. Może nawet nie tylko się przyjrzeć.

– Rozmawiałam z Malkusem jakąś godzinę temu. Odnoszę wrażenie, że będziemy go często widywać. Jeśli chodzi o śledztwo, to mamy węższe pole manewru, niż byśmy chcieli. – Zalała kawę wrzątkiem. – Zaraz wszystko ci opowiem. Jesteś głodny po podróży? Kupiłam wczoraj ciasto.

– Brzmi świetnie, towarzyszko porucznik.

– Karin. Proszę, byś tak do mnie mówił. Będziemy razem mieszkać i pracować, dopóki nie rozgryziemy tej sprawy. Możemy więc darować sobie formalności, chyba że będziemy wśród obcych.

– Przepraszam, Karin. Dobrze, skuszę się na poczęstunek. Müller otworzyła lodówkę, ale nie było w niej ciasta.

– Dziwne. Jestem pewna, że wczoraj je tu zostawiłam. – Przesunęła mleko i margarynę. Wtedy zobaczyła pusty talerz z resztką okruszków. – Bardzo cię przepraszam, Martin, ale ktoś już po nie się stawił. Potem przedstawię ci naszego technika kryminalnego Jonasa Schmidta. To dobry milicjant i uroczy człowiek, ale ma ogromny apetyt.

– Kawa mi wystarczy, Karin – uśmiechnął się Vogel.

Müller potrzebowała chwili odpoczynku po spotkaniu z Malkusem. Teraz, kiedy jej nowy zastępca w końcu zmaterializował się w postaci Vogla, znów czuła się pełna energii. Pojechali wartburgiem do komendy, gdzie mieściło się centrum dowodzenia ich śledztwem. Na razie, przynajmniej do czasu, gdy znane będą wyniki autopsji, Müller zadowoliła się raportem z poszukiwań. Eschler i Fernbach pokazali jej na mapie kolejny tunel, który mieli zamiar przeszukać. Prowadził do bloku Salzmannów.

Milicjanci przejechali majestatycznie zakrzywionym wiaduktem nad Magistralą – główną dwupasmową ulicą przecinającą Halle-Neustadt. Jako jedyna w mieście miała nazwę.

Salzmannowie mieszkali mniej więcej pośrodku jednego z najwyższych budynków, czternastopiętrowych wysokościowców. Linia okien na każdym piętrze była podkreślona żółtym pasem, co upodabniało blok do ogromnego ręcznika. Müller, Vogel i Schmidt starali się nadążyć za grupą umundurowanych milicjantów, ale musieli się przedzierać między kolejnymi dumnymi matkami pchającymi wózki. Zatrzymywały się, by porozmawiać ze znajomymi o najnowszej pociesze w swojej socjalistycznej rodzinie, prawie nie zwracając uwagi na milicjantów. Salzmannowie mogli znaleźć się w tej grupie, z podwójnym wózkiem, ale teraz pozostało im tylko czekać, aż zespół, którym dowodziła Müller, odszuka Maddalenę, nim będzie za późno.

Śledczy z psami dotarli już do wskazanego budynku mieszkalnego – wysłano ich wcześniej w samochodach, by uniknąć ludzkiej ciekawości. Psy dostały do wąchania szpitalną pościel Maddaleny. Müller cieszyła się z jeszcze jednej znajomej twarzy w swoim otoczeniu. Gdy schodzili do piwnicy, poczuła coś w rodzaju *déjà vu* – przypomniało jej się tamto miejsce w górach Harzu, kopalnia, do której zszedł za nią Vogel.

Podporucznik najwyraźniej zgadł, o czym myśli jego szefowa.

– Dziwne uczucie schodzić tu z wami do podziemia, towarzyszko porucznik.

Müller dostrzegła lekkie zamglenie jego szczerych oczu – kolejne wspomnienie dramatycznej śmierci kapitana Baumanna.

Gdy Eschler otworzył grube metalowe drzwi, dwaj opiekunowie psów musieli mocno przytrzymać swoich podopiecznych, którzy od razu wyrwali się do przodu. Owionął ich wilgotny zaduch. Müller nie spodziewała się, że wielki system ogrzewania miasta będzie działał w tak upalny dzień. Najwidoczniej ogromne rury, które dostarczały ciepło do mieszkań, nigdy nie stygły.

– Nadal nie rozumiem, dlaczego nie przeszukamy mieszkania po mieszkaniu, towarzyszko porucznik – wyszeptał Vogel, oświetlając latarką wilgotne ściany tunelu. Szli kilka kroków za psami i umundurowanymi funkcjonariuszami. – Czy to nie byłoby lepsze?

– Nie mogę się z tobą nie zgodzić – odparła Müller półgłosem. – Ale to nie zależy ode mnie. Dziś wieczorem musimy zrobić burzę mózgów i wymyślić jakiś sposób postępowania. Problem w tym, że mamy do czynienia z dwiema sprawami: porwaniem i morderstwem.

– Chyba że...

Müller zatrzymała się i spojrzała uważnie na swojego zastępcę.

– Zachowajmy trochę optymizmu – poprosiła i ruszyła dalej. Podeszła bliżej Eschlera, Fernbacha i innych. Ich sylwetki migotały w świetle latarek. – Musimy założyć, że Maddalena nadal żyje. I dlatego powinniśmy się spieszyć – dodała, gdy Vogel do niej dołączył. – Najważniejsze są pierwsze godziny. Już minęły. Musimy więc na coś wpaść w ciągu kilku dni, zanim wszystkie tropy nam wystygną.

– Dlatego właśnie powinniśmy przeszukać wszystkie mieszkania – upierał się Vogel. – Zamiast tego bezsensownie badamy każdy centymetr podziemnych tuneli.

Müller pominęła tę uwagę milczeniem, chociaż w pełni zgadzała się ze swoim nowym zastępcą. Tyle że ta rozmowa jedynie przypominała jej o frustrującym sposobie, w jaki Malkus osadził ją w miejscu, gdy próbowała się z nim o to kłócić.

Nagle rozległo się ostre szczekanie jednego z psów. Eschler, Fernbach i pozostali milicjanci skierowali na niego latarki. Wył teraz, z postawionymi uszami i na wyprostowanej smyczy, na której jego opiekun starał się go utrzymać z dala od znaleziska.

Müller przysunęła się bliżej, ale nagle zatrzymała się w szoku. To nie mogło być to... nie mogło... Jednak podczas pierwszego przeszukania tuneli, w którym uczestniczyła, znaleziono ciało. Małe nagie ciałko leżące na plecach, z oczami wbitymi w sufit.

9

WIGILIA BOŻEGO NARODZENIA 1965
MIASTO DLA PRACOWNIKÓW ZAKŁADÓW CHEMICZNYCH,
HALLE-WEST

Ach, cóż to był za rok! Najszczęśliwszy dla mnie. Najpierw wiadomość, która przyszła jesienią, że Hansi dostał jedno z tych nowiutkich mieszkań w nowym mieście dla pracowników zakładów. Jestem pewna, że pomogła moja ciąża. Przeprowadziliśmy się, zanim nastąpił ten wyjątkowy dzień.

Teraz mamy świętować pierwsze Boże Narodzenie jako rodzina. Nie mogę się za bardzo przejmować, ale trochę pogotowałam, udekorowałam mieszkanie i takie tam.

Mieszkanko jest naprawdę urocze. Dość wcześnie postawiliśmy choinkę i zawiesiliśmy ozdoby. Hansi umieścił na szczycie aniołka. Mówi wprawdzie, że już nie możemy nazywać go aniołkiem – lepiej mówić *Jahresendflügelfigur*, co oznacza figurkę żegnającą odchodzący rok. Teraz wyszedł na moment do domu towarowego po kiełbaski. Zjemy je potem z sałatką ziemniaczaną, którą przygotowałam. Będziemy słuchać radia. Nadają dzisiaj sztukę – jedną z tych tradycyjnych opowieści, które Hansi tak lubi, *Augusta, bożonarodzeniowa gęś*. Nie mogę się doczekać, chociaż może wolałabym pooglądać telewizję. Mamy telewizor. Niewiele rodzin go ma, wiesz, ale Hansi jest dość ważny, więc byliśmy na górze listy.

Zajęłam się też ostatnimi dekoracjami. Stroik świąteczny nagrzał się już od świecy, postawiłam też figurki *Rauchermännchen**. Po tym poznajesz, że są święta. Dzięki kadzidłu cały duży pokój pachnie jak domek z piernika. Uwielbiam ten zapach! A obok stajenka. Hansi powiedział, że trzeba będzie ją schować, jak ktoś do nas przyjdzie. Na wszelki wypadek, bo mogą to być niewierzący. Tak jak Hansi – nie za bardzo by to pasowało do jego pracy w Ministerstwie. Ale wie, że od czasu do czasu lubię zmówić modlitwę.

Uwielbiam to świąteczne podniecenie. Cokolwiek dostanę od gwiazdora, nie może się to równać z tym, co już mi podarowano. Moja malutka Stefanie. Kochana Stefanie. Prawdziwy aniołek.

Dzisiaj dużo płakała. Nie wiem dlaczego. Jak tylko Hansi wyszedł po zakupy. Tęskni za tatusiem! Jej twarzyczka rozświetla się na jego widok. To mała małpka. Nie chce dobrze ssać piersi, więc pewnie nie jest zbytnio najedzona. Bardziej smakuje jej mleko w proszku, ale wolałabym, żeby jadła z piersi. To chyba zdrowsze, prawda? Piersi bardzo mnie teraz bolą, bo wcześniej próbowałam ją nakarmić. Najpierw kropię na nie trochę tego w proszku, wtedy ssie, ale szybko przestaje i zaczyna płakać. Może trzeba iść z nią do lekarza? Martwię się, bo traci na wadze. Hansi mówi, że lepiej karmić ją mlekiem w proszku. Przygotowuje je dla mnie, zanim idzie do pracy. Ale czasami potajemnie wyrzucam butelki. Wolałabym, żeby jadła moje mleko.

Ciekawe, czy ma to coś wspólnego z moim upadkiem. Mam nadzieję, że to nie zrobiło z niej takiego niejadka. To był wielki szok, przyznaję. Ale wszystko dobrze się skończyło. Dopiero co wprowadziliśmy się do nowego mieszkania i dookoła ciągle trwają budowy. Mnóstwo budów. W końcu ma tu mieszkać prawie

* Tradycyjne figurki bożonarodzeniowe, w których umieszcza się kadzidełka (przyp. tłum.).

sto tysięcy ludzi. To ma sens, że tak szybko budują te nowe bloki. Nie możemy się na to skarżyć.

Cóż, najwidoczniej potknęłam się o jakieś rury. Nic nie pamiętam, ale Hansi mówi, że straciłam przytomność. Tak bardzo martwili się o dziecko, że zrobili mi cesarkę. Blizna ciągle trochę mnie boli. Przynajmniej nic nie pamiętam. W jednej chwili z kobiety w dziewiątym miesiącu stałam się matką – i Hansi przyniósł mi Stefanie. Co za prezent! Mam wielkie szczęście. Mówią, że przez kilka dni byłam nieprzytomna, więc nic dziwnego, że musieli zacząć karmić Stefanie butelką. Biedactwo.

O, słyszę, że ktoś otwiera drzwi. To pewnie Hansi.

– Franzi – woła mnie. Hansi i Franzi, taki nasz żarcik. – Chyba nie zostawiłaś znowu Stefanie?

Brakuje mu tchu, ma czerwoną twarz, dźwiga świąteczne zakupy.

– Chyba jest nie w sosie. Położyłam ją spać w sypialni.

– Ale ona nie śpi, Franzi. Drze się jak opętana. Będą skargi.

Nie mogę uwierzyć, że nie słyszałam, jak płacze. Ojacie. Nie lubię, kiedy Hansi się na mnie złości. Czuję, że go zawiodłam, troszkę chce mi się płakać. Mam nadzieję, że nie zrobi mi awantury.

– Już, już, malutka. Tatuś wrócił.

Kołysze dziecko, ucisza je i mała się uspokaja. Dlaczego mnie się to nie udaje?

– Ma mokro, Franzi. Nie zmieniłaś pieluchy? Ma już odparzenie.

Łzy napływają mi do oczu, próbuję je powstrzymać. Hansi nic nie widzi, bo zabrał małą do kuchni. Słyszę, że nastawia butelkę do podgrzania. Po kilku minutach Stefanie chciwie ssie.

– Już, już, malutka. Byłaś po prostu głodna, prawda? – Podchodzi z dzieckiem w ramionach i patrzy na mnie ostro. – Pamiętaj, żeby ją karmić, Franzi. Prawie umiera z głodu, biedactwo. Kiedy ostatnio dałaś jej butelkę?

Nie mogę odpowiedzieć, bo zacznę płakać i nie będę mogła przestać. Nie chcę tego w Wigilię.

– Chyba nie chciałaś znowu karmić jej piersią, co, *Liebling*?

Potakuję i połykam łzy. Moje piersi napierają na stanik. Strasznie mnie bolą. Potem znowu zobaczę w lustrze, że są całe czerwone.

Hansi podchodzi i obejmuje mnie jedną ręką, ostrożnie, by nie dotknąć piersi. Drugą nadal trzyma Stefanie, która ssie butelkę.

– Franzi, Franzi – mówi. – Co my z tobą zrobimy? Co my z tobą zrobimy?

10

LIPIEC 1975

HALLE-NEUSTADT

Eschler ruszył w stronę ciała leżącego na kocyku, ale Müller krzyknęła, by go nie ruszał. Jej głos odbił się echem w tunelu.

Zaskoczony milicjant odwrócił się w jej stronę.

– To tylko lalka, towarzyszko porucznik. Nie sądzę, by miała coś wspólnego z naszym śledztwem. Czasami bawią się tu dzieci. Niemowlęta raczej nie mają lalek, więc nie należy do Maddaleny.

Müller cieszyła się, że ciemności ukryły jej zawstydzenie. Spłonęła rumieńcem. Była przekonana, że to ciałko Maddaleny, chociaż wydawało się to nieprawdopodobne. Co wprawiało ją w takie podenerwowanie?

– Towarzyszu kapitanie, musimy mimo wszystko potraktować to jako potencjalny dowód w sprawie. Techniku Schmidt, przystąpicie do czynności?

Schmidt podszedł do przodu i uklęknął. Założył rękawiczki i umieścił lalkę w plastikowej torbie. Gdy skończył, Eschler nakazał przewodnikom psów, by kontynuowali poszukiwania.

Lalka była jedynym godnym uwagi przedmiotem, jaki znaleźli. Po kilku godzinach Eschler zaproponował, by skończyli na dziś. Zapadł już wieczór, więc Müller się zgodziła.

Psy wróciły do bazy, a ludzie Fernbacha do swoich rodzin. Upłynął kolejny frustrujący dzień, gdyż ton śledztwu nadawali Malkus i Janowitz. Müller zaprosiła Eschlera, Vogla i Schmidta na piwo, by omówić kilka spraw. Musiał być jakiś sposób, który pozwoliłby im posunąć śledztwo do przodu bez wzbudzania gniewu Stasi. Eschler zaproponował, by udali się do gospody Zielona Jodła w wiosce Halle Nietleben, niedaleko mieszkania zajmowanego obecnie przez zamiejscowych milicjantów. W gospodzie znajdował się prywatny salonik, którego lokalna milicja używała na nieformalne spotkania. Eschler zadzwonił z komendy, by sprawdzić, czy miejsce będzie wolne.

Müller postawiła wszystkim kolejkę. Chociaż czuła sympatię do Eschlera, nadal zależało jej na tym, by zaznaczyć, kto tu dowodzi. Zwłaszcza po wstydzie, jaki przeżyła, gdy znaleźli lalkę.

Kelner przyniósł piwo, a Müller wyciągnęła notatnik i długopis. Wzięła głęboki wdech.

– Myślę, że wszyscy chcemy posunąć sprawę do przodu – zaczęła. – I nie chodzi o to, że do tej pory śledztwo było prowadzone niewłaściwie, Bruno. Uważam za słuszne przeszukiwania tuneli, nieużytków i podobnych miejsc. Ale chcę, byśmy przyjrzeli się też takim, w których gromadzą się matki z dziećmi: żłobkom, przedszkolom, placom zabaw.

– To rzeczywiście ma sens – zamyślił się Eschler. – Ale w ten sposób zakładamy, że porywacz, a zapewne też morderca Karstena, pozwoli, by widziano Maddalenę w takim miejscu. Bardziej prawdopodobne, że raczej ją ukrywają, prawda?

– Możliwe – przyznała Müller. – Ale matki rozmawiają o dzieciach z innymi matkami. Któraś z nich mogła zauważyć coś dziwnego. Przede wszystkim należy traktować tę sprawę jak dochodzenie dotyczące zaginięcia. Jeśli znajdziemy Maddalenę, mamy szansę znaleźć też mordercę Karstena. Problem w tym, że jeśli zaczniemy zbyt wielu osobom zadawać zbyt wiele pytań, Stasi rzuci się na mnie jak sęp na kawał świeżego mięsa.

– Właściwie dlaczego ograniczamy śledztwo do Halle-Neustadt? – zapytał Vogel, pochylając się nad stołem. – Dlaczego zakładamy, że szukamy kogoś stąd? A może porywacz jest z Halle? Albo nawet z Lipska?

Eschler otarł chusteczką piwną pianę z ust.

– Macie rację, podporuczniku. Nie mamy gwarancji, że osoba, której szukamy, jest z Ha-Neu. Nie mamy gwarancji, że Maddalena nadal znajduje się w okolicy. Poinformowano inne miasta, także Berlin. Dlatego się tutaj znaleźliście. Aktówka z ciałem Karstena została wyrzucona na linii kolejowej łączącej Ha-Neu z Merseburgiem i zakładami chemicznymi Leuna i Buna. Kąt, pod jakim upadła, oraz strona torów wskazują, że wyrzucono ją z pociągu jadącego z Ha-Neu. Pewnie jednego z tych, którymi ludzie dojeżdżają do pracy w zakładach. Obie fabryki pracują w trybie ciągłym, zmianowym.

– Czy to się zgadza z wnioskami z twoich badań przy torach, Jonas? – Müller odwróciła się do technika.

– Tak, towarzyszko porucznik. W zupełności – odpowiedział ze wzrokiem wbitym w menu.

– Można przypuszczać – ciągnął Eschler – że morderca wyrzucił aktówkę z jednego z tych nocnych pociągów, tuż przed stacją Angersdorf. Tamtejsze podłoże jest bagniste – może liczył na to, że pokryje ją błoto. Pewnie źle obliczył siłę rzutu. Albo miał mniej siły, niż się spodziewał, i upadła bliżej.

– Nikt w pociągu niczego nie zauważył?

– Nie dotarliśmy do nikogo takiego – wzruszył ramionami Eschler. – A przynajmniej nikt się nie przyznał, że coś widział. Ale te przesłuchania były prowadzone subtelnie, z tych samych powodów, dla których nie możemy przeszukać wszystkich mieszkań. Stasi nam w tym pomagała.

– Stasi? Czyli kto? Malkus?

Eschler skinął głową z kamienną twarzą.

– Poprzedniej nocy wysłali swoich agentów, by przepytali pasażerów nocnych pociągów. Pokazali im zdjęcie aktówki, ale nie mówili, co było w środku. Gdy ludzie za bardzo się interesowali, o co chodzi, agenci udający zwykłych milicjantów twierdzili, że o kradzież.

Müller pociągnęła łyk piwa pszenicznego, ciesząc się jego słodkawym smakiem. Było bardziej słodkie niż to, które pijała w stolicy. Nie podobało jej się, że Malkus i jego ludzie na każdym kroku wciskali się do dochodzenia. To było śledztwo Milicji Ludowej.

– A zakłady chemiczne? Przepytaliście pracowników? Stasi to zrobiła?

– Ten sam problem – westchnął Eschler. – Wielu robotników z Leuna i Buna, może większość, mieszka w Halle-Neustadt. Po to przecież zbudowano miasto, jak wiecie. Dla pracowników zakładów chemicznych – taki był plan. Więc jeśli wkroczymy do zakładów ze zbyt oczywistymi pytaniami, będzie to miało ten sam efekt, co przeszukania, czyli ministerstwo nam na to nie pozwoli. Ale nie wiem, czy sami czegoś nie zrobili. Oni mówią nam tylko to, co chcą. – Kapitan przerwał, by napić się piwa, jakby zaspokojenie pragnienia zmniejszało jego frustrację odczuwaną w kwestii dochodzenia. – To nie są wymówki, ale to nie takie proste.

Müller nie mogła pozbyć się myśli, że działania Stasi były pozbawione logiki. Ostrożność wydawała się jej przesadna. „Chyba że ukrywają jakąś większą tajemnicę i nie chcą, żebyśmy wpadli na jej trop" – myślała. Coś powiązanego z tym porwaniem.

Vogel bębnił palcami po stole.

– Nadal uważam, że trzeba poszerzyć teren przeszukiwań. Czy linia kolejowa w Angersdorf przypadkiem się nie rozdziela? Kolejka jedzie do Halle Süd – więc nie mamy tam tylko pociągów między Ha-Neu, zakładami chemicznymi i Merseburgiem.

Müller była pod wrażeniem jego wystąpienia, ale Eschler wydawał się niewzruszony.

– Nie chodzi tylko o to, gdzie i jak wyrzucono aktówkę – powiedział zachmurzony. – Ciałko było owinięte w gazetę, w środku znaleziono też ulotkę z głównego domu towarowego w Ha-Neu.

– Tam pracuje Klara Salzmann – wtrąciła Müller.

– Zgadza się – potwierdził Eschler.

Przywołanie domu towarowego wyraźnie poruszyło Schmidta, który dotychczas siedział cicho i pił piwo, nadal wpatrując się w menu gospody.

– Czego dotyczyła ta ulotka, towarzyszu kapitanie? Jakiegoś jedzenia?

Eschler na moment skamieniał, wyglądał na przestraszonego.

– *Scheisse!* – krzyknął w końcu.

– Co się stało, Bruno? – spytała Müller.

– Powinienem był o tym pomyśleć. – Złapał się za głowę. – Za bardzo skupiłem się na tym, że ulotka łączy mordercę Karstena z Ha-Neu. Chodziło o wędliny. Szynki, salami i takie tam. To przecież oczywiste powiązanie z konkretną osobą, prawda? Z ewentualnym podejrzanym.

– Z kim? Jakie powiązanie? – spytał wyraźnie zagubiony Schmidt.

– Klara Salzmann pracuje w dziale mięsnym domu towarowego.

Müller intensywnie się zastanawiała. Zmarszczyła brwi.

– Oczywiście musimy wziąć pod uwagę Salzmannów jako ewentualnych podejrzanych. Ale w chwili porwania Klara była na urlopie macierzyńskim. Skąd wzięłaby te ulotki?

– Możemy jednak pociągnąć ten wątek – powiedział Vogel. – Może jakaś koleżanka miała do niej urazę. Albo była zazdrosna o bliźnięta.

Eschler przytaknął z wahaniem.

– Możliwe, ale żeby je naprawdę porwać... i zamordować jedno z dzieci? To chyba za daleko posunięta hipoteza.

– Musimy to sprawdzić – westchnęła Müller. – Bruno, twój zespół może to zrobić?

– Jasne. Jutro mamy obowiązkowe comiesięczne zebranie partyjne w komendzie. Ale przed i po nim przesłuchamy pracowników domu towarowego.

– Dobrze. – Müller oddychała głęboko, pozbywając się napięcia z ciała. – Może wyniki jutrzejszej autopsji podsuną nam jakiś lepszy trop. Chcę wam wszystkim przypomnieć, że w tego rodzaju sprawach szybkie przełamanie śledztwa jest bardzo ważne. Karsten nie żyje. A biedna Maddalena leżała w szpitalu nie bez powodu – to słaby wcześniak. Pozostaje nam tylko nadzieja, że jest gotowa walczyć o życie. Musimy zrobić wszystko, by ją odnaleźć, zanim będzie za późno.

11

NASTĘPNEGO DNIA

Prawie całą noc Müller kaszlała i wierciła się w łóżku, jej ciało kleiło się do przepoconego prześcieradła. Starała się zasnąć w tym nocnym letnim upale. W myślach jeszcze raz spróbowała jakoś uporządkować znane jej fakty. Męczyło ją, że przesłuchania pasażerów pociągów przeprowadzili ludzie Stasi. Nie mogła zapytać, czy czegoś się dowiedzieli. Być może Malkus i Janowitz będą łaskawi coś jej przekazać. Nad śledztwem zawisła atmosfera nieprzyjemnej tajemniczości, niczym chmura wydobywająca się z kominów pobliskich zakładów chemicznych.

Nie czuła się wyspana, jednak nim nastał poranek, zdecydowała przynajmniej, w jaki sposób kontynuować dochodzenie. Podzieli się pomysłem z podwładnymi, jak tylko poznają wyniki autopsji Karstena Salzmanna.

Doktor Albrecht Ebersbach w jednej kluczowej kwestii różnił się od milicyjnych patologów, z którymi Müller dotychczas pracowała. Ci z Berlina i Harzu nieustannie komentowali przebieg swoich badań i wnioski z nich. Ebersbach tego nie robił. Właściwie niewiele powiedział. Müller to zdenerwowało.

Postawa Ebersbacha, który nie zabawiał ich rozmową i nie zadawał pytań, wydawała się wszystkich zbijać z tropu. Müller zauważyła, że za dużo czasu spędziła, wpatrując się w ciałko Karstena. Takie malutkie, takie delikatne. Ślady pobicia na twarzy i klatce piersiowej świadczyły, że trafił na najbardziej okrutnego z morderców. Kto mógł zrobić coś takiego kilkutygodniowemu dziecku? Müller starała się odwracać wzrok, przyglądać się asystentowi z prosektorium, Voglowi, który stał obok niej – komukolwiek, czemukolwiek, jednak jej wzrok ciągle powracał do Karstena, którego Ebersbach podnosił, obracał i dokładnie badał, w nieprzerwanym milczeniu. Rączki i nóżki dziecka latały w raczej nieprzyzwoity sposób – nie miały w sobie sztywności lalki, którą znaleźli w tunelu.

Müller chrząknęła znacząco. Chciała przerwać w którymś momencie tę ciszę, ale ani Vogel, ani doktor nic nie powiedzieli.

– Czy możecie nam przekazać jakieś informacje, doktorze?

Siwa głowa Ebersbacha przez chwilę wisiała nad ciałem Karstena, jakby nie usłyszał pytania. Wreszcie powoli ją podniósł, ale zamiast popatrzeć na Müller i Vogla, skierował wzrok na jakiś punkt nad nimi. Nosił okulary w grubych rogowych oprawkach, a teraz zmarszczył nad nimi czoło.

– To dziwny przypadek – westchnął w końcu. – Bardzo dziwny.

Znów popatrzył na ciało i zaczął je delikatnie dotykać. Otworzył martwe usta, podniósł język. Potem uniósł powieki i pod nie zajrzał.

Müller nie zamierzała mu odpuścić.

– W jakim sensie dziwny, towarzyszu doktorze?

Ebersbach znowu podniósł głowę i westchnął. Tym razem spojrzał jej w oczy, pytająco.

– Na pierwszy rzut oka wygląda to na przypadek zespołu potrząsanego dziecka. Widzicie ślady na obu policzkach? – Patolog pokazał te miejsca ręką, a Müller i Vogel pochylili się nad ciałkiem. – Mamy też złamanie.

Nacisnął żebra i mogli zobaczyć, że lekko ustępują. Müller poczuła, jak w gardle rośnie jej gula, była bliska wymiotów. Próbowała skoncentrować się raczej na tym, co mówił lekarz, niż na tym, co pokazywał.

– Mówicie, że tak to wygląda na pierwszy rzut oka. Czy to znaczy, że podejrzewacie inną przyczynę śmierci? – spytała.

– Tak naprawdę to zależy. Musimy rozciąć ciało, bym mógł się upewnić. Dziękuję za udział we wstępnych oględzinach, ale teraz proszę, byście już wyszli.

– Czego spodziewacie się dowiedzieć po rozcięciu ciała? – zapytał Vogel.

– Czego się spodziewam? – Ebersbach wzruszył ramionami. Wciągnął głęboko powietrze i wypuścił je ze świstem. – Nie chodzi o to, czego się spodziewam, towarzyszu. Pracujemy z faktami. Przyczyna i skutek. – Przez chwilę wpatrywał się w Vogla w milczeniu, jakby uważał go za idiotę. Po chwili jego twarz złagodniała. – Przepraszam. Czasami wyrażam się zbyt dosadnie. Jednak jeśli przyczyną śmierci była przemoc, to u dziecka w tym wieku znajdziemy uszkodzenia czaszki, wewnętrzne krwotoki. Być może uszkodzenia wątroby, jeśli mówimy także o biciu. Może nawet uszkodzenia kręgosłupa wynikające z ewentualnego potrząsania.

– Dobrze – zgodziła się Müller. – Tylko skąd te wątpliwości?

– Cóż, wokół ust chłopca mamy dziwne ranki. Zobaczcie tylko. – Ebersbach skinął na detektywów, objął główkę Karstena jedną ręką, a palcem wskazującym drugiej przejechał po jego ustach. – Jakby po nadmiernym całowaniu.

– Całowaniu... – Müller była przerażona, czuła, że zaraz zwróci śniadanie. – Mamy tu przypadek molestowania?

– Nie, nie. Nie o to mi chodzi. Wy w Berlinie musicie mieć czasem takie sprawy, że...

– Więc o co wam chodzi? – spytała milicjantka.

– Popatrzcie tylko na rany na klatce piersiowej, tu, gdzie złamanie. Dwie wyraźne rany, jakby ktoś przeciągnął po ciele palcami. – Ebersbach pokazał znak V wskazującym i środkowym palcem prawej ręki. Przylegały dokładnie do śladów.

– Nic nie rozumiem – poskarżył się Vogel.

– Ani ja – pokręciła głową Müller. – Nic a nic, towarzyszu doktorze.

– No dobrze, mogę się mylić. Ale najpierw muszę otworzyć ciało, czaszkę i wykonać całą tę brudną robotę, do której z jakiegoś powodu przygotowywałem się lata temu. Jednak jeśli moje podejrzenia się potwierdzą, ktokolwiek to zrobił, być może wcale nie miał zamiaru wykończyć tego biednego dziecka.

– Co macie na myśli? – frustracja Müller narastała.

– Że kształt, który wam pokazałem, to klasyczny sposób na... – Ebersbach zamilkł, jakby sam nie mógł uwierzyć w to, do czego doszedł.

– Na co? – dopytywała się Müller.

– Na masaż serca. Jeśli mam rację, ta osoba nie chciała zabić chłopca. Starała się uratować mu życie.

12

Müller wysłała Vogla, by przesłuchał świadków z oddziału pediatrii. Nie komentowali szczegółów tego, co zasugerował im doktor Ebersbach w kostnicy. Oboje wiedzieli, że jeśli sprawa nie zostanie uznana za morderstwo, stracą szersze możliwości działania. A Maddaleny ciągle nie odnaleziono. Müller nie chciała, by szukało jej teraz mniej milicjantów. Czas był bardzo ważny, a wszelkie ślady prawdopodobnie uległy już zatarciu.

Nie cieszyła się na kolejne czekające ją zadanie: przesłuchanie rodziców bliźniąt. Należało traktować ich jak potencjalnych podejrzanych, a przecież byli pogrążeni w żałobie po Karstenie i rozpaczy z powodu zaginionej córki. Łatwo będzie ich urazić. Müller wiedziała, że powinna porozmawiać z nimi wcześniej – może już pierwszego dnia. Współczucie jej to uniemożliwiło. Popełniła błąd i mogła tylko mieć nadzieję, że się na niej nie zemści.

Gdy weszła do budynku, w którym mieszkali Salzmannowie, ostry zapach środka dezynfekującego przyprawił ją o mdłości. Przypomniał jej kostnicę, chociaż słabo maskował smród moczu. Była tam winda – Müller już wiedziała, że w Ha-Neu to synonim luksusu. Bloki w kształcie litery Y zostały wyposażone w to nowoczesne udogodnienie, ale najwyraźniej ci, którzy mieszkali na wyższych piętrach – dzieci, być może osoby starsze albo koneserzy ciemnych pełnych – nie zawsze zdążali do własnej toalety.

Wstrzymywała oddech, gdy winda wiozła ją na dziesiąte piętro. Przeszła przez korytarz i zadzwoniła do mieszkania numer 1024. Otworzył jej ojciec Karstena i Maddaleny, na jego twarzy wypisany był smutek. Müller pokazała milicyjną legitymację i *Herr* Salzmann bez słowa wpuścił gościa. Oboje wiedzieli, czemu miała służyć ta wizyta.

Mężczyzna zaprowadził milicjantkę do małej kuchni, zapewne takiej samej jak trzydzieści tysięcy innych w Ha-Neu. Była wyposażona w najnowsze gadżety: lodówkę z zamrażalnikiem, elektryczny ekspres do kawy, toster. Dwa wysokie krzesełka, zapewne kupione za grube pieniądze – może dzięki pożyczkom od kolegów *Herr* Salzmanna z zakładu. Wszystko znajdowało się na swoim miejscu. Brakowało tylko dwóch elementów. Müller miała nadzieję, że przynajmniej ten drugi nadal był żywy.

– Żona wzięła tabletkę i się położyła. Czy mam ją przyprowadzić? Nie wiem, czy będzie w stanie. – Wymawiając te słowa, Reinhard Salzmann żonglował frenetycznie puszką sproszkowanego mleka. Zauważył, że Müller mu się przygląda, i nagle zdał sobie sprawę z tego, co robi. Z drżeniem odstawił puszkę na stół.

– Przepraszam – powiedział. – Jestem kłębkiem nerwów. Mam przyprowadzić żonę?

– To może jeszcze poczekać, towarzyszu. Muszę porozmawiać z wami obojgiem, ale proponuję, żebyśmy najpierw przeszli do dużego pokoju i porozmawiali sami.

– Zrobić coś do picia? Na przykład kawę? Miałem właśnie sobie zaparzyć. – W jego głosie zabrzmiała błagalna nuta, Müller ją dosłyszała. Tak jakby wykonując jakieś zadanie, zapominał o tym horrorze, o traumie, która spustoszyła jego rodzinę. Milicjantka zgodziła się na kawę i usiadła na jednym z kuchennych krzeseł. Salzmann był opalony, miał falujące półdługie włosy i modne obfite bokobrody, które zakrywały twarz aż poniżej szczęki. Był starszy, niż się spodziewała, mógł dobiegać czterdziestki. Małżeństwa w Republice Demokratycznej zazwyczaj zawierano znacznie wcześniej. Gdy odmierzał łyżki kawy i potrzebną wodę, jego ręce nadal się trzęsły.

– Nie wiem, co robić – powiedział zwrócony do niej plecami, jakby nie chciał spojrzeć jej w oczy. – Ze mną jest źle, ale Klara kompletnie się posypała. Tak bardzo chciała mieć dzieci. Tak długo się staraliśmy. Pobraliśmy się młodo i przytrafił nam się błąd, kiedy jeszcze nie byliśmy gotowi... Rozumiecie, o co mi chodzi. Potem już się zdecydowaliśmy, ale nie wiedzieliśmy, jakie to wszystko będzie bolesne. Poronienie za poronieniem. Myśleliśmy już, że nie mamy szans, że wszystko przepadło przez tę naszą wcześniejszą decyzję.

– Aborcję? – dopytała Müller.

Skinął głową prawie niezauważalnie.

– A potem, po tak długim czasie, wreszcie zaszła w ciążę. W dodatku bliźniaczą. To był cud.

Reinhard Salzmann mówił to wszystko, nie odwracając się, jakby przemawiał raczej do ekspresu, czekając, aż zabulgocze. Potem wreszcie zmienił pozycję i popatrzył Müller prosto w oczy.

– Znajdziecie ją, prawda? Klara nigdy nie przeboleje straty Karstena, ale jeśli Maddalena...

Müller była w rozterce. Nie chciała składać fałszywych obietnic. Brakowało im tropów wskazujących, gdzie teraz mogła być dziewczynka, śladów jej porywacza. Wciągnęła głęboko powietrze.

– Możecie być pewni, że zrobimy wszystko co w naszej mocy. Osobiście tego dopilnuję.

Salzmann nalał dwa kubki kawy i podał jeden z nich Müller.

– Cukru? – zapytał jakby po namyśle.

Potrząsnęła głową.

Przeszli do dużego pokoju, umeblowanego prawie identycznie jak każde nowe mieszkanie w Ha-Neu, każde nowe mieszkanie w Republice Demokratycznej. Beżowa tapeta w kwiatki, kanapa i fotele pokryte prążkowanym materiałem w kolorze głębokiej zieleni, telewizor. Mieli nawet telefon. To ostatnie odbiegało od normy. Müller jako milicjantka zawsze miała telefon w domu, ale zwykli robotnicy, jak Salzmann, nie dostawali go ot tak sobie.

Usiedli przy stole.

– Założyli go nam kilka dni temu. – Reinhard Salzmann zauważył, na co patrzyła milicjantka. – Żebyśmy mogli być w kontakcie ze śledczymi. Jesteśmy za to bardzo wdzięczni. Problem w tym, że ciągle czekamy, aż zadzwoni. Nadaremnie.

Müller skinęła głową i dalej rozglądała się po pokoju. Jej wzrok spoczął na jednej z półek. Stały na niej fotografie uśmiechniętego Reinharda pochylającego się nad szpitalnym inkubatorem, obok niego uśmiechała się Klara w identycznej pozie z drugim niemowlęciem. Widok tego radosnego zdjęcia wywoływał teraz smutek, a oplecione rurkami i aparaturą ciałka dzieci przypomniały Müller o Tilsnerze, nadal przebywającym w berlińskim szpitalu.

– Maddalena to ta po prawej, z Klarą. A to ja z... – Reinhard Salzmann nie zdołał dokończyć zdania, słowa utknęły mu w gardle. Spojrzał tylko na Müller oczami pełnymi łez. Milicjantka położyła rękę na jego muskularnym ramieniu i ścisnęła je, starając się choć odrobinę pocieszyć mężczyznę. Jeśli te łzy, ten żal były prawdziwe – jak to przeczuwała – trudno było wyobrazić sobie ojca w roli podejrzanego. Jeśli to on dokonał zbrodni, bardzo dobrze się maskował.

Müller sięgnęła do aktówki, wyciągnęła z niej notatnik i długopis.

– Będę musiała jeszcze raz z wami to wszystko powtórzyć, towarzyszu. Wiem, że będzie to dla was bolesne. – Ponownie ścisnęła jego ramię. – Ale może zapomnieliście o jakimś szczególe albo my coś przeoczyliśmy. Wszystko może być ważne, by odnaleźć Maddalenę. To będzie dla was przykre, ale proszę, przypomnijcie sobie wszystko. W tym nasza nadzieja.

Müller prowadziła przesłuchanie przez dwadzieścia minut, wyczerpująco powtarzając to wszystko, co milicja już wiedziała. Alibi Salzmannów na noc zniknięcia dzieci – kolacja u znajomych – ich ostatnia wizyta w szpitalu, kto z personelu miał zazwyczaj dyżur, gdy przychodzili odwiedzić dzieci, kto z rodziny się pojawiał, czy wiedzieli o kimś, kto chował do nich jakąś urazę i był zdolny wyrządzić im krzywdę... Uważnie notowała odpowiedzi mężczyzny, by potem pracownicy biurowi w komendzie mogli przygotować dla niego zeznania do podpisu. Wiedziała jednak, że nie powiedział jej nic nowego.

Miała już zakończyć przesłuchanie i poprosić *Herr* Salzmanna, by obudził żonę, gdy kobieta pojawiła się w drzwiach pokoju niczym zjawa. Miała rozczochrane, nieumyte włosy, a niedbale zawiązany szlafrok odsłaniał za wiele jej kościstego ciała. Blada twarz przywodziła na myśl osobę śmiertelnie chorą. Być może, pomyślała Müller, utrata obojga tak wyczekiwanych dzieci była nawet czymś gorszym niż własna choroba.

– To milicyjny detektyw, *Liebling* – powiedział Salzmann i odwrócił się do Müller. – Przepraszam, towarzyszko, nie zapamiętałem waszego nazwiska.

– Porucznik Müller. Czy czuje się pani wystarczająco dobrze, by odpowiedzieć mi na kilka pytań, *Frau* Salzmann?

Kobieta milczała i wpatrywała się w milicjantkę niewidzącym wzrokiem.

– Klaro... – powiedział jej mąż. – Czy czujesz się wystarczająco dobrze, by odpowiedzieć na pytania?

Klara Salzmann wreszcie lekko skinęła głową i powlokła się w ich stronę, nie podnosząc stóp. Opadła na krzesło naprzeciwko milicjantki i oparła głowę na rękach. Palcami zasłoniła oczy, jakby kryjąc się w ten sposób przed okrutną rzeczywistością.

Müller zadała jej mniej więcej te same pytania. Wracała do faktów, które milicja już znała, szukając czegoś odbiegającego od poprzednich zeznań. Klara Salzmann odpowiadała z beznamiętną, transową wręcz monotonią.

Dopiero gdy Müller wspomniała o ulotkach domu towarowego, zrozpaczona matka nieco się ożywiła. Poszła do kuchni, skąd przyniosła te same reklamy.

– O to wam chodzi? Rozdawano je setkami, pracownicy też mieli to robić. Dali mi jedną, gdy poszłam po zakupy, nawet na macierzyńskim mi nie odpuścili. Nie wiem dlaczego. Połowy tego, co tam zamieszczają, nigdy nie ma na stanie, a jak już jest, personel to wykupuje. Ceny kontrolowane, oczywiście. Nie chodzi tylko o to, że te towary są tak poszukiwane. To mięsa i kiełbasy, których nigdy nie mamy.

– Mówicie więc, że te ulotki są dostępne w całym mieście?

Kobieta przytaknęła.

Jej mąż pochylił się do przodu i oparł ręce na melaminowym stole, jego twarz wyrażała skupienie.

– Jakie znaczenie ma jakaś ulotka? Jak to nam pomoże znaleźć Maddalenę albo mordercę Karstena?

– Mordercę? – spytała Müller. – Skąd pomysł, że Karsten został zamordowany?

Gdy wymawiała ostatnie słowo, Klara Salzmann wydała z siebie jęk bólu.

– Tak słyszeliśmy – odparł Reinhard ponuro. – Nie wszystko da się utrzymać w tajemnicy, sami wiecie. Dziś rano chyba zrobili mu autopsję, prawda? Znacie już pewnie przyczynę śmierci.

Müller niechętnie mówiła rodzicom więcej, niż potrzebowali wiedzieć.

– Przykro mi, dla dobra śledztwa nie mogę zdradzić szczegółów. Nawet wam.

– My też jesteśmy podejrzani? – spytał mąż.

Jego żona znowu jęknęła.

– Nie wyobrażam sobie, żeby któreś z was było w to zamieszane. To, przez co przechodzicie, musi być straszne. – Wiedziała, że nie odpowiedziała mu wprost. Nie miała takiego zamiaru.

– Więc na jakim etapie jest śledztwo? – spytał Reinhard Salzmann. Ton jego głosu się zmienił, teraz czaiła się w nim groźba. – Chyba jest jakieś nieruchawe. Dlaczego milicja nie wpada do każdego mieszkania? Dlaczego nie widzę setek funkcjonariuszy przeczesujących każdy kąt tego miasta w poszukiwaniu naszej dziewczynki i mordercy naszego chłopca? W każdym oknie sklepowym powinny wisieć plakaty. Powinniście ogłaszać poszukiwania przez szczekaczki. W gazetach powinni pisać tylko o tym. Ale tak się nie dzieje. Dlaczego? – *Herr* Salzmann złapał Müller za ramiona i mocno je ścisnął.

Nagle zdał sobie sprawę z tego, co robi.

– Przepraszam.

– Znacie odpowiedzi na te pytania, towarzyszu Salzmann. Ludzie z Ministerstwa Bezpieczeństwa Państwowego o tym z wami rozmawiali. Zapewniam jednak, że robimy co w naszej mocy.

Reinhard Salzmann wpatrywał się w nią przez kilka chwil, potem spuścił wzrok, pokonany.

13

Gdy Müller wróciła do komendy, ku jej zaskoczeniu czekał tam na nią cały zespół – także Vogel i Schmidt. Sekretarki, kierowcy i opiekunowie psów również. W głębi siedział Janowitz. Rozpoznała go po tyle głowy, bo patrzył akurat przez okno na ulicę. Inny oficer, którego nie znała, przemawiał do zespołu. Mówił o celach – tropieniu włamań, kradzieży samochodów i wandalizmu. Nic z tego nie odnosiło się do bieżącego śledztwa. Przecisnęła się między ludźmi i stanęła obok Vogla.

Zasłonił usta ręką i nachylił się do jej ucha.

– Wytłumaczyłem cię. Nic nie wiedziałaś?

Müller zmarszczyła brwi, patrząc przez pokój w stronę Eschlera. Był wyraźnie rozbawiony. *Scheisse*. Comiesięczne zebranie partyjne. Eschler wspomniał o nim wczoraj, podczas spotkania w Zielonej Jodle. Z powodu autopsji i przesłuchania Salzmannów zupełnie o tym zapomniała. W Berlinie sprawy miały się inaczej, przynajmniej dla niej i Tilsnera, gdy pracowali przy Marx-Engels-Platz. Najczęściej odbywali „zebrania partyjne" w najbliższym barze, a potem wypełniali odpowiednie formularze dla Reinigera. Tilsner był miejscowym przedstawicielem partii i nie traktował swoich obowiązków do końca poważnie.

Nie można było tego powiedzieć o przedstawicielu partii przy milicji w Halle-Neustadt. Ten mężczyzna w średnim wieku, ubrany w beżową koszulę z szerokim kołnierzem, przeszedł właśnie do omawiania głównych historii tego miesiąca z „Neues Deutschland" i tego, jak odnosiły się do ich milicyjnej roboty. Dokończył zdanie, którego treść Müller puściła mimo uszu, a następnie zwrócił się bezpośrednio do niej.

– O, towarzyszka Müller. Podporucznik Vogel powiedział, że może się spóźnicie z powodu przesłuchania rodziców bliźniąt. To bardzo ważne zadanie, zgadzam się. Może wprowadzicie nas w obecny stan dochodzenia, a szczególnie w to, jak zapewniacie, by program Socjalistycznej Partii Jedności Niemiec był stale obecny w waszej pracy.

Müller ponownie spojrzała na Eschlera, ale ten zamiast jej pomóc, pozwolił sobie na nieznaczny uśmiech – pewny, że Janowitz i partyjniak tego nie widzą.

– Jak wiecie, towarzyszu...

– Wiedemann, porucznik Dietmar Wiedemann. Pracuję w wydziale informacji. Pilnuję, by robota papierkowa była zrobiona jak trzeba. Pewnie w którymś momencie śledztwa będziemy mieli okazję współpracować. Jeśli potrzebujecie informacji o poprzednich dochodzeniach, przyjdźcie z tym do mnie. Jestem również, za moje grzechy, przedstawicielem partii. Co więc mówiliście?

– Tak, towarzyszu Wiedemann. Dziś rano razem z podporucznikiem Voglem uczestniczyliśmy w autopsji w szpitalnej kostnicy. Niestety, nadal nie znamy ostatecznej przyczyny śmierci.

– Ale chłopiec na pewno został zamordowany? – dopytywał Wiedemann.

Müller wbiła w niego wzrok.

– Jak mówię, nie znamy jeszcze ostatecznej przyczyny śmierci. Dopóki jej nie poznamy, nie chciałabym spekulować. Wiemy natomiast, że Maddalena nadal przebywa w nieznanym miejscu.

Chodzi o niemowlę, więc obawiamy się o jej bezpieczeństwo, niezależnie od tego, czy ktoś rzeczywiście chce ją skrzywdzić. Jak wiecie, Maddalena jest wcześniakiem. Nie bez powodu przebywała w szpitalu. Dla rodziców to z pewnością powód do rozpaczy.

Müller zamilkła, a pokój wypełniła cisza niczym w kościele. Wiedemann odchrząknął.

– Wszystko to rozumiem, towarzyszko porucznik. Ale jak my, milicja, zapewniamy i zapewnimy, żeby w tym śledztwie wypełnić zadania postawione nam przez partię?

– Właśnie przesłuchałam rodziców. Ich alibi wydaje się niepodważalne. Nadal musimy uważać ich za potencjalnych podejrzanych, ale osobiście sądzę, że ich ból jest prawdziwy. Mają wrażenie, że nie robimy dla nich zbyt wiele. Chcieliby widocznej obecności milicji na ulicy, żeby było widać, że szukamy ich córki. Niesprawiedliwością jest odmawianie im tego, poza tym to szkodzi śledztwu.

Janowitz przesunął się na środek pokoju i stanął obok Wiedemanna.

– Znamy wasze odczucia w tej kwestii, towarzyszko porucznik. Ministerstwo Bezpieczeństwa Państwowego podjęło tę decyzję z trudem. Nie ma sensu jej podważać.

Müller starała się zachować neutralny wyraz twarzy. Nie chciała dać Malkusowi lub jego zastępcy powodu do podejmowania działań przeciwko niej. Ale Janowitz przyprawiał ją o dreszcze – było w nim coś, co zbijało ją z tropu. Odwróciła się do Vogla. Mógł przez moment robić za jej tarczę.

– Towarzysz Vogel przesłuchiwał dziś personel medyczny szpitala. Macie coś do przekazania, podporuczniku?

Jeśli to nagłe wystawienie go wszystkim zgromadzonym zdenerwowało Vogla, dobrze to ukrył. Zaczął gładko omawiać wyniki przesłuchań personelu z oddziału pediatrycznego. Ale kiedy miał zamiar przejść do trudniejszego zadania wyjaśnienia, w jaki sposób zrobiono to zgodnie z życzeniami partii, zadzwonił telefon. Eschler sięgnął po słuchawkę. Na jego twarzy pojawiła się troska. Wciąż słuchając drugiej strony, spojrzał na Müller i dał jej znak oczami. Podniósł rękę, by przesłonić twarz, i wyszeptał jej do ucha:

– Przedszkole w Kompleksie Mieszkaniowym Ósmym. Nagły przypadek. Milicjanci sądzą, że może to mieć coś wspólnego ze śledztwem, towarzyszko porucznik.

14

LUTY 1966

HALLE-NEUSTADT

Nie. Nie. Tylko nie mała Stefanie. Boże drogi. Co Hansi sobie o mnie pomyśli?

Tylko nie panikować. Wiem, że nie mogę panikować. Dalej, Franzisko, byłaś pielęgniarką, zanim zaczęły się te twoje... Wiesz, co masz robić.

Odchylić główkę. Przyłożyć ucho do ust. Nic nie słyszę, w ogóle nic!

Pięć razy wtłoczyć powietrze do ust. Moje usta na jej ustach, mam nadzieję, że nie zrobi mi się niedobrze. Dmuchaj, Franzi, mocno! Raz. Wdech. Dwa. Wdech. Trzy. Wdech. Cztery. Wdech. Pięć. Wdech.

Słuchaj. Obserwuj. Nic. Ciągle nic. Boże drogi. Co sobie o mnie pomyślą? Tak długo na nią czekałam, tyle lat. Nie płacz. Opanuj się.

Co teraz? Masaż serca.

Scheisse! Jej usta zsiniały. Och, Stefi, Stefi, nie odchodź. *Mutti* jest z tobą.

Dalej, Franzi, masaż! Dwa palce na środku klatki piersiowej. Naciskaj mocno. Zwolnij. Jeszcze raz. Jeszcze raz. Znowu. Do dziesięciu. Do dwudziestu. Nadal nic. Nadal nic. Błagam, Stefi, błagam. *Mutti* cię kocha. Nie chciałam ci zrobić nic złego.

Muszę zadzwonić do Hansiego. On będzie wiedział, co robić. Nie lubi, gdy dzwonię do doktora. On się tym zajmuje. Jest spokojniejszy. Ja czasami panikuję i mówię od rzeczy.

Moje usta na jej ustach i dmuchać, dmuchać.

Jeszcze raz, Franzi. Może się uda. Dwa palce. Środek klatki piersiowej Stefi. Mocno. Niech się ugnie. Zwolnij. Jeszcze raz. I dwa razy. Trzy razy.

Nie odpuszczę. Zawsze chciałam tylko Stefanie. To mój mały dar od Boga. Z nieba. Nigdy nie sądziłam, że nam się uda. Błagam, Boże, błagam. Dwadzieścia razy.

Nasłuchuję. Nadal nic.

Znowu do jej ust. Smak soli z moich łez miesza się ze smakiem mleka z jej ust. Dmuchaj, Franzi, dmuchaj. Błagam, Stefi, kochanie, oddychaj. Oddychaj, proszę.

15

LIPIEC 1975
HALLE-NEUSTADT

Müller, Vogel i Eschler wsiedli do jednego z oznakowanych samochodów milicyjnych. Prowadził Fernbach. Eschler włączył syrenę i migające światła, ignorując ostrzeżenia Malkusa i Janowitza, by nie przyciągać uwagi. Müller go nie powstrzymała. Widok milicyjnych wozów na sygnale był dość powszechny w Republice Demokratycznej. Pomysł Lenina, że w komunizmie zniknie zbrodnia jako element rozpasania jednostki... Cóż, Müller nie miałaby pracy, gdyby rzeczywiście tak było.

Fernbach przyspieszył, co przyciągnęło spojrzenia przechodniów. Wjechali na Magistralę, na szybki pas, a samochody osobowe i ciężarówki ustępowały im miejsca. W ciągu kilku minut z piskiem opon zajechali pod przedszkole na jeszcze jednej bezimiennej ulicy tego miasta.

Niewiele mówili, gdy z wyciągniętymi legitymacjami we czwórkę wkroczyli do budynku. Personel wskazał im pokój na uboczu, z dala od głównych pomieszczeń przedszkola i żłobka. Müller nie zdziwiła się na widok kobiety, którą tam zastali. Siedziała na krześle, z twarzą ukrytą w dłoniach. Wyraźnie zrozpaczona Klara Salzmann w otoczeniu trzech mundurowych. Matka Maddaleny spojrzała na wpół dziko na Müller, gdy tylko usłyszała jej głos.

– Wszystko w porządku, towarzysze – powiedziała milicjantka. – Załatwimy to na miejscu.

Trzej mundurowi zaczęli protestować, ale Eschler natychmiast ich uciszył.

– Porucznik Müller ma rację. Znamy tę obywatelkę. Chodzi o szerzej zakrojone śledztwo.

– Ale narzucała się obsłudze i dzieciom – zaprotestowała młoda umundurowana kobieta. – Powinniśmy ją aresztować.

– Aresztować? Mnie? – prychnęła Klara Salzmann. – Próbuję tylko robić to, co do was należy. Pokazywać wszystkim to. – *Frau* Salzmann strząsnęła z siebie milicyjne ręce i podniosła leżącą na stole fotografię. Müller dostrzegła, że było to zdjęcie Maddaleny, zbliżenie jej twarzy. – Ja tylko pytałam, czy ktoś nie widział tego dziecka. Mojego dziecka. Mojej Maddaleny. Nie może być tak, że nikt nic nie robi. To nie w porządku.

Eschler nakazał spojrzeniem, by trzej mundurowi opuścili pomieszczenie.

– Nie aresztujemy cię, Klaro – powiedziała Müller. – Ale wcale nam tego nie ułatwiasz. Musisz nam pozwolić pracować nad tą sprawą na naszych zasadach. Rozumiem, dlaczego to zrobiłaś, ale to się nie może powtórzyć.

Müller sama słyszała fałsz w swoim głosie. Ograniczenia narzucone przez Malkusa zagrażały śledztwu. Za tym musiało kryć się coś więcej, trzeba się tego dowiedzieć. Ale nawet ona nie mogła pozwolić, by Klara Salzmann krążyła po mieście i odgrywała rolę straży obywatelskiej.

Kobieta sprawiała wrażenie zrezygnowanej. Oparła głowę na ramieniu Müller i przylgnęła do niej, gdy milicjantka delikatnie głaskała ją po plecach.

Müller i Vogel umieścili Klarę Salzmann na tylnym siedzeniu milicyjnego samochodu. Rozejrzeli się. Müller miała nadzieję, że niewiele osób widziało zamieszanie. Podobnie jak większość budynków przeznaczonych na opiekę nad dziećmi w Ha-Neu, przedszkole w Kompleksie Mieszkaniowym VIII znajdowało się na skwerku z trzech stron otoczonym blokami z wielkiej płyty. Matki nie musiały daleko chodzić, by zaprowadzić dzieci do żłobka czy przedszkola. Po kilkutygodniowym urlopie macierzyńskim wracały do pracy w fabryce lub sklepie, by wspomóc Republikę Demokratyczną w osiąganiu kolejnych, coraz bardziej ambitnych celów. Większość z tych kobiet pracowała ze swoimi mężami w zakładach Leuna albo Buna i co rano wsiadała do pociągu na stacji głównej. Na szczęście nie było widać gapiów – wyglądało na to, że zasłona tajemniczości rozciągnięta przez Stasi nie została uchylona. Przynajmniej na razie.

Eschler i Fernbach wrócili do komendy, podczas gdy Müller i Vogel zawieźli Klarę Salzmann do domu. Vogel prowadził, a Müller siedziała z tyłu, nadal pocieszając zrozpaczoną kobietę. Vogel podał im zapalniczkę i papierosy. Müller zaproponowała Klarze jednego, zapaliła go i jej wręczyła. Kobieta chwyciła go drżącą dłonią i zaciągnęła się głęboko.

Gdy *Frau* Salzmann otworzyła drzwi do mieszkania, Müller uderzył zapach alkoholu. Cała trójka weszła do dużego pokoju. Ujrzeli Reinharda Salzmanna rozciągniętego na kanapie i głośno chrapiącego. Na stoliku stała butelka czystej wódki, w trzech czwartych opróżniona. Müller pomyślała najpierw, że w alkoholowym stuporze sporo na siebie wylał, dopiero po chwili zauważyła kieliszek na podłodze. Ostatnia setka nie trafiła do żołądka, gdzie i tak sporo już się zmieściło, tylko zmoczyła nieszczęśnikowi ubranie.

– Sami widzicie, dlaczego poczułam, że muszę coś zrobić – powiedziała jego żona. – On do niczego się nie nadaje. Ciągle pije. Dlatego tak się na was wyżył ostatnio, bo ukryłam przed nim alkohol. Złościł się z tego powodu tak samo jak o to, że nic nie robicie w sprawie Maddaleny. Jesteśmy wrakami, oboje. Jeśli jej nie znajdziemy, będziemy skończeni. A nawet jeśli ją znajdziemy, straciliśmy Karstena. – Usiadła obok męża i spojrzała twardo na Müller. – Przepraszam za to, co zrobiłam. To się nie powtórzy. Proszę, odnajdźcie ją.

Wróciwszy do komendy, Müller wezwała Vogla i Eschlera do swojego biura. Ledwo się w nim zmieścili we trójkę. Milicjantka podciągnęła spódnicę i przysiadła na stole, dwaj pozostali oparli się o przeciwległe ściany.

– Klara Salzmann nie powiedziała tego we właściwy sposób, ale miała rację – zagaiła Müller. – Musimy zrobić coś więcej.

– Nie wiem jak – odparł Eschler.

– A ja tak. Myślałam o tym. Musimy mieć dobry powód, by sprawdzić każdą rodzinę z dzieckiem, powiedzmy, poniżej trzech miesięcy. Inny niż poszukiwanie zaginionej Maddaleny.

– Jak to zrobimy bez wzbudzania podejrzeń? – spytał Vogel. Wyciągnął papierosa z paczki f6, którą następnie skierował w stronę Müller i Eschlera. Oboje odmówili, kręcąc głowami.

Müller wstała i podeszła do okna. Przez chwilę patrzyła na blok Salzmannów naprzeciwko, potem zwróciła się do dwóch milicjantów.

– Rodziny z dziećmi podlegają regularnym badaniom medycznym. Będziemy się podawać za pielęgniarki środowiskowe, które sprawdzają, czy dzieci są właściwie karmione. To będzie nasza przykrywka. Lokalna gazeta o tym napisze, co zwiększy naszą wiarygodność.

– Myślę, że Malkus i Janowitz nam na to nie pozwolą – powiedział ponuro Eschler.

Müller wlepiła w niego wzrok.

– Jeśli masz lepszy pomysł, Bruno, daj mi znać jak najszybciej. Co do Malkusa i Janowitza...

Przerwało jej pukanie do drzwi.

– Wejść! – krzyknęła.

To był Wiedemann.

– Towarzyszko porucznik, cieszę się, że już jesteście z powrotem. Kapitan Janowitz chce z wami pomówić.

– To pilne? Mamy teraz spotkanie.

– Sądzę, że tak.

16

Müller poszła z Wiedemannem do jego biura wypełnionego pudłami zawierającymi akta poprzednich spraw. Janowitz już tam był, a towarzyszył mu – ku zaskoczeniu Müller – Malkus. Bawił się długopisem. Żaden z mężczyzn nie podniósł się na jej widok. Malkus po prostu pokazał jej wzrokiem wolne krzesło po drugiej stronie biurka, za którym obaj siedzieli.

– Dziękujemy za tak szybkie przybycie, towarzyszko porucznik. Przykro mi, że przeszkodziliśmy w waszym spotkaniu.

– Nic się nie stało. – Wzruszyła ramionami. – I tak chciałam z wami porozmawiać, towarzyszu majorze. W jakiej sprawie mnie tu zaprosiliście?

– Słyszałem, że zebranie partyjne nie do końca odbyło się tak jak zwykle – odparł Malkus, uderzając długopisem o notatnik. – Chciałem tylko dowiedzieć się dlaczego i czy możemy w czymś pomóc.

Müller spojrzała na pozostałych. Obaj uśmiechali się wyniośle.

– Według mnie poszło bardzo dobrze, towarzyszu majorze – powiedziała. – Chociaż byłam na przesłuchaniu i ominął mnie początek. Czy tego właśnie dotyczy problem?

Malkus rozparł się w fotelu i skrzyżował ręce na piersi, podczas gdy Janowitz zabrał głos.

– Nie. Problem dotyczy tego, że się spóźniliście. Może tutaj jest inaczej niż w Berlinie.

Malkus pochylił się w jej stronę.

– Nasze comiesięczne zebrania partyjne są obowiązkowe, towarzyszko porucznik, i oczekujemy, że będą traktowane poważnie, zwłaszcza przez starszych oficerów, takich jak wy.

– Proszę o wybaczenie, towarzyszu majorze. Następnym razem przełożę ważne dla sprawy przesłuchania.

Malkus poczerwieniał na twarzy, ale nie od razu ją skarcił. Za to Janowitz wyczuł szansę.

– Chodzi o to, że sprawa nie idzie do przodu, prawda? – zapytał kapitan Stasi. – Nie jestem do końca pewien, po co w ogóle potrzebna nam tu ekipa z Berlina. To tylko niepotrzebne komplikacje, jak się wydaje. – Zwrócił się teraz do przełożonego. – Moim zdaniem, towarzyszu majorze, powinniśmy sami się tym zająć.

Müller poczuła, że się czerwieni. To prawda, że ta sprawa ją frustrowała. Ale skoro już tu przyjechała, chciała spróbować ją rozwiązać. Oraz zdecydowanie nie chciała, by Janowitz decydował, czy odsunąć od śledztwa Vogla, Schmidta i ją.

Przez kilka chwil nieprzyjemnej ciszy Malkus pocierał policzek i zastanawiał się, co zrobić. W końcu zwrócił się do Wiedemanna i Janowitza:

– Moglibyście, towarzysze, zostawić nas na chwilę samych? Chciałbym porozmawiać z porucznik Müller w cztery oczy.

Obaj oficerowie wyszli, a Malkus zamknął za nimi drzwi na klucz. Wrócił do biurka, ale nie usiadł na fotelu, tylko na stole, więc ponownie górował nad Müller.

– Wolałbym, żebyś mnie tak nie wystawiała przed moimi podwładnymi, Karin – powiedział delikatnie. – Kapitan Janowitz zreferował mi tę sprawę, więc musiałem się nią zająć. Tutaj, w Halle-Neustadt, musisz grać zgodnie z naszymi regułami. Nie możemy tak sobie działać na własną rękę. Zdziwisz się, ale na mnie naciskają tak samo jak na ciebie. To jest tego przykład. Jeśli zacznę naginać zasady dla ciebie i twojego zespołu, twardogłowi w rodzaju mojego zastępcy zaraz na mnie doniosą i utrudnią mi życie. Więc w przyszłości przychodź punktualnie na zebrania partyjne i traktuj je poważnie. Obiecasz mi to?

Müller złościło, że niewolnicze podporządkowanie się doktrynie partyjnej ma pierwszeństwo przed śledztwem. Ale przytaknęła, przez chwilę wytrzymując spojrzenie Malkusa.

– Świetnie – kontynuował major, ciągle patrząc jej w oczy. – Ten incydent z matką w przedszkolu był bardzo niefortunny. Tego typu rzeczy chcemy uniknąć. Moi agenci mówią, że dobrze i szybko sobie poradziłaś z tą sytuacją, jestem wdzięczny.

Müller powstrzymała się przed skwitowaniem tych słów ironicznym uśmieszkiem. Tą słabą pochwałą Malkus przyznał także, że ministerstwo faktycznie wiedziało o wszystkim, co robił jej zespół – macki Stasi sięgały wszędzie.

Malkus odczekał, by do Karin dotarło znaczenie jego słów, po czym pozwolił sobie na ironiczny uśmieszek.

– No dobrze, o czym chcieliście porozmawiać?

Podeszła do okna, lecz stanęła tyłem do niego. Teraz to ona górowała nad siedzącym na stole majorem, więc sytuacja się zmieniła. Malkus stracił tę psychologiczną przewagę, której najwidoczniej szukał. Mimo to Müller nadal odczuwała dyskomfort, gdy patrzyła w te bursztynowe oczy.

– Musimy przenieść śledztwo na wyższy poziom, towarzyszu majorze. Wkrótce stracimy szanse, by cokolwiek znaleźć. Incydent w przedszkolu to bezpośredni efekt frustracji rodziców wywołanej tym, że prowadzący dochodzenie mają związane ręce. Musimy zająć się czymś innym. Chcę przeszukać każde mieszkanie, w którym jest dziecko poniżej trzeciego miesiąca życia. Jeśli to możliwe, także w Halle i innych miastach, na przykład w Merseburgu. Być może także w Schkeuditz. Zrobimy to tak, by nie siać paniki. To może nawet w jakiś sposób przynieść dużo dobrego.

– Nie wiem, jak chcecie tego dokonać bez naruszenia zakazu przeszukiwania mieszkań – zmarszczył brwi Malkus.

– Przeszukamy tylko starannie wybrane domy. Wejdziemy tam jako personel medyczny w ramach kampanii właściwego żywienia niemowląt. Coś w tym rodzaju. Zabierzemy ze sobą wykwalifikowaną pielęgniarkę, by ważyła niemowlęta. Wszyscy zaangażowani przejdą odpowiednie przeszkolenie, by wyglądało to wiarygodnie. Obecność pielęgniarki na pewno w tym pomoże. – Patrzyła mu prosto w oczy, aż Malkus spuścił wzrok i westchnął.

– Wyobraźmy sobie przez moment, że wyrażam na to zgodę. Dlaczego właściwie sądzicie, że porwane dziecko będzie trzymane na widoku? Pewnie raczej powinni je gdzieś zamknąć.

– Być może – wzruszyła ramionami Müller. – Ale w domach niemowląt możemy trafić na jakieś poszlaki, nawet jeśli nie znajdziemy Maddaleny. W każdym razie tyle możemy zrobić.

Malkus usiadł wygodnie za biurkiem i złożył ręce.

– Dobrze. Oficjalnie nie macie mojej zgody, ale nie będę wam przeszkadzał. Od was zależy, czy zaangażujecie milicję w Halle i innych miastach. Ale wszyscy zaangażowani, także pielęgniarki, muszą zobowiązać się na piśmie, że nie wyjawią prawdziwego celu akcji. Jeśli coś pójdzie nie tak, problem spadnie na waszą głowę. – Jego twarz nieco się rozjaśniła. – Prywatnie i nieoficjalnie uważam, że to dobry plan. Dobra robota. Miejmy nadzieję, że coś z tego wyjdzie, dla dobra nas wszystkich.

Müller naprędce policzyła, z iloma niemowlętami w odpowiednim wieku mają do czynienia: było ich mniej więcej dwieście pięćdziesiąt. Z tego sto dwadzieścia pięć dziewczynek, jeśli założyć równy podział na płcie. Gdy sprawdzili te dane w szpitalach i przychodniach, okazało się, że dziewczynek jest więcej. Sto czterdzieści. Zdecydowała, że najbezpieczniej będzie zorganizować zespoły dwuosobowe: pielęgniarka plus detektyw, którymi będą ona i Vogel. Przyjechali z Berlina, więc nikt ich raczej nie rozpozna, chociaż matki dzieci ze żłobka w Kompleksie Mieszkaniowym VIII – gdzie pojawiła się Klara Salzmann ze swoim apelem – teoretycznie mogłyby ich skojarzyć. Jednak oboje poszli od razu do bocznego pomieszczenia, gdzie zatrzymano *Frau* Salzmann. Jeśli mieli szczęście, nikt ich nie widział.

Dwudziestominutowe przeszukanie i przesłuchanie w każdym z mieszkań znaczyło, że oba zespoły mogły odbyć do piętnastu wizyt dziennie. Czyli w ciągu tygodnia powinni zakończyć przeszukania w Halle-Neustadt. Sąsiednie Halle oraz pozostałe miasta i miasteczka to już inna kwestia. Samo Halle zajęłoby im dwa razy tyle czasu.

Müller wprowadziła w sprawę Vogla i dwie pielęgniarki, po czym zaczęła pracę na własnym osiedlu – w Kompleksie Mieszkaniowym VI. Miała tu odwiedzić około trzydziestu rodzin, czyli zajmie jej to przynajmniej dwa dni.

Szóstą wizytę odbyła w bloku numer 956, mieszkanie 276 w Kompleksie Mieszkaniowym VI. Wszystkie numery kończyły się szóstką. Trzy szóstki – liczba diabła – mogły coś znaczyć dla osoby przesądnej lub religijnej. Ale Müller taka nie była. Mimo to wizyta wydawała się mieć niewypowiedziane znaczenie, jeszcze zanim pielęgniarka Kamilla Seidel nacisnęła dzwonek. Dzieci, które obie odwiedziły do tej pory, były starsze niż Maddalena, ważyły więcej od niej i w ogóle nie wyglądały jak ona.

Gdy wchodziły na drugie piętro, Kamilla wyartykułowała przeczucie błąkające się po głowie Müller.

– Czuję, że to może być to, towarzyszko porucznik. Nie wiem dlaczego, ale...

Müller postanowiła, że najlepiej będzie wprowadzić obie pielęgniarki w sprawę, przynajmniej w pewnym zakresie.

Nie wspomniała o śmierci Karstena, ale powiedziała o zaginionym dziecku – ostrzegając, by z nikim o tym nie rozmawiały, nawet w gronie rodzinnym. Jeśli to zrobią, stracą pracę.

– Poczekajmy, Kamillo. Cudownie byłoby tak szybko ją odnaleźć, ale to raczej zbyt proste. Rzadko wszystko układa się po naszej myśli.

Dziewczyna, która otworzyła im drzwi, wydawała się być jeszcze w wieku szkolnym. Na ręce trzymała malutkie dziecko owinięte w szal. Jej świeża, pozbawiona makijażu twarz sugerowała, że dziewczyna jest za młoda na matkę. Müller przeczytała jej akta: nazywała się Anneliese Haase, a dziecko miało na imię Tanja. Milicjantka pokazała swoją fałszywą legitymację z Ministerstwa Zdrowia i wyjaśniła, o co chodzi.

– Nie ma się czym przejmować, Anneliese. Po prostu zważymy Tanję, zbadamy ją i damy ci kilka rad co do jej żywienia. To nowy projekt rządowy zapewniający najmłodszym obywatelom Republiki Demokratycznej jak najlepszy start.

Dziewczyna nie wyglądała na przekonaną, ale wpuściła obie kobiety. Tanja natychmiast zaczęła się drzeć i nie odpowiadała na matczyne próby uspokojenia jej króliczkiem. Wreszcie Anneliese wyjaśniła, że musi nakarmić córkę. Usiadła na kanapie w dużym pokoju, rozłożyła ręcznik na kolanach i wyjęła pierś, by podać ją dziecku.

Dla Müller oznaczało to kolejne opóźnienie – chociaż jednocześnie otrzymały najlepszy dowód na to, że Tanja jest właściwie karmiona. Minęło już ponad pół dnia, a one odwiedziły zaledwie pięcioro dzieci.

Usiadły przy stole.

– Je ładnie? – spytała Kamilla.

– Tak. Wie, co jej smakuje. To bardzo żarłoczna dziewczynka, prawda, *Schatzi*?

– Ile czasu zajmuje jej posiłek?

– Zwykle około dziesięciu minut, ale gdy jest głodna, może to być równie dobrze godzina. Na szczęście mam dużo mleka. Nawet zaczęłam oddawać je do banku mleka w Ha-Neu.

Müller złościła się po cichu na to opóźnienie i głupie – choć konieczne – pytania Kamilli.

– Możemy zaczekać kilka minut, *Frau* Haase, ale musimy iść do innych obywatelek. Proszę powiedzieć, kiedy będziemy mogli przyjść zważyć pani córkę bez wywoływania zbędnego stresu. – Spojrzała na Kamillę i wskazała jej torbę.

Kamilla zrozumiała intencję szefowej i wyciągnęła wagę. Po kilku minutach Anneliese wyjęła pierś z ust Tanji.

– Na razie wystarczy. Nakarmię ją po waszym wyjściu, jeśli nadal będzie głodna.

Kamilla podniosła Tanję i rozpoczęła ważenie – z pieluchą i bez. Tymczasem Müller wyjęła aparat i zrobiła dziecku dwa zdjęcia: jedno *en face*, drugie z profilu. Wraz z Voglem obejrzą zdjęcia potem w komendzie.

Sięgnęła z powrotem do torby i wyjęła owinięte w celofan zdjęcie Maddaleny. Podała je Anneliese.

– Oto przykład niedożywionego dziecka, jakie ostatnio napotkaliśmy. Nie widzieliście nigdzie takiego dziecka, prawda? W żłobku? Na spacerze? Nic podobnego?

Małe oszukaństwo. Malkusowi by się to nie spodobało, ale nie musiał znać szczegółów operacji.

Anneliese pokręciła głową.

– Jeśli zobaczycie, natychmiast skontaktujcie się z Kamillą w szpitalu, a ona przekaże mi informację i podejmiemy stosowne kroki. – Podała młodej matce wizytówkę z logo szpitala, chociaż numer tak naprawdę należał do milicyjnej linii, którą obsługiwała jedna z milicyjnych sekretarek. – Dziękujemy za współpracę, Anneliese. Tanja wygląda na zdrową młodą damę i ewidentnie je ładnie. Czy jej waga jest w porządku, Kamillo?

– Idealna. Nawet trochę za duża jak na jej wiek, ale nie ma się czym przejmować.

Anneliese Haase z dumą wypisaną na twarzy ponownie wzięła dziecko na ręce i odprowadziła kobiety do drzwi.

Müller i Kamilla przeszły się do północnej części sąsiedniego Kompleksu V, by coś zjeść w Oślim Młynie. Pretensjonalny, pomalowany na różowo młyn miał cztery skrzydła kręcące się w letniej bryzie, przyczepione dla nadania mu anachronicznego wyglądu w cieniu ogromnych bloków z wielkiej płyty. „Nowoczesne gryzie się ze starym" – pomyślała Müller, gdy zaparkowała wartburga pod restauracją. Ale wybrała ją celowo. Dzięki przejażdżkom na ośle oferowanym dzieciom było to ikoniczne miejsce Ha-Neu, chętnie odwiedzane przez młode rodziny. Które mogły mieć malutkie dzieci. A jedno z nich mogło być kukułczym podrzutkiem: Maddaleną Salzmann.

– Zamówisz? – spytała Kamillę. – Zaraz przyjdę, sprawdzę tylko, co nowego w komendzie. Dla mnie sałatka ziemniaczana i vita cola. I wybierz coś dla siebie. – Podała jej banknot dziesięciomarkowy.

Pielęgniarka poszła do restauracji, a Müller połączyła się przez radio, starając się unikać spojrzeń klientów siedzących w ogródku.

Odpowiedział jej Eschler.

Gdy usłyszała, co kapitan ma do przekazania, jej serce zadrżało.

Milicja dokonała aresztowania.

17

Müller wywołała przez radio Vogla. Nakazała mu przerwać wizytowanie mieszkań i natychmiast stawić się w komendzie. Następnie oboje wyjechali z Ha-Neu Magistralą, przecięli dwie odnogi Soławy i skręcili na północ, w stronę Starego Miasta w Halle. Jechali wzdłuż ciągnącej się z południa na północ linii dopływów rzeki, minęli zachodnie skrzydło imponującego zamku Moritzburg.

– Dokąd jedziemy? – spytał Vogel.

– Do Czerwonego Wołu. – Müller wzięła kolejny zakręt.

– Myślałem, że to areszt Stasi.

– Tak, ale milicja nie ma żadnego pokoju przesłuchań w Ha-Neu, więc korzystają z tamtejszych.

Wpatrywała się w prawe okno. Czerwony Wół zasłużył na swoje miano. Budynek wyglądał na solidny, a cztery wieże – po jednej w każdym rogu – wyglądały jak mocne nogi wielkiego zwierzęcia. Składały się z milionów czerwonych cegieł. Poczuła ucisk w żołądku, ale nie wiedziała do końca dlaczego.

Pokazali swoje legitymacje i wpuszczono ich na parking dla gości. Pojawili się też dwaj funkcjonariusze w charakterze eskorty. W wejściu do budynku zostali podmienieni przez kolejną parę. Weszli po schodach do aresztu – ciszę przerywały wyłącznie ich kroki. Klatka schodowa śmierdziała betonem, metalem i środkiem dezynfekującym – tak samo jak korytarze w berlińskim więzieniu, gdzie trzymali Gottfrieda. Te same czerwone i zielone światła. Te same ostre dźwięki. Każdy korytarz wyglądał tak samo – oliwkowa lamperia, a nad nią kremowa biel. Po trzecim zakręcie korytarza Müller poczuła, że się zgubiła i że bez eskorty trudno byłoby jej znaleźć drogę do wyjścia.

Wreszcie dotarli do celi z otwartymi drzwiami. W środku siedział Eschler ze skupioną miną. Obok niego Malkus. Müller natychmiast nabrała podejrzeń. Malkus pokazał przybyłym krzesła, gestem nakazując, aby usiedli.

– Dziękuję, że tak szybko się zjawiliście, towarzysze. Być może to przełom w dochodzeniu, dzięki towarzyszowi Eschlerowi i jego zespołowi. Zechcecie wyjaśnić, o co chodzi, Eschler?

– Oczywiście, towarzyszu majorze. Myślę, że trochę za wcześnie, by mówić o przełomie. W każdym razie w sąsiedniej celi mamy więźnia. Trzydziestopięciolatka. Znaleźliśmy go w jednym z tuneli, gdzie twardo spał.

– Bezdomny? – spytała Müller, świadoma niedowierzania, jakie zabrzmiało w jej głosie.

Według cotygodniowego programu telewizyjnego „Der Schwarze Kanal", prowadzonego przez Karla-Eduarda von Schnitzlera, takie osoby istniały jedynie na Zachodzie. Dziennikarz wyrobił sobie opinię na podstawie programów zachodnioniemieckich, które tak lubił oglądać Gottfried, a które w ostatnich latach pokazywały głównie strajki górników, cięcia i obostrzenia w dostawach prądu oraz... bezdomnych.

Malkus zastukał długopisem w stół.

– To nie może wyjść poza ten pokój. Podważam jego zeznania, że jest bezdomny. Twierdzi, że jest również bezrobotny. Wiemy dobrze, że takie rzeczy nie zdarzają się w Republice Demokratycznej.

– Mimo to – ciągnął Eschler – mamy dowody, że przez kilka tygodni sypiał w jednym z tuneli. Koce, puste butelki po wódce, kartony, które miały zapewniać mu ciepło – nawet teraz, gdy upał tak daje nam się we znaki i doskwiera również na dole.

– Gdzie na dole? – spytał Vogel.

– W Kompleksie Mieszkaniowym Piątym. W tunelu ciepłowniczym między gospodą Ośli Młyn a blokiem numer osiemset piętnaście. To odnoga głównego tunelu obwodowego, nad którym mamy sporo nieużytków. Na górze dzieci jeżdżą na osłach. Myślę, że czuł się tam bezpiecznie. Jako że ta odnoga prowadzi tylko do gospody, zapewne nie jest sprawdzana tak często jak tunele między blokami.

– No dobrze – wtrąciła Müller, zdając sobie sprawę, że przed chwilą znajdowała się w tym właśnie miejscu. – Ale bezdomny i bezrobotny mężczyzna, choć to niespotykany okaz, niekoniecznie jest porywaczem dzieci. Skąd pomysł, że właśnie jego szukamy?

– Pies zareagował na jego posłanie – powiedział Eschler. – Ten sam pies, który znalazł lalkę owiniętą w kocyk. Szedł za zapachem Maddaleny.

– Zapachem Maddaleny? – zdziwiła się Müller. – Myślałam, że podążał za zapachem jej łóżeczka. A to niekoniecznie to samo.

Malkus wtrącił się, nim Eschler zdążył jej odpowiedzieć.

– Szczegóły są zbędne. To w tej chwili najlepszy trop. Jeśli facet jest winny, sprawa jest rozwiązana. A my dodatkowo zabieramy bezdomnego z ulicy.

– Sprawa nie jest rozwiązana, towarzyszu majorze, nie odnaleźliśmy Maddaleny – westchnęła Müller. – To jest w tej chwili nasz priorytet, zwłaszcza że Karsten prawdopodobnie nie został zamordowany.

Malkus poczerwieniał na twarzy. Müller poczuła, że być może przesadziła. Ale major nieznacznie skinął głową.

– Oczywiście macie rację, towarzyszko porucznik.

Müller wstała i wygładziła ubranie.

– No dobrze. Może lepiej zacznijmy przesłuchanie. Jak on się nazywa?

– Stefan Hildebrand. – Eschler podał jej akta.

– Jest tu coś istotnego? – spytała, przeglądając papiery w teczce.

– Kilka wyroków za drobne kradzieże, trochę czasu spędził w więzieniu. Nic zaskakującego.

– Nic na temat porwania dzieci czy czegoś podobnego?

– Nie.

Malkus wstał i zrobił ruch, jakby chciał wziąć udział w przesłuchaniu. Müller go powstrzymała.

– Na razie to wciąż jest sprawa prowadzona przez milicję, towarzyszu majorze. – Klepnęła Vogla w ramię. – Martin, pójdziesz ze mną? – Odwróciła się do Malkusa. – Jeśli nie macie nic przeciwko, towarzyszu majorze?

Malkus sprawiał wrażenie kogoś, kto jest gotowy zaprotestować, ale zaraz usiadł i odesłał ich machnięciem ręki.

– Idźcie już. Tylko musicie coś na niego znaleźć. Potrzebujemy wreszcie mieć jakieś wyniki, i to szybko.

18

Stefan Hildebrand wyglądał mniej więcej tak, jak spodziewała się Müller. Wychudzona twarz, broda poprzetykana siwizną, zapadnięte oczy otoczone sińcami. Gdy usiedli naprzeciwko aresztanta, milicjantka wstrzymała oddech – być może w tunelach znajdował coś do jedzenia, a na pewno do picia, ale nie było tam żadnego mydła ani dezodorantu.

Podniósł wzrok i spojrzał na dwoje detektywów.

– Dlaczego ciągle pytają mnie o tę dziewczynkę?

– Jaką dziewczynkę? – odpowiedziała pytaniem Müller.

– Maddalenę? Chyba tak ma na imię. Nic nie wiem o żadnych dzieciach.

Müller pokazała wzrokiem plastikową torbę z kocem, którą przyniósł Vogel. Jej zastępca położył ją na stole i przysunął do Hildebranda.

– Mamy powody przypuszczać, że ten koc pochodzi z jej szpitalnego łóżeczka – powiedział Vogel. – Co możecie nam o tym powiedzieć?

Hildebrand sięgnął po paczkę.

– Nie dotykajcie – ostrzegła go Müller. – Popatrzcie tylko przez plastik. Poznajecie ten koc?

Usta Hildebranda opadły, a jego twarz wyrażała skupienie.

– Nie jestem pewien.

– Znaleziono to wśród waszych rzeczy – wyjaśnił Vogel. – A pies wyczuł zapach dziewczynki. Jak to wyjaśnicie?

– Mam kilka starych koców – wzruszył ramionami Hildebrand. – Jak jakiś znajduję, to go zabieram. Na razie ich nie potrzebuję, ale zimą...

– Nie interesują mnie wasze zwyczaje, obywatelu – przerwała mu Müller. – Chcemy się dowiedzieć, skąd macie ten konkretny koc.

Aresztant przysunął się do stołu i popatrzył z bliska na pakunek.

– Jeśli to ten, o którym myślę, to chyba znalazłem go całkiem niedawno. W tunelu niedaleko szpitala, jeśli to wam pomoże. Wyrzucono go tam z innymi klamotami. Większość to jakieś śmiecie.

– Po co poszliście w okolice szpitala? – spytała Müller.

– Bez powodu. Za dnia siedzę w tunelu obok Oślego Młyna. Tam jest jakoś bezpieczniej. Nikt mi tam nigdy nie przeszkadzał, dopiero dzisiaj przyszły gliny, żeby mnie zgarnąć. Nocami łażę po innych tunelach, czasami wychodzę na ziemię, zaglądam do śmietników na tyłach domu towarowego. Zdziwilibyście się, ile żarcia tam się wyrzuca.

– Nie wierzę – zaoponowała Müller. – Przecież w Republice Demokratycznej nie ma bezrobotnych ani bezdomnych, dobrze o tym wiecie. Każdy może mieć pracę i dom – jeśli tylko chce, obywatelu Hildebrand. Więc wam nie wierzę. Chcę jedynie się dowiedzieć, co zrobiliście z Maddaleną.

– I jej braciszkiem bliźniakiem Karstenem – dorzucił Vogel. – Wiecie, że urodzili się ledwo parę tygodni temu. Z jakiegoś powodu leżeli w szpitalu. Bez opieki medycznej prawdopodobnie umrą. Dlaczego więc nie chcecie nam powiedzieć, gdzie są?

Müller dostrzegła strach w oczach Hildebranda. Kłamstwo Vogla dotyczące Karstena miało wciągnąć go w pułapkę, żeby zdradził się z czymś ważnym. Jeśli to on był porywaczem.

– Bliźniaki? Nic nie wiem o żadnych bliźniakach! Ani o tej Maddalenie, o której ciągle gadacie. Ani o jej bracie. Tak, zrobiłem źle, że zamieszkałem w tunelach, ale nie mogłem znieść tej roboty, którą mi dali, gdy wyszedłem z więzienia. Zamiatanie ulic. Jestem dyplomowanym naukowcem. Poprosiłem o pozwolenie na wyjazd na Zachód. Z tego powodu straciłem pracę. Potem zaczęli nastawiać przeciwko mnie moją żonę. Zostawiła mnie. – Westchnął i ukrył twarz w dłoniach. Po chwili znowu spojrzał na milicjantkę. – Co byście zrobili na moim miejscu?

Müller przypomniała sobie własne problemy z Gottfriedem. Ich historia niewiele się różniła.

– Wasze osobiste problemy mnie nie interesują, obywatelu. – Przesunęła torbę z kocem na brzeg stołu i wyciągnęła z niej kopertę. Pokazała jej zawartość aresztantowi: zdjęcie sfatygowanej czerwonej aktówki, w której zamknięto ciałko Karstena.

– Poznajecie to?

Hildebrand pokręcił głową.

– Odpowiadajcie! – krzyknął Vogel.

– Nie. Tak dobrze? Nie rozpoznaję tej aktówki. Dlaczego miałbym ją rozpoznać?

– Włożono do niej martwego Karstena – wyjaśniła Müller.

– Martwego? Powiedzieliście, że zaginął, jak jego siostra.

– Nie – wzruszył ramionami Vogel. – Został zamordowany. Pobity i zamordowany. Więc lepiej dobrze się przyjrzyjcie, obywatelu. Będzie lepiej, jeśli coś nam jednak powiecie. Jeśli zrobicie to szybko, sąd będzie wam bardziej przychylny. Morderstwo to bardzo poważna sprawa.

Hildebrand pobladł jak ściana.

– Morderstwo? Nikogo nie zamordowałem. Nie porwałem żadnych dzieci. Po co mi one? Ledwo znajduję jedzenie dla siebie.

Müller i Vogel zabrali ze stołu zdjęcie i torbę i wyszli bez słowa.

– I jak? – spytał Malkus, który nadal czekał w towarzystwie Eschlera w pomieszczeniu obok.

Müller skrzyżowała ręce na piersiach.

– Nie sądzę, że to ten człowiek. Tak, nie powinien mieszkać w tunelach. Tak, powinien mieć normalną pracę i normalne mieszkanie, jak wszyscy. Ale tak naprawdę nic na niego nie mamy.

– A koc? Psy były raczej pewne – powiedział Eschler.

– Już mówiłam, że trafiły po prostu na zapach podobny do zapachu koca, którym była okryta Maddalena, towarzyszu kapitanie. – Müller aż przewróciła oczami. – Może wyrzucono go z tego samego oddziału szpitalnego, a może chodzi o środek piorący. To żaden dowód, prawda? Moglibyśmy oczywiście wytoczyć sprawę Stefanowi Hildebrandowi. Ale jeśli to nie on – a ja bardzo wątpię w jego winę – tracimy czas, podczas gdy tropy prowadzące do Maddaleny stygną. Może sierżant Fernbach i jego ludzie mogliby sprawdzić w szpitalu, czy ktoś rozpozna ten koc. Ma jakieś oznakowanie, więc pewnie będzie można stwierdzić, z którego oddziału pochodzi.

Malkus wstał i potarł policzek.

– Co proponujecie zrobić z Hildebrandem?

– Zatrzymać go na jakiś czas. Zawsze można go oskarżyć o włóczęgostwo albo kradzież jedzenia, jeśli chcecie. Tymczasem podporucznik Vogel i ja wrócimy do sprawdzania niemowląt w Ha-Neu. Może umówimy się na spotkanie podsumowujące w komendzie dziś wieczorem?

– Nie wiem, czy kapitan Janowitz i ja będziemy mogli dziś przyjść – zastanowił się Malkus. – Ale kontynuujcie bez nas. – Uśmiechnął się słabo do Müller. – W końcu ciągle mi powtarzacie, że to wasza sprawa. – Sięgnął do torby, wyciągnął z niej kopertę i wręczył ją Müller. – Przy okazji... Oto lista rodzin, które ze względów bezpieczeństwa muszą zostać wyłączone z waszej „kampanii w sprawie żywienia". Dziesięć nazwisk. Jeśli okaże się to problematyczne, skontaktujcie się ze mną.

– Ze względów bezpieczeństwa? – Müller poczuła irytację, że potknęli się o ten problem, nim jeszcze na dobre zaczęli realizować jej plan.

– Właśnie tak. Rozkaz z Ministerstwa Bezpieczeństwa Państwowego. Ale bądźcie pewni, że osoba, której szukamy, i Maddalena, nie znajdują się na tej liście.

– Skąd mogę mieć pewność?

– Bo gwarantuje to Ministerstwo Bezpieczeństwa Państwowego, towarzyszko Müller. To wam powinno wystarczyć.

Ale nie wystarczało, i Malkus o tym wiedział. Jednak Müller nie mogła nic z tym zrobić.

Poczucie, że nie posunęli się za bardzo do przodu, ciążyło jej tego wieczoru. Wraz z Voglem przeprowadzili jeszcze po trzy wizyty. Rodziny te nie znajdowały się na liście Malkusa. Zauważyła, że większość „zakazanych" adresów dotyczy Kompleksu Mieszkaniowego VIII – położonego najbliżej lokalnej siedziby Stasi, w północno-wschodniej części Ha-Neu. Prawie na pewno nie był to zbieg okoliczności. Przyjrzała się adresom i popatrzyła na mapę: rodziny z bloków 358, 354, 337 i 334. Wszystkie znajdowały się tuż przy budynkach zajmowanych przez Stasi. Ale na mapie pokazano tylko jej siedzibę główną, pozostałych nie zaznaczono. Trójkąt nicości, a na północ od niego główna baza radziecka. Jeszcze jedno miejsce, które powinni przeszukać, ale wątpiła, by uzyskali na to pozwolenie.

Wieczorne spotkanie także nie przyniosło nic nowego. Nie mieli żadnych tropów, żadnego przełomu. Im dłużej to trwało, tym trudniej było podjąć jakiś wątek. I malały szanse, że znajdą Maddalenę żywą.

Müller jeszcze raz uważnie przyjrzała się fotografiom rozwieszonym w pomieszczeniu, które zajęto w komendzie na potrzeby śledztwa. Potem założyła gumowe rękawiczki i przejrzała zgromadzone dowody. „Musi tu coś być" – pomyślała. Coś pewnie przeoczyli. Wyraźnie powiedziała Schmidtowi, by jeszcze raz sprawdził wszystko, co znaleźli milicyjni technicy, ale jak dotąd na nic nowego nie trafił.

Na zewnątrz zachodziło słońce. Sięgnęła do kontaktu, by włączyć światło, i w tym momencie otworzyły się drzwi. Stanął w nich Schmidt.

– Jonas? Co tu robisz o tej porze?

– Mógłbym was spytać o to samo, towarzyszko porucznik.

Już dawno zrezygnowała z nacisków, by Schmidt przestał zwracać się do niej w tak oficjalny sposób. Nawet gdy byli sami, ciągle mówił do niej „towarzyszko porucznik".

– Wyglądacie na zmęczoną, jeśli mogę wyrazić swoją opinię – dodał.

Müller podeszła do lustra i przyjrzała się swojej twarzy. Schmidt miał rację. Wróciły jej worki pod oczami. I były sine. Nie miała jeszcze trzydziestu lat, a już takie podkrążone oczy. Trochę jak ten bezdomny, Hildebrand. Uśmiechnęła się do swojego odbicia w lustrze.

– Niektóre kobiety obraziłyby się za taką uwagę, ale masz rację, Jonas. – Podeszła do obrotowego fotela i ciężko na nim usiadła. – Nie tylko wyglądam na zmęczoną. Jestem naprawdę zmęczona. Zmęczona tą sprawą.

Schmidt nic nie odpowiedział. Założył gumowe rękawiczki i zaczął otwierać jedną z toreb, w której trzymali dowody.

– Masz coś? – spytała.

– Chyba nic takiego.

– Przestań. Za długo się znamy. Twoje „nic takiego" często przeradza się w „coś takiego!".

Schmidt wyjął gazetę, w którą owinięto ciałko Karstena, i ulotkę ze stoiska mięsnego w domu towarowym. Tym, w którym pracowała Klara Salzmann.

– Gazeta. Widziałem dziś coś, gdy jadłem kolację, i nagle mi się przypomniało. Wyraźny obraz, którego nie mogłem się pozbyć.

– Co to było?

Schmidt wygładzał szpaltę gazety.

– Proszę, popatrzcie.

Müller podeszła do niego i zajrzała mu przez ramię. Schmidt wskazywał na krzyżówkę. Jaki to miało, do licha, związek ze sprawą?

– I co? – dopytywała.

– Krzyżówka. Jest częściowo wypełniona.

Müller zdołała odczytać tylko kilka słów. SEPLENIENIE było chyba najdłuższym z nich. Zastanowiła się.

– Nie widzę w tym nic niezwykłego.

– Proszę bliżej się przyjrzeć literze E.

Pochyliła się. Hasła wpisano wielkimi literami. Wszystko było czytelne.

– No dobrze. Jeśli to byłyby małe litery, pisane, moglibyśmy sprowadzić grafologa. Ale te są wielkie. Mnóstwo osób pisze je w podobny sposób.

– To prawda – zgodził się Schmidt. – Ale nie w tym przypadku.

Serce zabiło jej mocniej. Co takiego widział Jonas, czego nie widziała ona? Jeszcze raz spojrzała na cztery litery E w słowie. Nagle zrozumiała. Wszystkie napisano tak jak „L", przy czym dolna kreska lekko się unosiła. Środkowa i górna także, ale najczęściej nie dochodziły do kreski pionowej.

Schmidt wyciągnął kartkę i kilka razy napisał „E". Potem wręczył długopis Müller.

– Spróbujcie. Byle szybko, bez zastanowienia.

Wypełniła linijkę kolejnymi „E".

– A teraz uważnie im się przyjrzyjcie i porównajcie z tymi z krzyżówki.

Müller wykonała zadanie.

– Wszystkie środkowe kreski napisane przez nas przynajmniej dotykają pionowej. Górne też.

– Właśnie, towarzyszko porucznik. Ten, kto zaczął rozwiązywać krzyżówkę, pisze „E" w nietypowy sposób. To dla nas szansa. A osoba, która to zrobiła...

– ...może być powiązana z porywaczem Maddaleny.

– Taki wyciągnąłem wniosek, towarzyszko porucznik.

19

DZIEWIĘĆ LAT WCZEŚNIEJ: LIPIEC 1966

BERLIN

Ciągle o niej myślę. Pewnie, że tak. Chyba nigdy się z tego nie otrząsnę. Ciągle myślę, że to była moja wina, nawet jeśli Hansi powtarza, że nie. Że to się zdarza. I że nigdy nie była radosnym dzieckiem. Jakby czegoś jej brakowało. Kochała tatusia, Hansiego, ale między mną a Stefi nigdy nie było uczucia. Może z powodu problemów z jedzeniem. Myślę, że jednak miałam rację. Matka powinna karmić dziecko swoim mlekiem. Nie jestem przeciwna nowinkom, ale...

Nasze mieszkanie w Johannisthal jest podobne do tego pięknego, które mieliśmy w Halle-Neustadt, ale już nie tak nowe ani tak duże. W Ha-Neu Hansi załatwił nam dwie sypialnie, bo jego zaprzyjaźniony doktor podejrzewał, że urodzę bliźnięta. Byłam taka gruba. W końcu na świat przyszła tylko Stefi. A teraz jesteśmy z Hansim sami. Jeśli wkurzył się tym, że musiał zrezygnować z pracy w zakładach, nigdy się nie poskarżył. Teraz chyba pracuje coraz więcej dla Ministerstwa, w Lichtenbergu. Nie może mi powiedzieć, co tam robi. To tajemnica. Ale ja wiem, że to musi być coś ważnego. I pracuje po godzinach albo przynosi pracę do domu. Chowa się w sypialni – bo to, nad czym pracuje, jest takie ważne. Nie mogę mu przeszkadzać. Któregoś wieczoru nie było nic ciekawego w telewizji, więc poszłam zobaczyć, co robi. Siedział nad porozkładanymi papierami, ale nie mogłam się za bardzo im przyjrzeć, bo okropnie się zdenerwował i kazał mi się wynosić, i nigdy nie wchodzić bez pukania. Myślę, że za dużo pracuje i ma dużo stresu.

Długo byłam gruba po ciąży, chociaż bardzo starałam się schudnąć. Ciągle ważę za dużo. Ale Hansiemu taka się podobam. Po tym, jak się pogodziliśmy po tej sytuacji w sypialni, kupił mi nowe bikini – pierwsze w moim życiu – w podziękowaniu za to, że tak się staram. A ja się trochę opaliłam, żeby lepiej się poczuć. W tym tygodniu codziennie jeździłam kolejką i tramwajem nad Weisensee, przez całe miasto. Mają tam cudowną plażę, jest bar i prawdziwy piasek. Początkowo byłam nieco nieśmiała, nie chciałam się pokazywać przy tych wszystkich młodszych dziewczynach i studentkach z idealnie opalonymi ciałami. W końcu jednak się odważyłam i położyłam na ręczniku. A facet z baru nawet troszeczkę się na mnie gapił, jestem tego pewna. Hansiemu by się to nie spodobało. Ale też pewnie niewiele by z tym zrobił. Ten facet miał pod koszulką same mięśnie, a Hansi... Cóż, Hansi ich nie ma. Więcej ma w głowie. Ale zawsze był dla mnie taki miły, a ostatniej nocy nawet znowu miał ochotę. Ale powiedziałam, że nie. Jeszcze nie czas. Po Stefi i tym wszystkim. Zrozumiał. Ale na pewno mnie lubi. Moje kształty i opalenizna go podniecają. Mężczyźni nie mogą tego za bardzo ukryć, prawda? Ten barman nie mógł, gdy podszedł do mnie i zaproponował parasol. Nie wiem, czego tak naprawdę chciał. W każdym razie nie powinnam teraz o tym myśleć. Za wcześnie po Stefi. Ciągle mnie to dołuje. To oczywiste.

Ale tak ogólnie to już mi nieco lepiej. Myślę jaśniej. Chyba te tabletki, które brałam przeciwko porannym mdłościom, sprawiały, że czasami czułam się trochę zamroczona. Mam też ekscytujące wiadomości! Hansi załatwił mi pracę. To, co kocham najbardziej, to, czego mnie uczono. Znowu będę pracować jako pielęgniarka – uwierzysz? – w szpitalu dziecięcym, tutaj, w stolicy. Z najmłodszymi. Uwielbiam zapach noworodków, ich miękką skórę i ich cudowne uśmiechy. Myślę, że urodziłam się, by to robić. Szkoda, że nie mogłam zrobić więcej dla Stefi. Ale jeszcze nie jest za późno. Mam dopiero trzydzieści kilka lat. Mniej więcej. Hansi i ja zaczniemy od nowa. Straciłam na wadze, ale piersi nadal mam pełne. Może założę moje nowe bikini dziś wieczorem. Specjalnie dla niego. Spodoba mu się to.

20

LIPIEC 1975

HALLE-NEUSTADT

Dopiero teraz, tydzień po zniknięciu Karstena i Maddaleny Salzmannów, śledztwo naprawdę zaczęło nabierać tempa. Zmęczenie Müller ulotniło się, gdy tylko Schmidt pokazał jej wyróżniające się duże „E" w częściowo wypełnionej krzyżówce. Dotychczas milicjanci działali po omacku, a teraz mieli wreszcie dwa wątki do pociągnięcia. Müller załatwiła pomoc jednego z czołowych grafologów Republiki Demokratycznej. No i czekali na efekty fałszywej kampanii w sprawie żywienia.

Rano po odkryciu Schmidta Müller wezwała do siebie technika kryminalnego oraz Vogla i Eschlera.

– Myślę, że moglibyśmy zrobić burzę mózgów i zdecydować o następnych posunięciach. Zaraz wam powiemy, co Jonas znalazł w krzyżówce. Po południu przyjedzie profesor Karl-Heinz Morgenstern z Berlina. To nasz najlepszy grafolog. Sprawdzi krzyżówkę i powie nam, czego mamy szukać.

Eschler podrapał się po brodzie.

– Będziemy musieli zebrać próbki pisma. Praktycznie każdej dorosłej osoby w Halle-Neustadt, Halle i okolicach. To ten sam problem, co z dziećmi, tylko na większą skalę.

– Przemyślałam to tej nocy – odparła Müller. – Chociaż generalnie w tym śledztwie wolałam zaznaczać granice między

Milicją Ludową a Stasi, tym razem możemy zwrócić się do nich o pomoc.

– Malkus i Janowitz chyba do końca się do nas nie przekonali – zasępił się Vogel.

– Być może – wzruszyła ramionami Müller. – Ale mają możliwości i pracowników, by zorganizować tak wielką operację. A my nie. I jeśli ich o to poprosimy, przynajmniej nie będą mogli nas oskarżyć o złamanie zasad.

W trakcie wypowiadania tych słów Müller myślała o innym aspekcie sprawy, który według Eschlera zbadała już Stasi. Sprawdzanie próbek pisma było w porządku i cieszyła się, że może do tego zaprząc pracowników Ministerstwa Bezpieczeństwa Państwowego. Ale zapewnienia Eschlera, że Stasi przesłuchała świadków z nocnych pociągów, ciągle nie dawało jej spokoju. Mogła go odzyskać wyłącznie w jeden sposób, na razie jednak nie należało się z nim zdradzać.

– Ale to tylko jeden front – kontynuowała przemowę. – Naszym drugim priorytetem jest odwiedzenie wszystkich niemowląt w określonym wieku w Ha-Neu. Martin – uśmiechnęła się do Vogla – od teraz będziesz zajmował się tym sam. Jonas i ja będziemy pracować z profesorem Morgensternem i, mam nadzieję, ze Stasi w sprawie grafologii.

Vogel skinął głową w milczeniu.

– Bruno, ty kontynuuj przeszukiwania tuneli i nieużytków. Jak wam idzie?

– Cóż, wczoraj znaleźliśmy Hildebranda. Ale wygląda na to, że on ma alibi. W czasie zaginięcia bliźniąt zatrzymali go ochroniarze domu towarowego z powodu podejrzenia o kradzież. Uciekł, zanim przyjechaliśmy, dlatego nie mieliśmy go w naszych aktach.

– To na pewno był on? – spytała Müller.

– Prawie na pewno. Odpowiada opisowi, jaki podali pracownicy domu towarowego. A niezależnie od ich zeznań sam nam to opowiedział, gdy go spytaliśmy, gdzie był tamtego dnia.

– Jaką część tuneli przeszukaliście?

– Chyba jakieś dwie trzecie. Kiedy skończymy, zajmiemy się parkami w Ha-Neu i może potem wrzosowiskiem Dölauer. Ale to już grubsza robota, ponad siedemset hektarów terenu.

– A brzegi Soławy? I sama rzeka? – spytał Vogel, czyszcząc okulary chusteczką.

Eschler tylko prychnął.

– Ha! To by nam zajęło lata. Na jakiej długości mielibyśmy to zrobić? Milicja z Halle nam pomaga. Przeszukali wyspę Peissnitz na rzece. I wyspę Ziegelwiese.

– Czy mamy sprowadzić nurków? – dopytywał Vogel.

– To zależy od porucznik Müller – wzruszył ramionami Eschler.

Szefowa potrząsnęła głową. Porządkowała papiery na biurku.

– Wolę założyć, że Maddalena nadal żyje. Dopóki nie będziemy mieć twardych dowodów, że jest inaczej. Dlatego chcę skoncentrować się na miejscach, gdzie może przebywać żywa. Nurkowie to kosztowna impreza, a jedyne ciało, jakie mogą znaleźć, będzie martwe.

– O to chodzi, towarzyszko porucznik.

Müller przez chwilę milczała, powoli oddychając.

– Być może masz rację, Bruno. Bądźmy optymistami. Poza tym jeśli zespół wierzy, że szuka żywej dziewczynki, że ma szansę ją uratować, a jego członkowie zostać bohaterami, pracuje z większym zapałem.

Przerwał jej dzwonek telefonu. Sięgnęła po słuchawkę.

– Porucznik Müller. Chwileczkę.

Zasłoniła słuchawkę ręką i zwróciła się do podwładnych:

– No dobrze, mamy co robić. Spotkajmy się wieczorem.

Vogel, Schmidt i Eschler zrozumieli to właściwie i wyszli. Müller wróciła do telefonu.

– Przepraszam, właśnie kończyłam spotkanie. Porucznik Müller, słucham.

– Cześć, Karin – powiedział męski głos w słuchawce.

Nie rozpoznała go.

– Kto mówi?

– Emil.

Müller intensywnie myślała. Nie znała żadnego Emila, nawet w czasach szkolnych.

– Przepraszam, czy my się znamy?

– Wybacz. Pewnie nie znasz mojego imienia. Emil Wollenburg. Doktor Wollenburg. Ze szpitala Charité z Berlina. Powiedziałem, że się odezwę, by się spotkać.

21

TEJ SAMEJ NOCY

Do pracy poza Berlinem Müller zazwyczaj zabierała swój stary milicyjny mundur. Miała go także tutaj, w Halle-Neustadt. Wreszcie się przyda.

Poprawiła w lustrze makijaż i schowała blond włosy pod milicyjną czapką. Cienie pod oczami były mniej widoczne dzięki opaleniźnie, chociaż nie zniknęły – co pomógł jej dostrzec Schmidt. Jednak twarz w lustrze – z wydatnymi kośćmi policzkowymi, raczej słowiańskimi niż germańskimi – skrywała inne emocje, i Müller dobrze o tym wiedziała. Każdy dzień, w którym nie znaleziono noworodka, coraz bardziej wykręcał jej trzewia. Bezimienne ulice, odpychające betonowe bloki, ciągła obserwacja ze strony Malkusa i jego ludzi – wszystko to sprawiało, że tęskniła za Berlinem i powrotem do pracy w jednym zespole z Tilsnerem. Do kierowania własnym przeznaczeniem, o ile w Republice Demokratycznej było to w ogóle możliwe. Do nieco zapuszczonego, ale mającego swoją historię mieszkania na Schönhauser Allee. Niestety, powrót do domu bez sukcesu w tej sprawie oznaczałby powrót do harówki na Keibelstrasse.

Wciągnęła powoli powietrze, by dodać sobie odwagi, i poprawiła kołnierz munduru. Do tego doszła komplikacja w postaci Emila Wollenburga. Tak, coś ją w nim pociągało, jednak zaskoczył ją jego telefon. Czuła, że jeszcze na to za wcześnie po trudnym, pełnym emocji rozstaniu z Gottfriedem. A teraz na dodatek jej powiedziano, że profesor Morgenstern, grafolog, przyjedzie później. Mimo to nadal potrzebny był jakiś impuls dla śledztwa. Właśnie dlatego postanowiła zrealizować nowy pomysł.

Nadal wpatrywała się w swoje odbicie w lustrze. W mundurze wzbudzi mniej podejrzeń, dobrze o tym wiedziała. Gdyby Tilsner to widział, powiedziałby, że zwariowała, ponownie wybierając się na samotną misję, bez żadnego wsparcia. Ale musiała zrobić to sama. Mniejsze szanse, że Stasi jej przeszkodzi, jeśli rzeczywiście jej funkcjonariusze nieustannie ją śledzą.

Przez kilka chwil wstrzymywała oddech, nasłuchując odgłosów telewizora przez cienkie ściany mieszkania. Rozpoznawalny od pierwszej chwili hipnotyczny głos Karla-Eduarda von Schnitzlera w programie „Der Schwarze Kanal" powiedział jej wszystko, co chciała wiedzieć. Schmidt, który wcześniej przygotował dla całej trójki kolację, będzie śledził każdą wypowiedź Schnitzlera, na wypadek gdyby Weidemann chciał go czymś zagiąć. Vogel nie był wprawdzie tak bardzo przywiązany do partii – chociaż jak wszyscy milicjanci do niej należał – ale prawie na pewno także on nie odklei się od Programu Pierwszego i podawanych tam interpretacji tego, co się dzieje na Zachodzie. Müller też by tak zrobiła, ale tego wieczoru miała inne plany.

Wyszła z łazienki, sięgnęła po milicyjny płaszcz i krzyknęła: „Na razie!". Zatrzasnęła za sobą drzwi, nie czekając na odpowiedź ze strony kolegów.

Pociąg jechał na południe, w stronę zakładów chemicznych. Prawie każde miejsce siedzące było zajęte, mimo to panowała dziwna cisza, jakby pracowników nie cieszyła perspektywa kolejnej nocnej zmiany. W tym morzu twarzy Müller dostrzegła wiele podkrążonych oczu. Nie zaskoczyło jej to, zakłady pracowały na okrągło.

Zaczęła od przodu pociągu, metodycznie. W pierwszych rzędach potulnie akceptowano jej przepytywania i nie okazywano zbyt wiele zainteresowania zdjęciu przedstawiającemu czerwoną aktówkę, w której znaleziono ciało Karstena.

Ale w czwartym rzędzie postawił jej się mężczyzna w średnim wieku, ubrany w ciemny garnitur.

– Dlaczego zadajecie te pytania? – spytał, patrząc jej prosto w oczy, by pokazać, że wcale się nie boi albo nie czuje respektu przed Milicją Ludową.

– Chodzi o prowadzone śledztwo. – Müller pokazała zdjęcie kolejnej pasażerce, młodej kobiecie. – Sprawdzamy, czy ktoś z jeżdżących do zakładów Leuna lub Buna widział osobę z tą aktówką. W piątek wieczorem, dwa tygodnie temu.

– To nie ta sama zmiana – odparł mężczyzna, odgarniając z czoła ciemne tłuste włosy i lekko się uśmiechając. – Większość z nas pracowała wtedy na rano.

Müller poczuła, że się rumieni pod jego spojrzeniem. O tym nie pomyślała. Co za głupi błąd!

– Nie wszyscy – wtrąciła się młoda kobieta. – Niektórzy biorą więcej nocek, by mieć wolne dni. Ja pomagam chorym dziadkom i pracuję na noc co drugi tydzień, a nie co trzeci. Całkiem sporo osób tak robi. Niektórzy pracują tylko nocami.

Mężczyzna o tłustych włosach prychnął i wrócił do swojej krzyżówki.

– Dziękuję – powiedziała Müller do kobiety. – I gdy jechaliście tym pociągiem dwa tygodnie temu, widzieliście osobę z tą aktówką?

Kobieta przyjrzała się zdjęciu w słabym świetle wagonu. Potrząsnęła głową.

– Niestety nie. Niczego takiego nie pamiętam.

W pierwszej połowie pociągu robotnicy odpowiadali mniej więcej tak samo. Niektórym Müller musiała wyjaśniać, że milicja prowadzi śledztwo w sprawie kradzieży, w której prawdopodobnie użyto tej aktówki. Kłamstwo miało zapobiec szerzeniu paniki w sprawie porwań dzieci. Nikt jednak nie potrafił jej pomóc. Nikt nie widział tej aktówki ani osoby, która by ją wyrzucała z pociągu.

W przejściu pomiędzy drugim a trzecim wagonem Müller zdała sobie sprawę, że pociąg zbliża się właśnie do miejsca, w którym wyrzucono ciało Karstena. Otworzyła drzwi na końcu składu, by uważniej przyjrzeć się okolicy. To tutaj razem ze Schmidtem pracowali przy torach i tu po raz pierwszy spotkali Malkusa i Janowitza. Pociąg jechał szybko, przytrzymała na głowie milicyjną czapkę. Powietrze było ciepłe, niemal przyjemne, mimo że zanieczyszczone wyziewami z zakładów usytuowanych kilka kilometrów dalej. Zapadł już zmrok, ale nadal dało się rozpoznać krzaki na bagnistym terenie zalewowym Soławy. Niezapomniane, smutne piękno na tle coraz ciemniejszego nieba. To niesprawiedliwe, że właśnie tutaj porzucono martwe dziecko.

Uderzenie od tyłu kompletnie ją zaskoczyło. Desperacko starała się obrócić, walcząc, by jej ciało wróciło do środka. Ale ktoś silniejszy starał się do tego nie dopuścić. Jej czapka pofrunęła na zewnątrz, potem Karin poczuła, że jej ciało jest unoszone. Krzyczała, ale traciła oddech, gdy mężczyzna – choć go nie widziała, uznała, że musi to być mężczyzna – podnosił ją i starał się wypchnąć na zewnątrz. Jedna z silnych rąk trzymała ją za głowę i pchała. Smród jego oddechu wypełnił jej nozdrza. Było w nim coś znajomego, od czego robiło jej się niedobrze, ale w ataku paniki nie zdołała tego skojarzyć. Zamiast tego koncentrowała się na tym, by złapać uchwyt okna, nie stracić równowagi i uratować się przed prawie pewną śmiercią.

Próbowała odwrócić głowę, by rozpoznać tego, kto ją zaatakował. Nie udało się, ale ten częściowy ruch pozwolił jej zobaczyć tory. Poczuła uderzenie krwi do głowy, gdy w oddali dostrzegła światła samochodu jadącego równoległą do trakcji drogą. Przez wiadukt.

Wznowiła walkę. Poczuła, że nic już jej nie pcha, ale gdy spróbowała wciągnąć się do pociągu, jej nogi zapadły się w pustkę. Nie mogła złapać oddechu i przeczuwała nadciągający atak paniki, wiedząc, że jej ciało powoli wysuwa się na zewnątrz. Wtedy dostrzegła, że droga – teraz znajdująca się o wiele bliżej – nie prowadziła wiaduktem, tylko unosiła się nieco na wzgórzu rysującym się w otaczającej ją ciemności. Tunel. Wjeżdżali do tunelu.

– Pomocy, pomocy! – próbowała krzyczeć resztkami sił. Ale głos utonął w szumie powietrza, a jej palce ostatecznie osłabły.

Właśnie wtedy pociąg wjechał do tunelu.

– Nieee! – wrzasnęła.

Pęd powietrza uderzył ją w bębenki uszu. Spadała i wszystko pogrążyło się w ciemnościach.

22

OSIEM LAT WCZEŚNIEJ: LIPIEC 1967

BERLIN

Zastanawiam się, czy jeszcze uda mi się dostać to, czego pragnę. Zaledwie półtora roku temu wszystko wydawało się idealne. Boże Narodzenie 1965 roku w Halle-Neustadt. W Wigilię Hansi nieco się na mnie zdenerwował, ale szybko mu przeszło i święta upłynęły nam w cudownej atmosferze. Nawet karmiłam Stefi butelką, a Hansi przygotowywał mleko. Chodzi o to, że wolałam karmić ją moim mlekiem, ale on był wtedy przeważnie w domu i miał na mnie oko. Zawsze powtarzał, że butelka jest najlepsza. A jako że jest naukowcem, trudno się z nim nie zgodzić.

Przez kilka dni było wspaniale. Ale potem Hansi wrócił do pracy i mi się pogorszyło. Staram się myśleć o czymś dobrym, Hansi mówi, że tak jest najlepiej, ale czasami nie mogę nie myśleć o tym dniu, w którym Stefi...

Przepraszam. Naprawdę nie powinnam do tego wracać, ale to przypomina mi, jak mogło być dobrze. Gdybyśmy tylko znowu mieli naszą małą rodzinę. Oczywiście staraliśmy się. Od zeszłego lata, gdy wreszcie schudłam po ciąży i wreszcie poczułam się dobrze w moim ciele... cóż, to chyba natchnęło Hansiego. Nie mógł ode mnie oderwać rąk, szczerze mówiąc.

– Kleszcze, siostro Traugott.

Znowu odpłynęłam w marzenia. Weź się w garść, Franzi.

– Przepraszam, doktorze.

Mam ostatnią szansę, mówi Hansi. Częściowo dlatego wracam myślami do tych cudownych bożonarodzeniowych dni w Ha-Neu. Tutaj, w Berlinie, nie jest tak dobrze od czasu „incydentu". Tak to nazywam. Incydent spowodował, że wyrzucili mnie z pracy na oddziale dziecięcym. To nie była moja wina. Przynajmniej ja tak nie uważam. Nie chcieli słuchać. Hansi powiedział, że mimo to powinnam pracować. Nie chciał, bym siedziała w domu.

Więc załatwił mi pracę tutaj, w klinice doktora Rothsteina. Tyle że to nie jest prawdziwa klinika. Nie w sensie oficjalnym. I to nie jest oficjalna praca. Doktor płaci mi pod stołem. Pacjenci też tak mu płacą. Oczywiście to wszystko jest nieoficjalne. Dlatego Hansiemu udało się mnie tu wsadzić. Ministerstwo chciało, bym obserwowała klinikę. Zazwyczaj przymykają oko i planowano już zalegalizować tego typu miejsca. Ale jeszcze to nie nastąpiło. Tak więc dla Ministerstwa – dla Hansiego – informacje o pacjentach są bardzo pomocne.

– Teraz łyżka, siostro Traugott.

Tym razem nie przyłapał mnie na nieuwadze. Byłam gotowa i miałam narzędzie w ręku. Okropna rzecz. Przyprawia mnie o dreszcze. Pamiętam jej definicję ze szkoły. „Niewielkie narzędzie zakończone łopatką lub dłutem do łyżeczkowania materiału – zazwyczaj tkanki ludzkiej".

Myślę, że Hansi był trochę złośliwy, że załatwił mi pracę akurat tutaj. Wie, czego chcę. Czego zawsze chciałam. I co przez kilka pięknych miesięcy miałam, potem straciłam, a może mi to odebrano, a może...

Jeśli mam być szczera, chyba to doprowadziło do incydentu. Może oddział dziecięcy nie był dla mnie najlepszym miejscem. Za dużo pokus. Na szczęście Hansiemu udało się to wszystko zatuszować. Mógł to zrobić, bo pracuje dla Ministerstwa. Teraz już na cały etat.

Powoli kończymy. Nie lubię tego momentu. Staram się za bardzo nie patrzeć na to, co doktor Rothstein robi między nogami pacjentki. Trzymam metalowe naczynie w pogotowiu. Wiem, jak to wszystko będzie wyglądać. Późne zabiegi są najgorsze, zwłaszcza gdy wystąpią problemy i trzeba ostro ssać. Najbardziej starasz się uniknąć przyglądania się oczom. I twarzy. Zwłaszcza jeśli jest uśmiechnięta. Niewiele ludzi wie, że mogą się uśmiechać, ale tak jest. Nie uśmiechałyby się, gdyby wiedziały, co się dzieje. Co zdecydowały ich matki. Nie uśmiechałyby się. Biedne maleństwa.

23

LIPIEC 1975

Z HALLE-NEUSTADT DO OBERHOFU

Spadanie.

Wessanie w ciemność tunelu.

Tego się spodziewała Müller, gdy czas zwolnił.

Ale było inaczej.

Konduktor pociągnął ją za ubranie w tej samej chwili, w której pociąg pogrążał się w ciemności. Upadła wraz ze swoim wybawcą na bezpieczną podłogę wagonu.

Zdezorientowana, trzęsąca się w szoku, ale bezpieczna.

Zanim dotarła do szpitala, zdecydowała, że nie powie nic o mężczyźnie, który wypchnął ją przez drzwi. Nie chciała przyciągnąć uwagi Stasi do tego, że im nie ufała i sama chciała przepytać pasażerów. Konduktor, który na szczęście akurat nadszedł, chyba nic nie widział, więc powiedziała mu, że wyglądała przez drzwi i straciła równowagę. Nie uwierzył jej, ale nie tylko ona wiedziała, że zadawanie zbyt wielu pytań jest niebezpieczne.

Na wszelki wypadek zrobiono jej prześwietlenie. Lekarze zyskali pewność, że nie ma żadnych złamań. Bolały ją szyja i plecy, a w głowie łomotało, więc nie zdziwiła się, że zalecili jej odpoczynek. Problem w tym, że nie chciała odpoczywać. Nie mogła, przynajmniej dopóki nie znajdzie Maddaleny i osoby, która ją porwała i przyczyniła się do śmierci jej brata. Mimo to Eschler i Vogel przychylili się do opinii lekarzy – dostała wolne na sobotę i niedzielę. Raczej nie chciała spędzać bezczynnie tyle czasu, zwłaszcza w Halle-Neustadt. Nie będzie potrafiła odpoczywać ze świadomością, że Salzmannowie ciągle szaleją z niepewności z powodu zaginionej córki.

Naturalnym biegiem rzeczy po takim zdarzeniu szukałoby się pocieszenia na łonie rodziny. Müller z doświadczenia wiedziała, że je tam znajdzie. Wahała się, obiecała sobie, że odbędzie tę wizytę, a teraz nadarzała się ku temu znakomita okazja, chociaż podróż niekoniecznie dobrze zrobi na jej urazy. Przeważyło to, co zobaczyła, albo wydawało jej się, że zobaczyła w szpitalu, gdy czekała na wyniki prześwietlenia.

Zawsze miała poczucie, że jej brat i siostra byli lepiej traktowani w dzieciństwie niż ona. Być może potrzeba pokazania rodzicom, że jest coś warta, zaprowadziła ją do Berlina i kariery milicyjnej. Czasami powtarzała sobie, że pewnie tylko tak jej się wydawało albo że naturalne jest faworyzowanie jedynego syna – Rolanda – i Sary, najmłodszej w rodzinie. Ale dwa wypadki zadawały kłam temu twierdzeniu.

Pierwszy wydarzył się, gdy miała jakieś pięć lat. Do drzwi ich rodzinnego pensjonatu zadzwoniła elegancka, na oko czterdziestoletnia kobieta i powiedziała do niej „Karin". Matka strasznie się wtedy zezłościła. Nakrzyczała na kobietę i wyrzuciła ją za drzwi. Karin nigdy nie zrozumiała, o co poszło. Na zawsze zachowała w pamięci tę kobietę. Teraz zobaczyła w szpitalnej poczekalni kogoś bardzo do niej podobnego.

Ale oczywiście to nie była ona. Müller wiedziała, że to nie mogła być ta sama osoba – minęło prawie dwadzieścia pięć lat. Poza tym pierwsze wrażenie okazało się mylne: z bliska kobieta w szpitalu tylko nieznacznie przypominała nieznajomą sprzed lat. Jednak pojawienie się tego sobowtóra było niczym ukąszenie owada. Wzbudziło wspomnienie cierpienia, tęsknoty, jakie Karin wtedy zauważyła w spojrzeniu tamtej. Obowiązkiem Müller była wizyta u matki, brata i siostry. Ale miała także obowiązki wobec siebie. Tak długo cierpiała w milczeniu, że w końcu musiała stawić czoło własnej matce. Raz na zawsze to załatwić.

Pojechała na północ, omijając Erfurt i Gothę autostradą, przekraczając dozwoloną prędkość, by pęd powietrza wciskającego się przez otwarte okna wartburga zniwelował upał tego letniego dnia.

Po drodze starała się pozbyć bólu karku i pleców poprzez rozciąganie mięśni. Wiedziała, że miała sporo szczęścia. Konduktor złapał ją w ostatniej chwili. Ogarnięta paniką nie wiedziała, co dokładnie się stało ani w którą stronę spada. Dopiero po kilku sekundach zdała sobie sprawę, że jest bezpieczna.

Bardziej niż fizyczny ból trapiła ją świadomość, że ktoś chciał co najmniej przeszkodzić w dochodzeniu. Nawet jeśli nie był to atak na jej życie, dostała ostrzeżenie. I nie miała pojęcia, kto mógł to zrobić, tylko słabe przeczucie, że napastnik wydał jej się znajomy. Ale nie widziała go, więc nie mogła się z nim skonfrontować. Chodziło raczej o przykry zapach z ust. Mimo najlepszych starań nie mogła jednak dociec, co w nim było znajomego. Gdy starała się go zwizualizować, nawet jeśli faktycznie go nie widziała, stawała jej przed oczami i ją prześladowała twarz Janowitza. Nie wiedziała dlaczego. Miała tylko przeczucie.

Na szczęście konduktor przyjął do wiadomości jej historię – że tylko sprawdzała coś przez otwarte drzwi i utknęła na zewnątrz z powodu własnej nieostrożności. Nie chciała zostać postawiona w sytuacji, w której musiałaby tłumaczyć Malkusowi, dlaczego nie posłuchała jego rozkazu i ponownie sprawdzała to, co jego ludzie już sprawdzili. Teraz była już pewna, że Stasi nie przeprowadziła żadnych przesłuchań w pociągu. Gdyby było inaczej, któryś z pasażerów by o tym wspomniał.

Wartburg dotarł nareszcie do północnego skraju Lasu Turyńskiego w pobliżu miejscowości Ohrdruf. Gdy zwolniła przy wjeździe do miasta, spaliny z rury wydechowej wcisnęły się do wnętrza przez otwarte okno i podrażniły jej gardło. Pierdzący Hans – tak nazywano ten model samochodu, jak widać nie bez powodu.

Zapamiętała Ohrdruf z lekcji antyfaszystowskich w szkole. Tutejszy obóz koncentracyjny był jednym z pierwszych, jakie wyzwolono. Na szczęście – tak to ujął nauczyciel – te tereny Amerykanie przekazali Sowietom. Przyjaciele ze Związku Radzieckiego zapewniają, że tego rodzaju okropieństwa nigdy więcej się nie powtórzą.

Za miasteczkiem droga stała się kręta i prowadziła przez tereny gęsto obsadzone świerkami i sosnami, z powtykanymi gdzieniegdzie łąkami. Müller oderwała jedną rękę od kierownicy, by otrzeć pot z czoła.

Wyjazd do rodziny na południe dał jej także okazję do grania na zwłokę z Emilem Wollenburgiem. Wiadomość o jego czasowej przeprowadzce do Ha-Neu nie zaskoczyła jej, wspomniał już o tym w Berlinie. Wyjaśnił, że w nowym mieście brakowało lekarzy. A ponieważ okazał Karin zainteresowanie, wydało jej się to podejrzanie sprzyjającym zbiegiem okoliczności. Wprawdzie jej były mąż należał już do przeszłości, ale Müller nie była pewna, czy jest gotowa na nową znajomość. Z tego, co wiedziała, Gottfried pracował teraz jako nauczyciel w Republice Federalnej. Nie miała od niego żadnych wiadomości od czasu tamtego pierwszego napisanego na maszynie listu, który wysłał jej kilka dni po swoim wyjeździe. Powrót do tego związku nie był już możliwy, ale mimo to myślenie o nowym wydawało jej się przedwczesne.

Las się przerzedził i zobaczyła odłamki skalne wokół modernistycznego Interhotelu Panorama, zbudowanego w latach sześćdziesiątych, który stał się najsłynniejszym obiektem w jej rodzinnej miejscowości. Jego przeszklone okna błyszczały w letnim słońcu, ale dziwny dach w kształcie skoczni narciarskiej o tej porze roku sprawiał wrażenie czegoś nie na miejscu. Dopiero w grudniu wtopi się w otoczenie. Teraz wyglądał niczym dwie części zatopionego transatlantyku przełamującego powierzchnię oceanu. Tyle że zamiast morskich fal miała przed oczami trawę i las.

Zatrzymała się na poboczu i wyszła z samochodu, by nacieszyć się widokiem. Był jej tak bardzo znajomy – z czasów dzieciństwa, młodości i tamtych wolnych dni, na które wracała ze szkoły milicyjnej pod Berlinem. Zawsze pobudzał jej wspomnienia. Kolejne z tych, które ostatecznie skłoniły ją do skonfrontowania się z matką. Wspomnienie dnia sprzed dwudziestu pięciu lat, kiedy po raz ostatni rozmawiała z najlepszym przyjacielem. Poczuła, że oczy jej wilgotnieją. Powoli przetarła twarz ręką, podczas gdy w jej głowie tańczyły obrazy z przeszłości.

24

LISTOPAD 1951

OBERHOF, TURYNGIA

– Źle to robisz. Musisz się położyć. Patrz tylko.

Tyczkowaty, nieproporcjonalnie zbudowany chłopiec położył się na plecach na metalowym wózku. Rękami i obutymi stopami odepchnął się od mokrego po deszczu stoku porośniętego trawą. Kilka lat młodsza od niego dziewczynka, zadziwiająco niedopasowana towarzyszka zabaw, przysłoniła oczy ocienione blond grzywką, wypatrując przez mgłę miejsca, w którym zniknął chłopiec.

– Johannes, gdzie jesteś? Nie widzę cię. Boję się.

– Wszystko w porządku! – krzyknął chłopiec w mroku. – Tu na dole jest już bardziej równo. Nie rozbijesz się. Tylko mocno trzymaj się wózka i się odepchnij.

Dziewczynka umieściła swoje pięcioletnie ciałko w zimnym metalowym wózku. Drżały jej usta, gdy zastanawiała się, czy powinna to robić. Czy wystarczy jej odwagi.

– Ruszaj, marudo. – Krzyk odbił się od wzgórz i powtórzył echem w dolinie, jakby krzyczeli do niej pionierzy. To były mistrzostwa świata w saneczkarstwie. W swojej wyobraźni pięciolatka była najlepszą sportsmenką Niemieckiej Republiki Demokratycznej – miała zdobyć złoty medal.

Dziewczynka rozciągnęła ciało i się odepchnęła.

Wilgotne, późnojesienne powietrze zahuczało jej w uszach. Czas zwolnił. Czuła każdą nierówność górki, szarpnięcia i uderzenia głowy o wózek. Trwało to w nieskończoność. Jak sen. Jak koszmar.

A potem... nic. Cisza, spokój. Tylko odgłos kroków biegnącego w jej stronę chłopca.

– To było niesamowite. Pojechałaś chyba pięćdziesiąt metrów dalej niż ja. Już się martwiłem, że wjedziesz na drugie zbocze.

Dziewczynka ostrożnie stanęła na nogi. Drżały jak galareta. Poczuła, że się rumieni z powodu tych komplementów.

Objął ją.

W tym momencie zdecydowała, że to chłopak dla niej. Jak będą duzi, to się pobiorą. Popatrzyła mu w oczy. Górował nad nią, a jego oczy były przesłonięte okularami w drucianych oprawkach. Mimo że miała niewiele lat, wiedziała już, że Johannes nie jest przystojny. Koledzy z klasy wyśmiewali go i dręczyli. Często z tego powodu płakał. Tak zostali przyjaciółmi, mimo pięcioletniej różnicy wieku. Stało się to po tym, jak znalazła go płaczącego za rogiem lokalnego sklepiku ze słodyczami i starała się go pocieszyć.

Usłyszeli dźwięki dochodzące z wioski i oboje odwrócili się w tamtą stronę. Silnik, krzyki i wrzask. Dziewczynka poczuła, że chłopiec napiął się w oczekiwaniu. Listopadowa mgła się przerzedziła. Widzieli teraz wioskę jak na dłoni. Oberhof, główny ośrodek sportów zimowych w Republice Demokratycznej.

Dziewczynka złapała chłopca za rękę, wyczuła jego niepokój.

– O co chodzi, Johannes?

– To żołnierze.

– Żołnierze? Faszyści?

Pokręcił głową.

– Nie. Nasi.

Mimo to w jego głosie nadal czaił się niepokój, a dziewczynka starała się to zrozumieć.

– Więc wszystko w porządku, prawda?

Pokręcił głową. Skupił się.

– Muszę tam wrócić.

– Dlaczego?

W odpowiedzi Johannes rzucił się w dół pokrytego trawą zbocza. Dziewczynka początkowo starała się za nim nadążyć, ale nie dawała rady. Wpadła stopą w dołek zrobiony przez krowę i przewróciła się na ziemię. Łzy nie pojawiły się z powodu bólu w nodze. To były łzy zagubienia, poczucia, że jej przyjaciel ją opuścił. Bała się, że rolnik Bonz przyjdzie ją skrzyczeć i doniesie rodzicom, że bawiła się tutaj i niszczyła jego pole.

Żołnierze stali w szeregu, wielcy jak olbrzymy. Blokowali drogę do *Mutti*, papy i nowej siostrzyczki Sary, chociaż dziewczynka raczej nie miała ochoty znowu oglądać tej ostatniej. *Mutti* i papa rozmawiali tylko o tym dziecku. Dlatego dziewczynka spędzała tyle czasu z Johannesem na łące, udając, że są mistrzami w saneczkarstwie. Teraz była jednak głodna i przerażona.

– Stać, mała! – krzyknął na nią jeden z żołnierzy. Wyglądał na kogoś ważnego, miał na kołnierzu więcej gwiazdek niż inni. W ręku trzymał zadrukowaną kartkę. – Jak się nazywasz?

Dziewczynka nie odpowiedziała, bo zauważyła lukę między nogami żołnierzy. Pobiegła i przecisnęła się tamtędy, zanim się zorientowali. Dom. Tam musiała iść. Krzyki nie ustawały, ale po prostu je zignorowała, nie przestawała biec, rozpryskując wodę z kałuż, chociaż wiedziała, że dostanie od *Mutti* burę, bo cała się zmoczyła i była pokryta błotem z łąki.

Matka stała w drzwiach do pensjonatu Hanneli. Obdarzyła małą ostrym spojrzeniem, wymachiwała drewnianą łyżką.

– Gdzie ty, u licha, byłaś, młoda damo? Popatrz tylko na siebie. Sukienka zniszczona. I buty. Coś ty robiła?

Dziewczynka spróbowała szybko wbiec do pensjonatu, ale matka złapała ją za ramię.

– Nie ma mowy. Nie pozwolę ci brudzić w środku. Znowu włóczyłaś się z tym chłopakiem, tak?

– To mój przyjaciel.

– Powinnaś mieć przyjaciela w twoim wieku, młoda damo. Zabawy z o tyle starszym chłopcem są niewłaściwe. W każdym razie już nie będzie zawracał nam głowy. Zaczekaj na ganku, aż cię wyczyszczę.

– Po co tu tylu żołnierzy? Chcieli mnie złapać.

Matka chwyciła ją mocniej.

– Nie twoja sprawa.

Dziewczynka spróbowała uwolnić się z uścisku, jak tylko usłyszała, że mała Sara zaczęła płakać. Co powiedziała *Mutti*? „Już nie będzie zawracał nam głowy"?

– Manfred! – krzyknęła matka. – Muszę nakarmić małą. Chodź, zajmij się tą ważnialską. Jest cała w błocie i zniszczyła ubranie. – Przyklękła i wyszeptała do dziewczynki: – Ojciec ci pokaże, panienko, doigrałaś się. I...

Dziewczynka nie czekała na koniec zdania. Wyrwała się z uścisku matki i uciekła ile sił w nóżkach. Z powrotem w stronę krzyków. Z powrotem w stronę szeregu szarych olbrzymów. Do domu Johannesa.

Gdy dotarła na miejsce, rodziców jej przyjaciela wpychano na pakę ciężarówki. Oczy jego matki były czerwone od płaczu. Johannesa wyprowadzano właśnie z pensjonatu Edelweiss, należącego do jego rodziny. Wyglądał na zagubionego i zmartwionego. Nie miał na nosie swoich charakterystycznych okularów, a jego głowa kręciła się we wszystkie strony, jakby czegoś szukał, ale tego nie widział – świat był dla niego zamazany.

– Johannes! Johannes! – krzyknęła dziewczynka. – Co się dzieje? Dokąd cię zabierają? Chcę jechać z tobą!

Odwrócił się w jej stronę. Miał właśnie odpowiedzieć, wytężał pozbawiony pomocy okularów wzrok, lecz jeden z żołnierzy uderzył go w twarz, złapał za rękę, wykręcił ją do tyłu i wepchnął chłopca na ciężarówkę.

Potem wrócił wielki najważniejszy żołnierz, z gwiazdkami na kołnierzu, zbliżył swoją ogromną twarz do dziewczynki.

– Jak się nazywasz, mała? – zagrzmiał, a jego oddech był ciepły i obrzydliwie śmierdział. Opryskał ją kropelkami śliny.

Nie odsunęła się. Nie zadrżała. I nie odpowiedziała, za to sama zadała mu pytanie.

– Dokąd zabieracie mojego przyjaciela?

– To żaden przyjaciel, mała. To są spekulanci i oszuści. Niszczą naszą socjalistyczną republikę.

Ta przemowa nic dla dziewczynki nie znaczyła, ale zrozumiała, co się dzieje. Zabierali Johannesa. A ona nie mogła z nim jechać.

– Pytam cię ostatni raz.

Dziewczynka wytarła oczy z jego śliny.

– Jak się nazywasz?

Odpowiedziała mu wyraźnie i odważnie, w ogóle nie czując strachu, patrząc prosto w jego złośliwe oczy, jakby go wyzywając, odwzajemniając mu się takim samym surowym spojrzeniem jak jego.

– Nazywam się Karin Müller. A ty jesteś bardzo złym człowiekiem. Nigdy ci nie wybaczę, że zabrałeś mojego najlepszego przyjaciela.

25

LIPIEC 1975

OBERHOF, OKRĘG SUHL

Górski pensjonat Hanneli – rodzinny dom Müller – wyglądał jak zbudowany z wielkich plastikowych klocków, którymi bawiła się w dzieciństwie. Prawie nic się tu nie zmieniło. Gruba podłoga z bali na parterze jak zawsze była pokryta krwistoczerwoną farbą, tak błyszczącą, że Karin musiała zasłonić sobie oczy, by ochronić się przed odbiciem promieni słonecznych. Ten żywy kolor mocno kontrastował z dominującą w Ha-Neu szarością betonu. Na górze znajdowały się pokoje gościnne, umieszczone pod ostro opadającym dachem pokrywającym dziewiętnastowieczny budynek. Dachówka była ciemnoszara. Szczyt budynku górował nad okolicą, nadając mu wygląd bajkowego domku czarownicy.

Müller podeszła do tylnych drzwi, otrzepała buty na wycieraczce. Jej spojrzenie przykuły złote hiacynty. Uderzyło ją połączenie złota, czerwieni i ciemnego koloru dachu, bardzo przypominające kolory niemieckiej flagi – zarówno Republiki Demokratycznej, jak i Republiki Federalnej. Delikatnie otworzyła drzwi kuchenne i zakaszlała, by zwrócić na siebie uwagę Sary.

Starała się uśmiechnąć, gdy siostra spojrzała na nią znad stosu obieranych właśnie ziemniaków. Sara wyglądała na zaskoczoną, ale nie okazała radości i nawet nie porzuciła swojej roboty.

– Więc wreszcie dotarłaś tu do nas z Berlina, Karin. Dużo czasu ci to zajęło. Mama tęskni za tobą.

Müller przez chwilę stała w progu i przyglądała się siostrze. Chciała podejść i ją objąć, ale zdawała sobie sprawę, że wyraz twarzy, ton głosu i zajęte ręce miały podziałać odstraszająco. Obie siostry bardzo się od siebie różniły i obie były tego świadome. Delikatna uroda Karin przyciągała chłopców, a pewność siebie pomogła jej w milicyjnej karierze. Sara miała rumianą twarz i krzepką figurę góralki, czerwonawobrązowe loki opadały chaotycznie na oczy koloru mętnej wody. Jasnoniebieskie niczym lód oczy Karin nadawały jej skandynawski albo słowiański wygląd.

– Taką mam pracę, Saro, dobrze o tym wiesz.

Młodsza siostra wreszcie odłożyła obieraczkę i podeszła, by objąć Müller, lecz nie było w tym entuzjazmu.

– Naprawdę? Nie przyjechałaś nawet na święta. Mamy tu dużo roboty same z mamą.

Müller poczuła wyrzuty sumienia, ale wiedziała, że to nie wystarczy, by częściej zaczęła przyjeżdżać z Berlina do górskiej wioski. Na jej twarz wypełzł grymas, bo uścisk Sary przyprawił ją o ból w szyi i karku. Ale wytrzymała i delikatnie przytuliła siostrę.

Sara odsunęła się i spojrzała w oczy Karin, marszcząc brwi.

– Jakoś się zestarzałaś. Wyglądasz na zmęczoną.

Milicjantka lekko się zaśmiała.

– Zestarzałam się naprawdę. I rzeczywiście jestem zmęczona.

– Na pewno tylko tyle? Niezapowiedziana wizyta? Nic cię nie trapi? Czy to ma coś wspólnego z Gottfriedem?

Karin poczuła ucisk żołądka na dźwięk tych pytań. Imię jej byłego męża – mężczyzny, którego nazwisko nosiła nawet jeszcze przed ślubem, co dawało pretekst do żartów, że oto łączą się ze sobą dwie odnogi tej samej rodziny – nadal wyprowadzało ją z równowagi, choć minęło już tyle miesięcy od rozwodu. Tyle że w tej chwili martwiło ją raczej wyobcowanie z własnej rodziny.

– Wszystko skończone.

– Co skończone? – Sara wydała z siebie nieokreślony dźwięk.

– Małżeństwo. Moje małżeństwo. Gottfried dostał pozwolenie na wyjazd do Republiki Federalnej. Ostatnio słyszałam o nim tylko tyle, że stara się o posadę nauczyciela w okolicach Heidelbergu.

– Tak mi przykro, Karin. – Twarz Sary złagodniała, a w miejsce zmarszczek dezaprobaty pojawiły się zmarszczki zmartwienia. – Jeśli coś mogę dla ciebie zrobić, albo *Mutti*, albo Roland... Zawsze ci pomożemy, wiesz o tym.

Müller była wzruszona autentycznością tego wyznania. Nie wierzyła jednak, że matka je podziela.

Pociągnęła siostrę do holu ich niewielkiego hotelu i postawiła przed lustrem w pozłacanej ramie.

– Popatrz tylko. Tak bardzo się od siebie różnimy.

Sara parsknęła śmiechem.

– No cóż, ja jestem ładniejsza.

– Oczywiście – uśmiechnęła się Müller.

Siostra stanęła za nią, patrząc przez ramię Karin na odbicie w lustrze.

– No dobrze, poddaję się. Ty jesteś ta ładna. Jak zawsze. – Dotknęła sińców pod oczami milicjantki. – Ale lat ci nie ubywa.

Karin poczuła, że powinna się obrazić, jednak troska Sary wydawała się szczera.

– Myślę, że to nie jest odpowiednia praca dla ciebie. Bo i jak może być? Trupy, okropne morderstwa. Nie wiem, jak to wytrzymujesz.

Müller przeniosła wzrok z odbicia siostry na własne. W ostatnich tygodniach wyglądała lepiej, ale teraz ślady zmęczenia i troski wróciły. Był to bez wątpienia efekt ataku w pociągu, ale nie chciała przysparzać siostrze więcej powodów do zmartwień, więc przemilczała ten incydent.

Odsunęła się od lustra.

– Gdzie mama? Chciałam zrobić jej niespodziankę.

– Jest na swoich zajęciach układania bukietów. Powinnaś o tym wiedzieć. – W głosie Sary zabrzmiał lekki wyrzut. „Powinnaś o tym wiedzieć. Wiedziałabyś, gdybyś bardziej interesowała się życiem rodziny". Ostatnie zdanie nie zostało wypowiedziane, ale Müller wiedziała, że Sara tak pomyślała. – Wróci niedługo.

– A Roland?

– Gra w piłkę. To też powinnaś wiedzieć. Cokolwiek dzieje się w tym Berlinie, tutaj życie nadal się toczy. Dzień za dniem.

Wróciły do kuchni i Sara ponownie zabrała się do obierania ziemniaków. Robiła to sprawnie niczym maszyna.

Müller poszła do holu. Impreza powitalna najwyraźniej się skończyła. Weszła na pierwsze piętro, gdzie mieściły się pokoje gościnne, a potem, węższymi schodami, na poddasze. Tam znajdował się jej pokój. Matka trzymała go dla niej, nieużywany od czasu, gdy Karin była jeszcze nastolatką.

Do małego pokoju światło wpadało tylko przez jednoskrzydłowe okno. Dla dorosłej Karin dwie trzecie przestrzeni okazały się za niskie, by mogła stać wyprostowana. Ale to była jej przystań i nic się tutaj nie zmieniło, od kiedy jakieś dwanaście lat temu wyjechała do Poczdamu, do szkoły milicyjnej. Poczuła się jak w kapsule czasu. Pokój należał do nastolatki z lat sześćdziesiątych: na ścianie nadal wisiał plakat zespołu Fab Four, tylko jeden róg się odkleił. Beatlesi. Jedna z nielicznych grup z Zachodu w owym czasie dopuszczonych do obiegu przez partię. Müller uśmiechnęła się do swoich wspomnień. Nie trwało to długo. Zaledwie dwa lata później Walter Ulbricht, ówczesny sekretarz partii, pytał – jeśli rzeczywiście było to pytanie – czy Niemiecka Republika Demokratyczna musi kopiować każde „je je je" pochodzące z Zachodu.

Sięgnęła na szafę, przeciągając ręką po warstwie kurzu w poszukiwaniu sekretnego kluczyka. Lata później używała tego samego „systemu zabezpieczenia” w mieszkaniu przy Schönhauser Allee. W końcu go znalazła i wysunęła szufladę biurka, w której trzymała dziennik. Pisała go, niemal z namaszczeniem, od kiedy skończyła pięć lat. Zapiski nie pojawiały się codziennie, nawet nie każdego miesiąca. Ale co roku przynajmniej kilka. Pierwszy rok zapełnił prawie jedną trzecią stron, to był efekt ekscytacji, że nauczyła się pisać, a potem także poczucia, że w jakiś sposób tutaj nie pasowała.

Przekartkowała zeszyt. Zapach stęchłego papieru mieszał się z perfumami, których używała jako nastolatka. Był znajomy. Marki kosmetyków w tym kraju praktycznie się nie zmieniały. Casino de Luxe – zbyt mocno kwiatowy zapach różany z czymś lekko nieprzyjemnym i słodkim w tle.

Szybko odnalazła wpis z listopada 1951 roku. Przeczytała pobieżnie: „Dlaczego rzołnierze zabrali Johansa? Mutti nic nie muwi. Zajmuje sie tylko Sarą. To wiećma”. Müller nie wiedziała, czy śmiać się z ortografii i zazdrości o siostrę, czy płakać z powodu utraty przyjaciela i poczucia wyobcowania. Powolne kroki na skrzypiących schodach skłoniły ją do schowania dziennika z powrotem w szufladzie.

W rysach matki zobaczyła Sarę za trzydzieści lat. Podobnie jak u siostry, powitalny uśmiech Rosamund Müller wydawał się nieszczery i wątły. Karin podeszła do niej, by się przytulić, ale kobieta w średnim wieku, o tak samo czerwonawobrązowych włosach jak u jej młodszej córki – choć pewnie je farbowała – odsunęła się i skrzyżowała ręce na pełnych piersiach.

– Miło by było, gdybyś nas uprzedziła, Karin.

– Przepraszam. Nie chciałam znowu odwoływać. Chodzi o kolejne morderstwo... a właściwie zaginięcie. Pomyślałam, że gorzej byłoby się zapowiedzieć i potem odwołać z powodu pracy.

Rosamund wzruszyła ramionami, a potem podejrzliwie wciągnęła powietrze.

– Co to za zapach? Jakoś znajomy.

– Moje stare perfumy, które zostawiłam tu dawno temu. Otworzyłam je teraz. – To małe kłamstwo przyszło jej bez trudu.

– Podejrzewam, że jesteś głodna. Mogłabyś pomóc Sarze.

– Zaraz zejdę – zgodziła się Müller.

Rosamund odwróciła się, jakby zamierzała już wyjść.

– *Mutti*, nie idź jeszcze. Chodź, usiądź na łóżku. Chciałabym porozmawiać.

Matka spojrzała na nią podejrzliwie, ale usiadła obok Karin. Z łóżka wzbiły się cząsteczki kurzu i zaczęły wirować w promieniach słońca niczym malutkie płatki śniegu.

– Po drodze rozmyślałam o moim dzieciństwie.

– I co? Byłaś trudnym dzieckiem. Nigdy nie miałaś wielu koleżanek. Grymasiłaś przy jedzeniu. I ciągle byłaś zazdrosna o Sarę.

– Mówisz takim tonem, jakbyś mnie nienawidziła.

– Zbierasz to, co siejesz, Karin. Zbierasz to, co siejesz. – Jej twarz złagodniała, gdy położyła pomarszczoną i pokrytą plamami wątrobianymi rękę na nagim ramieniu córki. – Przepraszam. To było wredne. Po prostu byłam zła, że nie podziękowałaś za urodzinową kartkę ani za prezent i nie przyjechałaś na święta. Nawet nie napisałaś.

Müller położyła własną dłoń na matczynej, gładząc wystające żyły. Urodzin nie obchodziła, ale mimo wszystko matce należały się jakieś wyjaśnienia.

– Przepraszam, źle zrobiłam. W pracy było bardziej niż koszmarnie. Miałam też problemy z Gottfriedem.

– Och. Mam nadzieję, że nic poważnego.

Müller nie powiedziała. Matka zrozumiała milczenie.

– Mam nadzieję, że ciągle jesteście razem.

Milicjantka pokręciła głową i ku własnemu zaskoczeniu poczuła łzy napływające do oczu. Myślała, że ma to za sobą. W głowie już to sobie poukładała, ale gdzieś w głębi serca zachowało się przywiązanie do byłego męża. Otarła oczy. Matka podała jej chusteczkę. Pierwszy list, jaki Gottfried przysłał z Republiki Federalnej, był zarazem ostatnim, w dodatku napisanym na maszynie, z odręcznym tylko podpisem. To ją martwiło. Może inni się w to wtrącili. Ale ostatecznie byli już rozwiedzeni, więc dlaczego miałby pisać?

– O czym chciałaś ze mną rozmawiać?

Müller znowu pokręciła głową, nadal nie mogła mówić spokojnie.

– O co chodziło, Katzi?

Müller mocniej przycisnęła się do matczynej ręki.

– Lubię, gdy mówisz do mnie Katzi. Tak mnie nazywałaś, gdy byłam mała, zanim...

– Zanim urodziła się twoja siostra?

Skinęła głową i wciągnęła powietrze.

– Myślałam o paru kwestiach podczas podróży, chciałabym o tym porozmawiać. – Zauważyła cień niepokoju na twarzy Rosamund. – Po pierwsze, o Johannesie.

– Johannesie? – spytała matka ze zdziwieniem w głosie. Jednocześnie nieco się rozluźniła, jakby spodziewała się trudniejszego tematu.

– Synu właścicieli pensjonatu Edelweiss. A raczej byłych właścicieli. – Müller nie potrafiła ukryć goryczy.

Wyraz twarzy Rosamund zmienił się, gdy wspominała tamte wydarzenia.

– To był dziwny chłopak. Nigdy nie zrozumiem, dlaczego jedenastolatek trzymał się z pięciolatką.

– Był miły. Byliśmy ekipą. Nigdy jednak nie mogłam pojąć, dlaczego rząd przejął Edelweiss – i wiele innych pensjonatów – na rzecz Państwowego Przedsiębiorstwa Turystycznego, a nasz mały pensjonat przetrwał.

– Dzięki twojemu ojcu. Wiele przeżył za Hitlera, w czasie wojny. To nie był dobry czas na bycie komunistą. Pozostał lojalny wobec partii i socjalizmu, mimo wszelkich trudności. – Rosamund Müller zamilkła, wpatrując się niewidzącym wzrokiem w jakiś punkt nad głową córki.

– I?

Matka lekko zadrżała, mimo że w pokoju było ciepło.

– Miał wielu przyjaciół. Ważnych przyjaciół w partii. Pomogli mu, pomogli. Ale rodzice Johannesa...

– Nie byli członkami partii?

– Nie mam pojęcia – żachnęła się Rosamund. – Może nie, nigdy nie widziałam ich na żadnym zebraniu. Co gorsza, byli spekulantami i oszustami, zatrzymywali dla siebie pieniądze, które należało oddawać państwu. Nigdy nie byliśmy bogatym krajem, Karin, a wtedy z pewnością nie. Wojna dopiero co się skończyła. Niektórzy mieszkańcy wioski dalej zachowywali się jak faszystowscy imperialiści. – Zabrała rękę i się wyprostowała. Porządna komunistka przekonująca samą siebie o słuszności swojego postępowania.

– Ale nie musieli przecież wysiedlać wszystkich?

Matka wydała z siebie zmęczone westchnienie.

– Czasami dla większego dobra trzeba podejmować trudne decyzje. Powinnaś o tym wiedzieć, w końcu pracujesz w Milicji Ludowej.

Zapadła cisza. Kobiety siedziały obok siebie, czuły się niezręcznie, krótki przebłysk intymności i wzajemnego ciepła już się ulotnił.

– Mimo wszystko to nie było sprawiedliwe – powiedziała Müller po namyśle. – To był mój najlepszy przyjaciel. Zabrali go. Nigdy mi w tym nie współczułaś, chociaż wiedziałaś, jak mnie to przybiło. Mówisz, że moja przyjaźń ze starszym chłopcem była dziwna. Może jednak zbliżyliśmy się do siebie nie bez powodu. – Popatrzyła matce w oczy. – Być może dlatego, że nigdy tak naprawdę tu nie pasowałam. – Pokazała mały pokój. – Być może dlatego, że nie czułam się tu kochana.

Matka już jej nie dotykała. Spojrzała na Karin ostro.

– Nieprzyjemnie tego słuchać. Poza tym to nieprawda. Zrobiliśmy dla ciebie, co mogliśmy. Wiesz o tym. Nie zawsze było łatwo. Jak mówiłam, byłaś trudnym dzieckiem.

Ręce Rosamund spoczywały teraz złączone na jej kolanach. Müller zajrzała jej w oczy – czaiło się w nich coś strasznego, wręcz groźnego. Od tej strony nie znała matki – silnej, upartej matriarchini. Rosamund spuściła wzrok. Zniżyła głos, prawie szeptała.

– Mówiłaś, że chcesz porozmawiać o dwóch kwestiach. Jaka jest ta druga?

Podczas podróży i wcześniej, w trakcie prześwietlenia w szpitalu, Karin wiedziała, czego chce. Miała zamiar skonfrontować się z matką. W sprawie poczucia, że traktowała ją inaczej niż siostrę i brata. W sprawie wizyty tamtej eleganckiej kobiety o pięknych rysach, której jakby sobowtóra widziała w szpitalu. Kobiety, która tak się w nią wpatrywała, w pięcioletnie dziecko, które otworzyło drzwi pensjonatu, by pomóc matce w przyjmowaniu gości. I na które ta matka nakrzyczała, gdy tamta zwróciła się do dziewczynki po imieniu. Karin pamiętała, jak matka wepchnęła ją do środka, a sama wymieniła z gościem kilka pełnych złości zdań na zewnątrz.

Trzeba było to zrobić. Westchnęła ciężko, odchrząknęła i ponownie wzięła matkę za rękę.

– Chciałam też porozmawiać o tym, co się wydarzyło wkrótce po wyjeździe Johannesa. O wizycie tamtej kobiety.

Rosamund ściągnęła usta, a jej oczy się zwęziły.

– Jakiej kobiety? Nie wiem, o czym mówisz.

Wyrwała rękę z uścisku Karin i zrobiła ruch, jakby chciała wstać. Córka położyła jej dłoń na ramieniu.

– Przez te wszystkie lata wielokrotnie chciałam o tym porozmawiać. – Zaskoczyły ją chłód i złość we własnym głosie. – O tym, jak wtedy zareagowałaś. Krzyczałaś na mnie i wepchnęłaś mnie do domu. Sary albo Rolanda nigdy byś tak nie potraktowała.

Zawsze czułam, że odnosisz się do mnie inaczej. Chcę wiedzieć dlaczego. Chcę zrozumieć.

Rosamund zrzuciła z ramienia rękę córki, wstała i skierowała się w stronę drzwi.

– Powiedziałam, że nie chcę o tym nigdy więcej rozmawiać, Karin. Mówię poważnie.

Müller okrążyła starszą kobietę i zablokowała drzwi własnym ciałem.

– Chcę wiedzieć. Muszę wiedzieć – podniosła głos. Złapała matkę za ramiona, obserwując grymas wypełzający jej na twarz. Trzymała ją tak mocno, że mogła wyczuć jej puls. – Mam prawo wiedzieć.

Rosamund nieco odsunęła głowę, zszokowana jadem i desperacją w głosie Karin. Ta poczuła, że surowość i przekonanie matki o własnej racji nagle ustąpiły.

Powoli zdejmowała palce córki ze swojego ciała, jeden po drugim. Potem znowu wzięła ją za rękę.

– Chciałam, żeby ten moment nigdy nie nadszedł. Cokolwiek myślisz o tym, jak źle, w twoim mniemaniu, cię traktowałam, zawsze starałam się okazać ci miłość, Karin. Naprawdę. – Odetchnęła tak głęboko, jakby chciała uwolnić z płuc każdy gram powietrza. – Być może jednak nadszedł czas, by pokazać ci coś, czego nigdy nie zamierzałam ci ujawnić. Chodź ze mną.

Sypialnia rodziców, tak samo jak jej pokój, niewiele się zmieniła przez te wszystkie lata. Po ojcowskiej stronie łóżka – chociaż on już tu nie sypiał – ściana była pokryta medalami i certyfikatami świadczącymi o jego przeszłości dobrego komunisty i lojalnego członka Komitetu Obywatelskiego.

Po śmierci męża, jakieś pięć lat temu, Rosamund Müller najwyraźniej nic nie zmieniła w tym pokoju. Nadal spała po swojej stronie małżeńskiego łóżka. Karin wiedziała, że papa musiał spać bliżej drzwi, zwłaszcza w ostatnich latach, gdy zżerał go rak prostaty. Uważnie obserwowała ruchy matki. Ta sięgnęła po kluczyk ukryty pod nocnym stolikiem i wysunęła górną szufladę, skąd wyciągnęła małą pordzewiałą puszkę. Rzuciła ją w stronę Müller z oczami pełnymi łez.

– Masz – powiedziała głosem drżącym od emocji. – Nie chciałam traktować cię inaczej niż brata lub siostrę. Starałam się tego nie robić. Jeśli mi się nie udało, to przepraszam. W tym pudełku znajdziesz przyczynę. Należy do ciebie, weź je.

Müller złapała przedmiot i obejrzała ślady rdzy, jakie zostawił na jej rękach.

– Nie otworzysz? Chyba o to ci chodziło? Żeby wiedzieć wszystko. – W głosie matki zabrzmiał gorzki wyrzut. Ten rodzaj złości, jakiej nigdy nie okazała Sarze.

Karin trzymała pudełko w jednej ręce, drugą podważając wieczko. Jej palce drżały – częściowo z wysiłku, częściowo ze strachu przed tym, co znajdzie w środku.

Nagle wieczko ustąpiło, wzbudzając deszcz rdzawego pyłu. Poczuła ostry zapach metalu, a na plecach i karku dreszcze na dźwięk, jaki pudełko wydało przy otwieraniu – podobny do zgrzytania kredy na szkolnej tablicy.

– Całe lata było zamknięte – przyznała matka. – Nie chciałam go otwierać. Trzymałam je dla ciebie. Na tę chwilę. Choć miałam nadzieję, że nigdy nie nadejdzie.

Müller milczała, wpatrując się w zawartość puszki. Niewiele tego było. Zdjęcie w sepii z pozaginanymi rogami i złożony pożółkły papier. Najpierw przyjrzała się fotografii. Młoda dziewczyna – bardzo młoda, kilkunastoletnia – w brudnym, za dużym kombinezonie. Trzymała na ręku niemowlę zawinięte w szal. Skupione na dziecku oczy wyrażały miłość.

– Kto to jest? – spytała Karin, ledwie powstrzymując emocje. Serce jednak już udzieliło odpowiedzi.

– Twoja biologiczna matka – pociągnęła nosem Rosamund. – Mam tylko to zdjęcie.

26

LIPIEC 1975

HALLE-NEUSTADT

Dramatyczna prawda poznana w Oberhofie wisiała nad Müller przez resztę wolnego czasu. Zaraz po usłyszeniu od matki słów prawdy wybiegła w pośpiechu z pensjonatu, niezdolna do nawiązania jakiegokolwiek kontaktu z dwiema kobietami, które przez całe życie uważała za najbliższe krewne.

W drodze powrotnej myśli przebiegały jej przez głowę jak szalone. Kim była jej prawdziwa matka i gdzie mieszkała? Czy to była tamta kobieta, która ich odwiedziła i chciała z nią porozmawiać? Rosamund zdradziła sekret, ale nie miała chęci albo możliwości wyjaśnić Müller tej kwestii. Kim był jej prawdziwy ojciec i gdzie mieszkał? Dokąd zabrano Johannesa i jego rodzinę? Czy jeszcze żyli?

Poczuła, że ją wykorzystano. Czuła się brudna. Zdradzona. I zagubiona. Prawie wszystko, co uważała za część własnej tożsamości – co czuła, że było nią – zostało podważone. Emocje ściskały ją za gardło. Wystarczyłby jeden niewłaściwy komentarz, a wybuchnęłaby płaczem, a może nawet załamałaby się nerwowo.

Mimo wszystko, gdy skręcała wartburgiem w kolejną bezimienną ulicę Ha-Neu, wjeżdżając w Kompleks Mieszkaniowy VI, czuła, że wypełnia ją także nowa energia. Została oddzielona od biologicznej matki zaraz po urodzeniu i od tamtej pory jej nie widziała. Teraz bardziej niż kiedykolwiek porucznik Karin Müller była zdeterminowana, by wykonać powierzone jej zadanie: rozwiązać sprawę zaginionej Maddaleny Salzmann i jej biednego brata Karstena – przywrócić Maddalenę rodzicom, żywą czy martwą. Musieli poznać los swojego dziecka. Niewiedza była tak bardzo niesprawiedliwa, tak destrukcyjna.

Na tym nie koniec. Zrobi wszystko, by odnaleźć własną matkę, niezależnie od konsekwencji. Zrobiłaby to samo z biologicznym ojcem. Może powinna bardziej przycisnąć Rosamund. Ale kobieta wydawała się zbyt zmartwiona i zła. Karin czuła to samo, gdy czym prędzej opuszczała miejsce, które uważała za dom rodzinny.

Po wejściu do służbowego mieszkania od razu wyczuła, że coś się zmieniło. Coś jej nie pasowało. Jakoś opustoszało. Poczuła to, gdy przeszła obok łazienki. Stało tam mniej kosmetyków niż wcześniej. Ktoś wyjechał. Sprawdziła pokoje Schmidta i Vogla. W tym pierwszym łóżko było jak zwykle niepościelone, a na nocnym stoliku leżały papierki po słodyczach. Za to z łóżka Vogla zniknęła pościel, a z podłogi – walizka. Tego się obawiała. Wykluczono morderstwo, więc góra zdecydowała o zmniejszeniu personelu prowadzącego śledztwo. Müller zastanawiała się, czy to sprawka oficera kontaktowego Stasi Janowitza, którego głównym zajęciem wydawało się utrudnianie śledztwa i dążenie do zamknięcia sprawy. Jeśli rzeczywiście to on maczał w tym palce, dopiął swego. Podporucznik Martin Vogel – delikatny, przypominający studenta detektyw z gór Harzu – został przeniesiony. To znaczyło, że w zespole ostał się tylko jeden prawdziwy detektyw kryminalny, czyli Karin. A to mogło nie wystarczyć.

W komendzie jej obawy się potwierdziły. Eschler wręczył jej list od Vogla. Ze złością otworzyła kopertę i zaczęła czytać.

Droga Karin / Towarzyszko Porucznik Müller,
najmocniej przepraszam za porzucenie Cię w taki sposób, bez osobistej rozmowy. Bardzo żałuję, że muszę opuścić zespół, nim dochodzenie zostało zakończone, i mam nadzieję, że mimo tego Ty, Schmidt, Eschler i reszta zakończycie je sukcesem, a mała Maddalena zostanie odnaleziona cała i zdrowa. To jedno z bardziej męczących śledztw, w jakich brałem udział, ale praca z Tobą była przyjemnością.

Jednak zaoferowano mi dawne stanowisko kapitana Baumanna w Wernigerode. Milicjant, który go zastąpił, nie sprawdził się. Jest to dla mnie duży krok naprzód, pewnie to zrozumiesz. Nie mogłem odmówić. Nie to, że chciałem – albo że w ogóle by mi na to pozwolono.

W każdym razie jeszcze raz najmocniej przepraszam. Dziękuję za przygarnięcie mnie do zespołu. Liczę, że kiedyś nasze ścieżki ponownie się przetną.

Myślę o Tobie ciepło.

Martin (podporucznik Vogel)

Müller wcisnęła list do kieszeni i spojrzała na Eschlera, z nadzieją, że nie widać po niej, jak bardzo czuje się przegrana.

– Co teraz?

– Jestem pewien, że damy radę – uśmiechnął się Eschler beztrosko. – Wydzieliliśmy pomieszczenie tylko na badanie pisma. Na dole, w nieużywanej części komendy straży pożarnej. Stasi przysłała nam ludzi, by sprawdzić wszystkie próbki, i jest tam jeszcze ktoś, kto chce się z tobą zobaczyć.

– Kto? – Zniżyła głos. – Mam nadzieję, że tym razem nie Janowitz. Albo gorzej, Wiedemann. Nie jestem w nastroju, szczególnie na spotkanie z którymś z nich.

– Nie – zaśmiał się Eschler. – Bez obaw. Jestem pewien, że się ucieszysz.

Na początku go nie poznała. Siedział przy długim stole odwrócony tyłem. Naprzeciwko niego trzech innych funkcjonariuszy – pewnie ludzie ze Stasi, o których wspomniał Eschler. Pochylali się nad czymś, co wyglądało jak stosy gazet.

Gdy jeden z nich spojrzał na nią pytająco, tamten się odwrócił. Być może od razu wyczuł, że jest bardzo wzruszona, może nadal miała łzy w oczach. Szybko, choć niepewnie wstał i ją objął, a ona wyczuła grymas bólu na jego twarzy.

Łzy napłynęły jej do oczu i ukryła twarz w jego ramieniu. Poprowadził ją za kolumnę, z dala od towarzyszy ze Stasi.

– Co się dzieje? – spytał, ocierając jej łzy. Nadal mówił z trudem, ale już znacznie wyraźniej, niż kiedy widzieli się ostatni raz. – Nie cieszysz się, że mnie tu widzisz?

Müller złapała go za zdrową rękę i spojrzała uważnie w jego jasnoniebieskie oczy. W lasach Harzu myślała, że umarł. Ostatnio widziała go, jak czytał powieść erotyczną przywiązany rurkami do szpitalnej aparatury i nie wyglądał na kogoś, kto szybko wróci do pracy. Ale wrócił. Do niej. Jej zastępca we własnej osobie. Tylko nie był już tak mocny w gębie jak wcześniej.

– Och, Werner. Jestem zachwycona, że cię widzę. Tylko mam za sobą jedne z najgorszych dni w moim życiu. Tak straszne, że już sama nie wiem, kim jestem. Nie mogę uwierzyć, że przyjechałeś. Reiniger powiedział, że nie odzyskasz pełni sił wcześniej niż za parę miesięcy, może za rok, może...

– Może nigdy. Tak właśnie myślał. Nie dawało mu to spokoju. Ale właściwie nie jestem tutaj twoim zastępcą. Nie wolno mi iść z tobą na lunatyczne misje bez wsparcia, jak ostatnio. Dostałem wyraźne rozkazy. Mam tu zostać jako szef tych gości ze Stasi. – Rozejrzał się po ogromnym pustym pomieszczeniu, w którym się znajdowali. – Nie ma tu okien. Zwariować można. Ale i tak wariowałem w szpitalu. Chociaż pielęgniarki bardzo się starały. – Mrugnął do niej.

Müller wzniosła załzawione oczy do nieba.

– Ten sam Werner Tilsner co zawsze. Ale dobrze, że wróciłeś. Wyjaśnij mi lepiej, co się dzieje. – Jej wzrok padł na drogi zegarek na jego ręku, tak jak wiele razy podczas dochodzenia w sprawie zabitej dziewczyny z domu poprawczego. Była wówczas przekonana, że kupił go lub dostał dzięki swojej dodatkowej pracy dla innych służb Republiki Demokratycznej. Musiał być jakiś powód, dla którego porucznik Milicji Ludowej Werner Tilsner, nawet nie do końca sprawny, przejął dowodzenie nad ludźmi ze Stasi. Po prostu był jednym z nich, częścią Firmy – choć sam nigdy by się do tego nie przyznał. Pracował jako „miecz i tarcza" chroniące partię. Był funkcjonariuszem Stasi tak jak członkowie zespołu, którym dowodził, mimo oficjalnej rangi w strukturach milicji.

Nawet jeśli Tilsner wyczuł, o czym myślała, wcale go to nie martwiło. Jego oczy błyszczały jak zawsze.

– Posuwamy się w sprawie badania próbek pisma. Wpadłem na pomysł, który nie powinien wyjść poza ramy narzucone przez Stasi, ale dostarczy nam więcej próbek. Nigdy nie wiadomo, być może znajdziemy to, czego szukamy.

27

Zadanie opanowania grupy małych pionierów sprawiło, że Müller poczuła się bardziej jak nauczycielka – znów przypomniał jej się Gottfried – niż milicyjny detektyw. Dziecięcy śmiech i przekomarzanki poprawiły jej nastrój. Dla dzieci to była zabawa. Tilsner wpadł na pomysł, by pozbierać stare gazety – oficjalnie na makulaturę – z różnych bloków w mieście. Przy okazji Młodzi Pionierzy w niebieskich chustach i Pionierzy Thälmanna w czerwonych zarobią na tym parę fenigów, które miały zostać wypłacone przez milicję. Dzieci nie wiedziały, z kim mają do czynienia – Müller i Tilsner pojawili się po cywilnemu. Pionierzy mogli pomyśleć, że detektywi są jakimiś ważnymi osobami, i tyle.

– Spokój – starała się przekrzyczeć hałas panujący w Restauracji Bałtyckiej, gdzie zebrano dzieci. Pionierzy jednak w zasadzie ją zignorowali.

– Zamknąć się! – wrzasnął Tilsner. Poczerwieniał ze złości. Z trudem wstawał z krzesła, na którym odpoczywał. Jeszcze nie odzyskał pełnej sprawności.

Poskutkowało, w restauracji zapadła cisza. Tilsner mrugnął na Müller.

– Najwidoczniej nie masz takiej ręki do dzieci jak ja – wyszeptał jej do ucha.

Detektywi podzielili dzieci na osiem zespołów, każdy z nich miał działać na jednym z osiedli. Wcześniej uzgodnili, że jedna z grup w całości będzie się składała z bardziej uległych Młodych Pionierów. Müller chciała, by to oni zajęli się Kompleksem Mieszkaniowym VIII, czyli obszarem sąsiadującym z siedzibą Stasi i zamieszkanym w dużej mierze przez jej funkcjonariuszy. Miała nadzieję, że Tilsner jeszcze nie przyswoił sobie tej dziwnej topografii miasta i nie zauważy, co chciała osiągnąć. W ten sposób zamierzała obejść listę zastrzeżonych mieszkań wręczoną jej przez Malkusa. Chodziło o rodziny pracowników Ministerstwa Bezpieczeństwa Państwowego wykluczone z kampanii żywieniowej niemowląt. Müller uznała, że bardziej uświadomionych politycznie Pionierów Thälmanna – starsze dzieci, które następnie miały wstąpić do Wolnej Młodzieży Niemieckiej – lepiej trzymać z dala od tamtego osiedla. Mogłyby nabrać podejrzeń i zechcieć omówić je z rodzicami. A ci w jakiś sposób także mogli być powiązani ze Stasi.

Gdy wybrano po dwadzieścioro dzieci do każdego zespołu, Müller i Tilsner wyznaczyli ich przywódców i przy prostokątnym melaminowym stole wprowadzili w szczegóły akcji.

Müller rozłożyła plan Halle i Halle-Neustadt i umieściła plakietki z nazwą każdego zespołu na tej części miasta, którą mu przypisali. Chciała nadać im nazwy kwiatów, ale Tilsner się sprzeciwił. Wolał zwierzęta. Niestety, ci, którzy zostali przypisani do Kompleksu Mieszkaniowego VIII, okazali się Osłami. Usłyszawszy to, dzieci z Tygrysów, Lwów i Królików zaczęły wydawać ośle ryki i przezywać kolegów z niefortunnego zespołu.

Tilsner wyglądał na naprawdę rozdrażnionego.

– Cisza, ma być cisza. To poważny, istotny projekt. Jeśli dalej będziecie się tak zachowywać, poinformujemy waszych rodziców.

Hałas ucichł i Müller mogła wreszcie wytłumaczyć, na czym polega ich zadanie.

Nie była to, ściśle rzecz biorąc, detektywistyczna robota, zwłaszcza dla kogoś w jej randze, ale Müller chciała brać udział w zbieraniu gazet. Znalazła dobrą wymówkę, by złożyć wizytę w Kompleksie Mieszkaniowym VIII.

Przywódcą jej zespołu był jasnowłosy chłopiec o imieniu Andreas. Zebrał kolegów wokół taczki, na której mieli kłaść gazety. Gdy małe Osły skupiły na nim swoją uwagę, Andreas wyrecytował hasło Młodych Pionierów: „Bądź czujny dla pokoju i socjalizmu, zawsze czujny". Pierwszą część raczej zignorowali, ale wszyscy dodali „zawsze czujny". Müller poczuła pewną dumę: duch wspólnoty miał się dobrze w Republice Demokratycznej. Nawet jeśli prawdziwym motywem, dla którego tu przyszli, były pieniądze.

Do bloku 321, najbliższego w obrębie Kompleksu VIII, szli krótko. Znajdowali się na południowym skraju osiedla, blisko Magistrali i granic miasta, tuż obok miejsca, w którym poprowadzona wiaduktem ulica łączyła nowe osiedla z Halle po drugiej stronie Soławy. Pionierzy szli gęsiego, wszyscy ubrani na biało-niebiesko, za Andreasem i taczką. Ich chusty powiewały na delikatnym letnim wietrze.

Pukali do drzwi kolejnych mieszkań i pytali mieszkańców, czy widzieli ogłoszenia o zbiórce makulatury. Zabierali stosy gazet z uśmiechem na twarzy, szczerze dziękując. Müller z dumą obserwowała, jak Andreas i jego koledzy spełniają swój obowiązek, nieświadomi, że biorą udział w tajnej operacji milicyjnej mającej na celu znalezienie jednej litery w krzyżówce. „E" z pociągniętymi ku górze poziomymi kreskami, które nie stykają się z kreską pionową. „E", które mogło zostać napisane przez porywacza bliźniąt. Przy okazji Müller cały czas wypatrywała, czy w którejś rodzinie jest niemowlę, zwłaszcza malutkie, przedwcześnie urodzone.

28

Gdy zebrali pokaźną kolekcję gazet, Müller zostawiła Andreasa i resztę dzieci ich sprawom i wróciła do komendy. Dochodzenie nadal nie posuwało się do przodu, ale przynajmniej nie zostało odłożone do akt. Stasi mogła zabronić Müller i jej ludziom przeszukiwania wszystkich mieszkań, ale milicjantka starała się w miarę możliwości obejść ten zakaz. Kampania żywieniowa, zbiórka makulatury, zaplanowane spotkanie z grafologiem profesorem Morgensternem... We wszystkich tych działaniach tkwiła nadzieja na przełom w śledztwie. Ale z każdą minutą, godziną, z każdym dniem i tygodniem, w którym Maddalena pozostawała poza rodzinnym domem, nikły szanse jej odnalezienia. Jeśli w ogóle jeszcze żyła.

Ostatecznie profesor Morgenstern przyjechał z zaledwie kilkudniowym opóźnieniem. W drodze na spotkanie z nim Müller przyznała w myślach, że dzięki temu poślizgowi odwiedziła rodzinę w Oberhofie. Chociaż teraz prawie żałowała, że do tego doszło. Przynajmniej jednak poruszyła długo przemilczany temat dotyczący jej prawdziwych rodziców.

Morgenstern był inny, niż go sobie wyobrażała. Ogromny i niedźwiedziowaty, o poskręcanych włosach, wrednym uśmieszku i wielkich dłoniach, którymi prawie zmiażdżył palce Müller przy powitaniu. Gdy tylko puścił jej rękę, schowała ją za plecami, starając się opanować ból.

– Jestem zachwycony, że mnie tu sprowadziliście – zagrzmiał głos z jego okolonych niechlujną brodą ust. – Wybaczcie, że nie przyjechałem w zeszłym tygodniu, jak planowałem. – Rozejrzał się po pokoju, w którym zgromadzili się Müller, Tilsner i Schmidt, wszyscy, łącznie z nim, spoza Halle. – Rozumiem, że macie próbkę pisma, która pomoże wam rozgryźć sprawę.

– Zgadza się – skinęła głową Müller. – Towarzysz technik kryminalny Jonas Schmidt wprowadzi was w szczegóły.

Schmidt pochylił się i wyciągnął z teczki kilka kopert, a z nich różne zdjęcia.

– Te są, moim zdaniem, najciekawsze. – Wybrał czarno-białą fotografię krzyżówki z gazety znalezionej przy ciałku małego Karstena. – Popatrzcie tutaj. – Wskazał literę E w słowie SEPLENIENIE.

Morgenstern przytaknął i przyjrzał się literom. Wyglądał jak grizzly wypatrujący łososia w strumieniu. Przechylał głowę w lewo i w prawo, gotowy uderzyć. Müller widziała wiele programów przyrodniczych w zachodniej telewizji, więc to skojarzenie nasunęło się jej automatycznie. Schmidt wskazał wyróżniający się sposób pisania litery E, w którym nie dociągnięto kresek.

– Hmm, tak, tak. Rzeczywiście to widzę. Ciekawe i, jak słusznie twierdzicie, nietypowe.

– Czy na tyle nietypowe, że da się wyśledzić tę osobę? – spytała Müller.

Morgenstern odchylił się w fotelu, oparł ręce na podłokietnikach i zaczął kręcić palcami. Zmarszczył brwi.

– To zależy. Najlepiej byłoby, gdybyśmy mieli dłuższą próbkę pisma. Połączenie dużych i małych liter jeszcze bardziej by nam pomogło. Ale... to już coś. Lepsze niż nic. – Ponownie pochylił się nad zdjęciem. – Macie tylko to zdjęcie czy jest też oryginał?

– Mamy też oryginał – wyjaśnił Schmidt.

– Mogę go zobaczyć? – westchnął Morgenstern. – Macie go tutaj?

– Tak, tak, oczywiście. Przepraszam – zagrzmiał technik i się zarumienił. Sięgnął ponownie do teczki i wyciągnął poplamioną pożółkłą gazetę w plastikowej torbie. Morgenstern już po nią sięgał, ale Müller go powstrzymała.

– Chwileczkę. Towarzysz Schmidt nałoży ochronne rękawiczki i ją wam otworzy.

Tym razem to Morgenstern poczerwieniał.

– Oczywiście, towarzyszko porucznik. Proszę wybaczyć.

Schmidt założył rękawiczki i otworzył gazetę na stronie z krzyżówką.

Morgenstern zerknął na nią, ręce na wszelki wypadek trzymał pod udami na krześle.

– To bardzo ciekawe. Chciałem tylko sprawdzić nacisk długopisu. Tego nie widać na zdjęciu. Wygląda na napisane mocno, gniewnie. Chociaż często trudno jest sprecyzować emocje tylko na podstawie próbki pisma. Napisał to podejrzany?

Tilsner parsknął. Müller wbiła w niego spojrzenie. Wracał do siebie po pobycie w szpitalu, to dobrze. Ale nie chciała, by „okropny, cyniczny Tilsner" popisywał się przed ważnym ekspertem ze stolicy.

– Tego nie wiemy – przyznała. – Krzyżówkę mógł rozwiązać ktoś inny. Porywacz mógł wziąć cudzą gazetę, by zatrzeć ślady. Ale to już coś. Istnieje prawdopodobieństwo, że ten, kto to napisał – wykonała w powietrzu gest pisania – jest w jakiś sposób powiązany z tym, kogo szukamy.

Morgenstern przytaknął.

– To trudne zadanie, gdy mamy tylko duże litery, ale nietypowe „E" na pewno pomoże. Ile próbek dotychczas zebraliście?

– Wolontariusze zbierają stare gazety – wyjaśnił Tilsner.

– Powiedzieliście im po co?

Müller potrząsnęła głową.

– Nie. Śledztwo musi być prowadzone w tajemnicy. Ministerstwo Bezpieczeństwa Państwowego... – Zawiesiła głos.

– Rozumiem. Szczerze mówiąc, to dobrze, że śledztwo jest tajne. Jeśli ten, kto wyrzucił ciało, zorientuje się, co się dzieje, może namieszać w dochodzeniu. Na przykład podsuwając fałszywe próbki. Spróbuję zbadać te litery, sposób, w jaki je pisano. Każdy robi to inaczej. Chociaż ten tutaj – znowu rzucił okiem na krzyżówkę – jest dość staroświecki. Sądzę, że może należeć do starszej osoby, może nawet emeryta.

– Emeryta? – zdziwił się Tilsner. – To naprawdę największa grupa wśród porywaczy dzieci.

Wielki ekspert wzruszył ramionami.

– Nie mogę być na sto procent pewny, oczywiście. Może tę osobę pisać uczył ktoś starszy. Na przykład dziadek. Może z jakichś powodów nie chodziła do szkoły.

– W Republice Demokratycznej nie ma takich, co nie chodzą do szkoły – zauważyła Müller.

– Tak jakby. Ale wasza Republika Demokratyczna ma jakieś dwadzieścia pięć lat, prawda? Nie jest zbyt wiekowa. A wiecie, co było wcześniej. Gdy pod koniec wojny źle się działo, dzieci nie chodziły do szkoły. A jeśli ich rodzice zginęli...

– Dziadkowie mogli wziąć je na wychowanie? – spytał Schmidt.

– Otóż to. – Morgenstern ponownie rozsiadł się w fotelu, drewno zaskrzypiało pod jego ciężarem. – Ale to tylko domysły. Chociaż to tutaj – wbił palec w zdjęcie krzyżówki – będzie bardzo użyteczne. Postaram się nakreślić cechy charakterystyczne stylu. Jakiego systemu pisania ta osoba uczyła się jako dziecko. Potem postaram się zidentyfikować cechy charakterystyczne tej osoby – jak dane litery różnią się od powszechnie nauczanego systemu. Chociaż wygląda na to, że duże „E" jest czymś, od czego możemy wyjść, to inna litera może podsunąć nam rozwiązanie... Jeśli dotrzemy do tego etapu. To oczywiście będzie ciężka praca. Zwłaszcza że, jak mówicie, Ministerstwo Bezpieczeństwa Państwowego ogranicza rozmach śledztwa.

Müller westchnęła znacząco.

– Wiemy, że nie będzie to łatwe.

– Zbieranie starych gazet i takie tam to dobry pomysł. Ale trzeba zrobić coś jeszcze. Biura i szpitale, tego rodzaju miejsca. Tam wszędzie są jakieś próbki. Wy sami tu w milicji je macie – skargi, zeznania i tym podobne. Najlepiej byłoby dysponować taką próbką od każdego w Halle-Neustadt. Ale i tak istnieje możliwość, że porywacz przyjechał z zewnątrz.

– I co wtedy mamy zrobić?

Morgenstern zaśmiał się tubalnie.

– Wiem, że w Republice Demokratycznej tego się nie pochwala, towarzyszko porucznik, ale wtedy pozostaje wam tylko modlitwa. Żarliwa modlitwa.

29

Po spotkaniu z profesorem Morgensternem kolejne miało charakter wyłącznie towarzyski. Müller umówiła się na wieczór z lekarzem z berlińskiego szpitala Charité, Emilem Wollenburgiem. Już trzeci raz próbowali się zobaczyć. Müller musiała odwołać dwa wcześniejsze spotkania z powodu prowadzonego dochodzenia – najpierw mieli wypić drinka przed jej wyjazdem do Oberhofu, potem umówili się na obiad. Jeśli ona znowu zrobi unik, straci u niego szansę. Mimo wszystko nadal czuła, że to za wcześnie. Nie była nawet pewna, czy chce spróbować raz jeszcze i brać pod uwagę nowy związek.

Emil Wollenburg zaproponował, by zamiast do restauracji albo baru pojechali nad jezioro – Heidesee – dlatego Müller wstąpiła do służbowego mieszkania po strój kąpielowy. Stamtąd było już blisko na plażę na przedmieściach Halle Nietleben.

Miała mieszane uczucia. Emil wstąpił po pracy do domu towarowego, by kupić coś na piknik, a ona chętnie by coś zjadła. Nie wygospodarowała czasu na obiad, od śniadania funkcjonowała tylko na kilku biszkoptach do kawy. Myśl o wieczornym pływaniu – jeśli nadal byłoby wystarczająco ciepło – także zdecydowanie kusiła. Za to nie była pewna, czy wystarczająco kusi ją Emil Wollenburg. Wydawało jej się to aż zbyt dogodne, zbyt przypadkowe, że okresowo przeniesiono go do głównego szpitala w Halle akurat w tym czasie, gdy ona prowadziła dochodzenie w Halle-Neustadt. Podejrzliwie odnosiła się, po pierwsze, do jego nadmiernego zainteresowania. Po drugie, podejrzewała go o to samo, o co zawsze podejrzewała Tilsnera. Czyżby była obserwowana? Przez Stasi? Czy Emil Wollenburg, tak jak prawdopodobnie Tilsner, należał do Stasi – jako oficjalny pracownik albo tajny współpracownik?

Zobaczyła go, zanim on dostrzegł ją. Opierał się o samochód. Miał na sobie rozpiętą pod szyją koszulę, a jego mięśnie przebijały przez materiał. Ten lekarz coś w niej poruszał, dlatego wiedziała, że musi być jeszcze bardziej ostrożna. Uśmiechnął się ciepło i zachęcająco. Nie wiedziała, czy podejść i go pocałować, przynajmniej w policzek. W końcu oboje zdecydowali się na uściśnięcie ręki – na szczęście on nie chwycił jej tak mocno, jak zrobił to wcześniej profesor.

– Zastanawiałem się, czy w ogóle przyjdziesz – zaśmiał się.

Müller poczuła, że oblewa się rumieńcem jak nastolatka, chociaż spóźniła się zaledwie kilka minut i była za to na siebie zła.

– Przepraszam. Dużo pracy. No i chciałam wstąpić po strój kąpielowy... na wszelki wypadek.

– Teraz ja muszę przeprosić ciebie. Zaplanowałem tylko piknik – odparł, pokazując kosz. – Nie wziąłem kąpielówek, więc nie dołączę.

Müller uśmiechnęła się i rozłożyła pytająco ręce. Nie miałaby nic przeciwko temu, żeby zastosował *Freikörperkultur* – i wystąpił bez nich.

– Za to moglibyśmy wypożyczyć łódkę. Wypożyczalnia jest nadal czynna.

Ostatnim razem Müller płynęła łodzią z mężczyzną na Weisser See, na północnych przedmieściach Berlina. W środku zimy. Towarzyszył jej podpułkownik Stasi Klaus Jäger. Tamto doświadczenie było prawie surrealistyczne, podobnie jak większość ich spotkań. Czuła, że podobna eskapada – tym razem tylko dla przyjemności i w dodatku w słoneczny letni wieczór – dobrze jej zrobi.

Może pod wpływem wypitego wina albo usypiającego letniego upału Müller pozwoliła, by to Emil Wollenburg mówił więcej. Mniej skupiała się na treści, więcej zaś na jego dość atrakcyjnej twarzy o wydatnej szczęce.

Jego przeprowadzka do Halle wydawała się zupełnym i szczęśliwym przypadkiem. No i mimo wszystko ich spotkanie na korytarzu Charité też nie zostało ustawione. Przynajmniej on tak twierdził i Müller postanowiła mu uwierzyć. Gdy Emil pochylił się, by ją pocałować, zawahała się przez chwilę. Czy w ogóle potrzebowała mężczyzny? Czy to jeszcze bardziej nie skomplikuje i tak trudnego śledztwa w tym dziwnym mieście złożonym z identycznych mieszkań? Zarazem jednak nie chciała przekroczyć trzydziestki w samotności i zgorzknieniu. Gottfried należał już do przeszłości. Życzyła mu dobrze, miała nadzieję, że był szczęśliwy na Zachodzie. Ona też zasługiwała na odrobinę szczęścia. Emil Wollenburg wydawał się mężczyzną, który mógłby jej to zapewnić.

Emilowi przydzielono mieszkanie w samym centrum Starego Miasta w Halle, z widokiem na pomnik Händla i rynek. Tutaj nie dotarły świeżo postawione betonowe wieżowce, tak charakterystyczne dla Republiki Demokratycznej. Mimo że Müller uznawała je za znak postępu, przyznając, że wielu obywatelom dają szansę na nowe życie, w tych starych niemieckich budynkach było coś pociągającego.

Stała przy oknie, podziwiając widok, gdy poczuła, że Emil podchodzi do niej, a jego ciepły oddech owiewa jej szyję. Pachniał winem dominującym nad dobrze przyprawionym posiłkiem, który spożyli. Wypili butelkę szampana, potem otworzyli następną, i Karin lekko się wstawiła. Objął ją muskularnymi ramionami, a ona oparła się o jego ciało i poczuła jego pożądanie.

Chociaż to była ich pierwsza randka, pójście do łóżka wydawało się jej naturalną konsekwencją. Nie przypominało to tamtego numerku z Tilsnerem sprzed kilku miesięcy, którego tak szybko pożałowała. Wiedziała już, że tej nocy żałować nie będzie. Początkowo tylko się całowali. Całowali się i rozmawiali. Głównie o bzdurach, chociaż on słuchał uważnie jej opowieści o wizycie w Oberhofie, wyobcowaniu, które zawsze odczuwała na łonie rodziny, oraz prawdzie odkrytej podczas ostatniej podróży do Lasu Turyńskiego.

– To pewnie trudne – wyszeptał, obejmując ją pod kołdrą.

– Co jest trudne? – Nie zrozumiała, lekko zamroczona alkoholem.

– Osierocenie. Stałaś się sierotą. Twój ojciec nie żyje, a teraz odkryłaś, że właściwie nie miałaś ojca. I urzeczywistniły się wszystkie twoje lęki – że nie należysz do rodziny, że jest w tobie coś, co cię od nich odróżnia.

Müller milczała przez chwilę. Myślała o młodej kobiecie ze zdjęcia i o zawiniętym w szal niemowlęciu. Czy matka jeszcze żyje? Jeśli tak, to gdzie? Co z ojcem? Wiedziała, że ze względu na przybliżony czas jej poczęcia – sam koniec wojny – mógł nim być ktoś z wyzwalającej Niemcy armii, może nawet nie był Niemcem.

– O czym myślisz? – spytał Emil, gładząc ją po twarzy.

Wzięła go za rękę i pocałowała w policzek.

Gdy nadszedł czas, zatrzymał się na moment i zapytał, czy ma założyć prezerwatywę.

Potrząsnęła głową. Nie chciała wyjaśniać, dlaczego nie musi się zabezpieczać. To pytanie ścisnęło jej serce i przyniosło wspomnienie Pawlitzkiego, wspomnienie o usuniętej bliźniaczej ciąży, wspomnienie niepotrzebnych prezerwatyw Gottfrieda ukrytych na szafie. Niepotrzebnych, bo każdy ginekolog mówił jej to samo. Po tym, co się wydarzyło w szkole milicyjnej, nie może zajść w ciążę. Więc nie wiedziała, jak to jest używać prezerwatywy i już nigdy się nie dowie. Tak naprawdę mało ją to obchodziło.

Poczuła, że jest gotowa. Gotowa na to, by Emil Wollenburg w nią wszedł. Gotowa na miłość.

30

DWA MIESIĄCE PÓŹNIEJ

WRZESIEŃ 1975

Było jak w starych, dobrych czasach. Müller i Tilsner trafili na nowy ślad. Ruszyli tam, gdzie milicjantka miała swój dom. Po wyjawieniu jej prawdy przez Rosamund czuła się jeszcze mocniej związana z tym miejscem. Tilsner prowadził nieoznakowanego milicyjnego wartburga autostradą do Berlina, a za oknem padał deszcz. Prawie nic nie było widać przez fontanny wody tryskające spod kół ciężarówek wiozących towary do i ze stolicy.

Było jak w starych, dobrych czasach, ale dla Müller wiele się zmieniło. Śledztwo w Halle-Neustadt straciło tempo, dlatego ta informacja, która prowadziła ich na północ, wzbudziła takie nadzieje. Początkowy impuls związany z odkryciem Schmidta i zaangażowanie profesora Morgensterna nie miały już większego znaczenia, zespół pracował tylko siłą rozpędu. Nadal nie odnaleziono Maddaleny ani jej porywacza. Jedyna nadzieja na przełom spoczywała w rękach ludzi, którymi dowodził Tilsner. Jego zespół sprawdzał próbki pisma zebrane przez pionierów i innych wolontariuszy. Tych kilku osób, które wytypowali dzięki sposobowi pisania litery E, w żaden sposób nie dało się uznać za podejrzane. Albo miały mocne alibi, albo były emerytami bez związków z niemowlętami czy bez żadnych motywów, by wykradać cudze dzieci.

Müller spojrzała na Tilsnera. Zorientował się, że na niego patrzy, odwrócił się i uśmiechnął. Potem znowu skierował wzrok na jezdnię. Wiedziała od czasu ich wspólnej nocy w górach Harzu, że nie mają przed sobą przyszłości. Nawet jeśli on postanowiłby zaryzykować swoje małżeństwo, odrzucić to, co czuł do żony i dzieci, nie zamierzała mu w tym pomóc. Poza tym była teraz w nowym związku. Napełniał ją ciepłem i dawał oparcie. Nawet teraz, wyobrażając sobie Emila – jego wyrazistą szczękę, podobną do szczęki Tilsnera, choć o jakieś dziesięć lat młodszą – czuła rodzaj prądu, który przebiegał jej ciało. To było coś nowego. Chociaż śledztwo utknęło w martwym punkcie, sprawiło, że ona i Emil spotkali się dzięki szczęśliwemu zbiegowi okoliczności, który zesłał ich oboje w tym samym czasie w okolice Halle.

– O czym myślisz? – spytał Tilsner.

– O niczym – skłamała. – Zastanawiam się, dlaczego byli tak zadowoleni i pozwolili nam obojgu pojechać do Berlina na zwiady. Gdy Reiniger wysłał cię do Ha-Neu, ponoć miałeś działać tylko zza biurka, sprawdzając próbki pisma, czyż nie?

– Tak naprawdę nie musieli zlecać tej roboty detektywowi. W każdym razie czuję się dziwnie, pracując ze Stasi. – Wykrzywił twarz w uśmiechu i podciągnął nieco rękaw kurtki, nie odrywając drugiej ręki od kierownicy. Nawet w otaczającym ich mroku drogi zegarek ciągle błyszczał.

– Nie musisz mnie przekonywać, Werner. Uwielbiam z tobą pracować, niezależnie od tego, kto cię wysyła. – Próbowała dostrzec jego reakcję, ale on tylko przelotnie się uśmiechnął i skupił na prowadzeniu.

Müller starała się przekonać Reinigera i milicję w Halle, by pozwolili jechać także Schmidtowi. Coś trapiło technika kryminalnego i myślała, że ta wycieczka nieco go rozerwie. Gdy spytała wprost, o co chodzi, stwierdził, że to tylko mały problem rodzinny: że chłopcy w tym wieku muszą przez to przejść. To przypomniało Müller o problemach, jakie mają dzisiejsze rodziny.

Kolejne bolesne wspomnienie. Nawet jeśli zostanie z Emilem, nie urodzi mu dzieci.

– *Scheisse!* – Tilsner starał się przekrzyczeć warkot silnika i wytrzeć chusteczką zaparowane okno. – Myślałem, że we wrześniu ciągle trwa lato. Przypomina mi to dzień naszego wyjazdu do Harzu.

Müller wyciągnęła szmatkę ze schowka na rękawiczki i pomogła wyczyścić zaparowaną z powodu zimna i deszczu szybę.

Powrót do Berlina zawdzięczali robotnikom pracującym w otoczeniu nowego Pałacu Republiki – świeżo wybudowanej siedziby rządu, którą planowano otworzyć w ciągu kilku miesięcy. Znaleziono tam bilet autobusowy z Halle-Neustadt z 1967 roku. Nic nadzwyczajnego, tym bardziej dla detektywów milicyjnych. Ale w piwnicy zniszczonego podczas wojny budynku, który teraz burzono pod budowę Pałacu, znaleziono kolejny bilet. A obok kości, najprawdopodobniej dwojga malutkich dzieci.

31

OSIEM LAT WCZEŚNIEJ

WRZESIEŃ 1967, BERLIN

Gdy wręczyłam Hansiemu listę nazwisk, poczułam się trochę nielojalna. Wobec własnej płci. Wobec kobiet, które mogły zostać matkami. Ja zawsze tego chciałam – to piękny stan. Raz mi się udało, ale mi to zabrano. Właściwie dwa razy. Dlatego nie rozumiem. Dlaczego, gdy kobiety takie jak ja tak bardzo tego pragną, że aż je boli, że wysysa z nich życie, inne decydują się wyrzucić nowe życie na śmietnik? Mimo wszystko czuję się nielojalna.

Hansi uśmiecha się, patrząc na sporządzoną przeze mnie listę. Chciałabym, żeby częściej patrzył na mnie w ten sposób.

– Dobrze się spisałaś, Franzi. – Gładzi mnie po włosach, trochę jak psa. – Chyba jest ci tam dobrze. Wszystko znowu zaczyna się układać.

Uśmiecham się do niego, ale w środku chce mi się płakać. Nienawidzę tego. To jest jak fabryka. Fabryka śmierci. Kleszcze i łyżka są narzędziami śmierci. Codziennie podaję je doktorowi Rothsteinowi, który używa ich z wielką precyzją i dokonuje straszliwych zniszczeń.

32

OSIEM LAT PÓŹNIEJ

WRZESIEŃ 1975

Müller i Tilsner znaleźli je właśnie w takiej pozycji. Ze splecionymi kośćmi paluszków. To nie mógł być przypadek. Karin przebiegł dreszcz. Coś w tym miejscu sprawiało wrażenie znajomego, mimo rozbiórki i przebudowy. A teraz dwa dziecięce szkielety pod nakryciem z płótna, jeden obok drugiego. Celowo je tam zostawiono, by Müller mogła zobaczyć je na miejscu, bo bilet do Halle-Neustadt potencjalnie łączył je z prowadzonym przez nią dochodzeniem.

Ale jeszcze coś w tym położonym blisko jej dawnego biura przy Marx-Engels-Platz miejscu wydawało się znajome. Miała prawie poczucie *déjà vu*. Przyszło to do niej nagle i poczuła mdłości, ucisk w żołądku. A nawet niżej. W łonie. Znowu pojawiły się obrazy. Pawlitzki, jego poraniona twarz, jego nieświeży oddech, jego napieranie i finał tej całej historii. Doszło do niego właśnie tutaj, w nielegalnej klinice aborcyjnej szemranego doktora Rothsteina. To była dla niej jedyna opcja. Zdecydowała, że nie urodzi dzieci gwałciciela, mimo że aborcja była wówczas nielegalna. W Republice Demokratycznej zalegalizowano ją dopiero w 1972 roku, i tylko do dwunastego tygodnia. Müller i tak zdecydowała się na zabieg już w zaawansowanej ciąży. Jej jedynym ratunkiem była ta tak zwana klinika, a w rzeczywistości nora w piwnicy zbombardowanego budynku, który teraz zburzono, by postawić nowiutki, błyszczący Pałac Republiki.

– Wszystko w porządku, Karin? – szepnął Tilsner. Przynajmniej tym razem w jego głosie zabrzmiała prawdziwa troska.

Uświadomiła sobie, że stoi bez słowa i tylko się gapi. Starała się nie zwymiotować. Już drugi raz w tym tygodniu było jej niedobrze. Za pierwszym razem pomyślała, że to jakiś wirus. A teraz...

Potrząsnęła głową i wyprostowała się, starając się otrząsnąć ze wspomnień.

– Tak, tak. Przepraszam. Byłam myślami daleko stąd. To taki okropny widok, prawda? – Odwróciła się w stronę technika przypisanego do dochodzenia, młodego, o świeżej twarzy. Wyglądał na takiego, który dopiero co opuścił szkolne mury. – Znamy ich wiek? Wiemy, jak długo tu leżą?

– Nie chcieliśmy ruszać szczątków przed waszym przybyciem, towarzyszko porucznik. Ale zebraliśmy próbki do analizy. Szacuję, że pochodzą mniej więcej z tego samego okresu, co znaleziony bilet autobusowy.

– Więc z sześćdziesiątego siódmego roku? Sprzed ośmiu lat?

– Mniej więcej – przytaknął technik, potrząsając kędzierzawą brązową czupryną.

Müller poczuła ulgę. Przez bolesny moment bała się, że to jej dzieci. Bliźnięta, które usunęła. Porzucone, a raczej ułożone w jakiś dziwny wzór. Wiedziała, że to niemożliwe – byłby to zbyt zadziwiający zbieg okoliczności. Ona sama trafiła tu, zanim je porzucono, co najmniej dwa lata wcześniej. Ale myśl, że Rothstein i jego zespół kontynuowali tę robotę, przyprawiła ją o dreszcze.

– Wiecie, co to za miejsce, towarzyszu techniku?

– W pewnym stopniu... Stał tu zrujnowany podczas wojny budynek.

– Tak, ale to nie wszystko – podpowiedziała Müller. – Mieściła się tu też nielegalna klinika aborcyjna.

– *Scheisse!* – krzyknął Tilsner. – Jesteś tego pewna?

Popatrzyła zastępcy prosto w oczy i poczuła napływające łzy. Tilsner wreszcie zrozumiał.

– Przykro mi, Karin – wyszeptał bezgłośnie i szybko zwrócił się do technika z pytaniem, które chciała zadać Müller.

– Te dzieci to abortowane płody, prawda? Więc to nie ma nic wspólnego z naszym śledztwem w Halle-Neustadt. Co więcej, to nie jest sprawa dla wydziału kryminalnego milicji.

Ale nim dokończył ostatnie zdanie, Müller dostrzegła, że młody technik kręci głową.

– Nie, nie. Kazałem to sprawdzić patologowi. Dlatego sprowadziliśmy was z Ha-Neu. – Przykucnął i wskazał na czaszkę szkieleciku leżącego po lewej stronie. – Popatrzcie na główkę, na ciemiączko. To miękka tkanka, która kostnieje z czasem, w tym wypadku jednak rozpadła się i zostawiła pustą przestrzeń. Z rozmiaru ciemiączka możemy wydedukować wiek dziecka. To nie są abortowane płody. Gdy to dziecko zmarło lub zostało zabite, miało około trzech miesięcy.

Müller liczyła, że przedyskutują nowe fakty wieczorem przy piwie, ale Tilsner po wyjściu ze szpitala zaczął doceniać wartości rodzinne i pojechał do swojego mieszkania na Prenzlauer Berg. Po krótkiej odprawie na Keibelstrasse rozeszli się, a Müller wróciła do siebie, na Schönhauser Allee.

Technik miał poszukać na bilecie i szkieletach odcisków palców, ale milicjantka była pewna, że to ostatnie nic nowego nie wniesie. Więcej można było spodziewać się po bilecie. Ze szkolenia pamiętała, że ślady na papierze mogą przetrwać dziesięciolecia, jeśli tylko papier nie zamoknie. Niestety, piwnica zrujnowanego budynku niekoniecznie była dobrym miejscem na przechowanie biletu. Ale data i szkielety to już jakiś trop. Müller zadzwoniła do Wiedemanna – który mimo swojej oczywistej bliskości z Malkusem i Janowitzem okazał się bardzo pomocny – i nakazała mu poszukanie w archiwach raportu o zaginionych dzieciach w Halle i Halle-Neustadt z interesującego ich okresu. Musieli także sprawdzić doktora Rothsteina. Być może poza pozbywaniem się niechcianych ciąż zajmował się też czymś znacznie bardziej przerażającym: pozbywaniem się niechcianych dzieci. Müller nie chciała iść tym tropem, planowała scedować przesłuchanie lekarza na Tilsnera albo kogoś innego. Nie chciała więcej wspomnień ze swojej wizyty w „klinice".

Jej następny ruch był wynikiem tych wspomnień. Prawie nieuświadomione działanie. Prosto od drzwi mieszkania poszła do sypialni. Uderzył ją stęchły zapach wilgoci. Opuszczone przez wiele tygodni mieszkanie z całą siłą ujawniało wady starych budynków. Zignorowała zapach i prawie automatycznie, bezwiednie, podeszła do szafy. Podstawiła sobie krzesło. Znalazła na szafie kluczyk, chociaż teraz – bez Gottfrieda – ukrywanie go tam nie miało sensu.

Otworzyła bieliźniarkę. Ciągle tam były, dwa zestawy maleńkich dziecięcych ubranek. Pasowałyby na dzieci z kliniki Rothsteina. Albo na jej bliźnięta. Tym razem tylko przez kilka chwil patrzyła na ubranka i zamknęła szufladę. Tak jakby nie śmiała ich dotknąć.

Opadła na skraj łóżka, odczuwając wyczerpanie skumulowane w ostatnich tygodniach. W kurtce wymacała puszkę, którą dała jej Rosamund Müller. To był jedyny łącznik z jej nieznaną rodzinną przeszłością. Otworzyła wieczko i wyjęła zdjęcie. Czy ta kobieta – bezimienna dziewczyna, która prawdopodobnie była jej biologiczną matką – chciała pozbyć się dziecka trzymanego w ramionach? Raczej na to nie wyglądało. W jej oczach były tylko miłość i tęsknota.

Myśl, że ta dziewczyna mogła walczyć o to, by zatrzymać dziecko, podczas gdy Karin swoich się pozbyła, sprawiła, że nagle poczuła w gardle wielką gulę. Przyłożyła rękę do ust, oczy paliły ją od łez, i pobiegła do toalety.

Niecałe pół godziny później, gdy siedziała w salonie, starając się uspokoić nad kubkiem mleka, z zamyślenia wyrwał ją ostry dzwonek telefonu.

Podniosła słuchawkę i rozpoznała głos Eschlera.

– Wracajcie z Tilsnerem natychmiast do Ha-Neu. Znaleźliśmy Maddalenę.

W jej głowie obraz dziewczynki nałożył się na obraz jej pobitego brata. Zastanawiała się, jak zdoła przekazać tę wiadomość rodzicom.

– Gdzie znaleziono ciało? – spytała.

– Nie, źle mnie zrozumiałaś – Eschler przekrzykiwał zakłócenia na linii. – Ona żyje. Jest cała... i zdrowa.

33

SZEŚĆ MIESIĘCY WCZEŚNIEJ: MARZEC 1975
KOMPLEKS MIESZKANIOWY VIII, HALLE-NEUSTADT

Muszę przyznać, że powrót do Halle-Neustadt jest nieco gorzki, choć zarazem się z niego cieszę. Nie mogę jednak przestać myśleć o Stefi. Myślę, że wiedziałam, że tak będzie, że to przyprawi mnie o smutek. Starałam się przekonać Hansiego, że to niekoniecznie dobry pomysł. Że znowu poczuję się trochę dziwnie. Ale Hansi powiedział, że wysyła go Ministerstwo. Będzie znowu pracował w zakładach chemicznych Leuna. Ale także przygotowuje coś ważnego w Ha-Neu. Nie chce mi powiedzieć co.

Oczywiście nie wróciliśmy do tego samego mieszkania. Tam mieszka inna młoda rodzina. Ale Hansi załatwił miłe dwupokojowe mieszkanko na obrzeżach, w okolicy siedziby Ministerstwa. Mieszkamy na samej górze, ale okna wychodzą na północ, więc nie mamy tyle słońca, ile bym chciała. Mimo to lubię wyglądać przez okno. Wychodzi na wrzosowisko Dölauer, widać też kawałek Heidesee. Jak miło byłoby zabierać tam Stefi. Ale nie było nam to dane. Po drugiej stronie widać Soławę i wyspę Peissnitz. Wczoraj widziałam mały pociąg jadący wzdłuż rzeki. Stefi byłaby zachwycona. Zabierałam ją tam w wózku, wiesz, gdy nie chciała przestać płakać.

Hansi wie, że jest mi smutno. Wie, czego tak naprawdę chcę. Ale w tej kwestii nie poszło mu najlepiej. Nie wiem, czy chodzi o to, że się starzeje, ale czasami – jak to się mówi? – ach, czasami nie za dobrze włada swoim ołówkiem. Staram się być dla niego delikatna. Nie naciskać. Ale nie tylko mężczyźni mają swoje potrzeby, kobiety także, wiesz.

Staraliśmy się od nowa. O maleństwo. Musimy być ostrożni. Ostatnim razem lekarz powiedział mu, że coś jest nie tak z moim krążeniem. Jeśli znowu zajdę w ciążę, być może będę musiała brać specjalne leki. Inaczej nacisk brzucha zatka mi żyły i krew przestanie dochodzić mi do głowy. Będę mogła zemdleć. Spytałam Hansiego, czy myśli, że jestem już za stara – w końcu przekroczyłam czterdziestkę. Czy sądzi, że to zbyt niebezpieczne. Ale wydaje się, że w ogóle się tym nie przejmuje, tyle że to może potrwać trochę dłużej i nie powinnam robić sobie za bardzo nadziei. Tak, moje truskawkowe pory znowu się skończyły. Choć może to z powodu wieku.

Ojacie! Nie uwierzysz! Na pewno mi nie uwierzysz! Wspomniałam, że nie mam ostatnio truskawkowych pór? Myślałam, że to z powodu wieku i nie miałam za wielkiej nadziei, gdy Hansi powiedział, że powinniśmy spróbować jeszcze raz. Myślałam, że mam przedwczesną menopauzę. Ale Hansi nalegał na wizytę u zaprzyjaźnionego doktora. Tego samego, który tak o mnie dbał po całej tej sprawie ze Stefi. Jest bardzo dobry, bardzo delikatny, a za Hansiego skoczyłby w ogień – to miłe, bo sądzę, że Hansi nie ma wielu przyjaciół. Ja zresztą też nie. W każdym razie doktor zaskoczył nas jak bomba wodorowa, mówiąc, że jestem w ciąży. Tak samo jak poprzednio! Nie widać za bardzo, bo jestem duża. Trudno mi też skojarzyć daty, bo, jak wspomniałam, Hansiemu w tych kwestiach zdarzały się problemy w naszych ostatnich miesiącach w Berlinie. Pewnie za dużo miał na głowie. Mimo to udało się. Straciłam trochę na wadze i cóż, nadal jestem atrakcyjna. W tym roku nad Weisser See pojawił się nowy barman. Bardzo egzotyczny i przystojny. Niezły czaruś, tyle ci powiem. Chyba student z zaprzyjaźnionego kraju, jednego z tych azjatyckich, który pracował w wolne dni za barem, by mieć więcej gotówki. Oczywiście starałam się mu oprzeć, ale był bardzo zdecydowany. Poza tym wspaniale całuje – mówię ci to w sekrecie. Jak już to powiedziałam, jest mi jakoś lżej. To chyba nie jest przyczyną, co nie? Nie zachodzi się w ciążę od całowania i uścisków? I to jednorazowego, tylko pod koniec września, bo potem było mi z tym tak źle. Byłam okropnie nielojalna wobec Hansiego. Muszę uważać, żeby nigdy o tym się nie dowiedział.

34

SZEŚĆ MIESIĘCY PÓŹNIEJ: WRZESIEŃ 1975
HALLE-NEUSTADT

Müller i Tilsner nie wrócili od razu do komendy, lecz zaparkowali wartburga pod przypominającym ręcznik wieżowcem, w którym mieszkali Salzmannowie, i skierowali się do środka. Tilsner sprowadził windę. Jechali w milczeniu. Oboje byli świadomi, że ten nieoczekiwany zwrot akcji raczej utrudni śledztwo, niż im pomoże.

Müller nacisnęła dzwonek do drzwi mieszkania numer 1024. Jego dźwięk ledwie przebił się przez dziecięcy płacz. Ten wzmógł się jeszcze bardziej, gdy Reinhard Salzmann otworzył im drzwi. Z jego twarzy znikło napięcie. W zamian rozpromieniał ją uśmiech, którego nic nie mogło usunąć.

– Zastanawiałem się, kiedy przyjedziecie – powiedział ojciec Maddaleny. – Wasz kolega, kapitan Eschler, już się nami zajął, ale chyba powinienem was wpuścić.

Müller i Tilsner poszli za nim do dużego pokoju. To stamtąd dochodził płacz dziecka.

Na zielonej sztruksowej kanapie siedziała Klara Salzmann. Nawet spod na wpół opuszczonych powiek jej oczy błyszczały dumą. Przelotnie spojrzała na dwoje detektywów, a Müller od razu uderzyło, jak wielka odmiana zaszła w tej kobiecie. W niczym nie przypominała desperatki, którą zatrzymali w przedszkolu w Kompleksie Mieszkaniowym VIII dwa miesiące temu. Radość macierzyństwa czyni cuda! Müller chciała dzielić to uniesienie. Wiedziała, że powinna. Jednak czuła tylko pustkę, desperację i ostre ukłucie zazdrości, które prawie fizycznie wbijało się w jej puste łono, niemal przyprawiając ją o mdłości, tak jak w tamtej berlińskiej piwnicy. Ta kobieta miała coś, czego Müller chciała, a czego jej odmówiono. Próbowała pozbyć się myśli o tym, ale nie było to łatwe.

W matczynych ramionach spoczywało dziecko i ćwiczyło swoje możliwości ogłuszenia otoczenia. Dziewczynka, której szukali – jej ostre, nieco ptasie rysy były nie do pomylenia, mimo uwagi sierżanta Fernbacha, że wszystkie niemowlęta wyglądają tak samo.

– Jest cudowna, prawda? – spytała Klara.

– Na pewno mocna w gębie – odparł Tilsner.

Müller nic nie powiedziała. Starała się w myślach uporządkować kolejność zdarzeń. Całą podróż spędzili z Tilsnerem na roztrząsaniu teorii, jednak żadna nie pasowała. Milicjantka zmusiła się do uśmiechu, usiłowała poczuć „empatyczną radość". Gottfried tyle mówił o tym uczuciu, od kiedy zaczął chodzić na kościelne spotkania, które – jak się okazało – niewiele miały wspólnego z religią. Ale pojęcie „empatycznej radości" utkwiło jej w głowie. Podobno wywodzi się z buddyzmu i jest czymś przeciwnym do *Schadenfreude*. Jednak mimo wszelkich starań Müller nie zdołała go w sobie wykrzesać. Coś było nie tak w tej szczęśliwej scenie rodzinnej. A to znaczyło, że coś było nie tak w całym dochodzeniu. Poczucie, że kryje się za tym wszystkim jakaś wielka tajemnica. Stasi niepozwalająca na prawidłowe przeszukiwania. Janowitz, który nieustannie próbował przeszkodzić w śledztwie. A teraz jeszcze to: cudowne odnalezienie zaginionego dziecka.

Wyciągnęła notatnik i kliknęła długopis.

– Możecie mi powiedzieć, gdzie i jak znaleziono Maddalenę?

– Ale ja już złożyłam zeznanie – odpowiedziała *Frau* Salzmann. Maddalena się uspokoiła i teraz matka karmiła ją butelką.

– Kapitanowi Eschlerowi – dodał jej mąż. – Był bardzo pomocny i cierpliwy. – To podkreślenie miało dać Müller do zrozumienia, że wymagając ponownego złożenia zeznań, nie jest zbyt pomocna.

Milicjantka się uśmiechnęła. Starała się wypaść szczerze, ale jej się to nie udało i była pewna, że Salzmannowie to zauważyli.

– Niezależnie od wszystkiego to ja prowadzę to śledztwo. Więc chciałabym jeszcze raz zebrać wszystkie informacje. W końcu... – Spojrzała na półkę, na której stało zdjęcie bliźniąt i ich rodziców: Klara z Maddaleną, Reinhard z Karstenem. Następnie skierowała wzrok na *Frau* Salzmann. Popatrzyła jej prosto w oczy. – W końcu ktoś musi odpowiedzieć za śmierć waszego syna. Chcemy go odnaleźć i wymierzyć sprawiedliwość.

Przez twarz Klary Salzmann przemknął cień.

– My też tego chcemy – potwierdziła łamiącym się głosem. – Bez dwóch zdań. Ale powrót Maddaleny to... to już coś. I chcemy się tego trzymać.

– To wspaniała wiadomość, że wróciła do was cała i zdrowa – powiedziała Müller.

„Wspaniała, ale wysoce podejrzana” – dodała w duchu.

– Mimo wszystko – wtrącił się Tilsner – musicie odpowiedzieć na nasze pytania. Nawet jeśli wszystko już powiedzieliście. Powtórzcie to, co powiedzieliście kapitanowi. A jeśli jeszcze coś sobie przypomnicie, tym lepiej. Jeden drobny szczegół, fałszywy ruch porywacza waszych dzieci może pomóc nam go złapać... albo ją... Albo ich, jeśli jest ich więcej.

Gdy jej zastępca wypowiadał te słowa, Müller zauważyła ostrzegawcze spojrzenie, jakie rzucił żonie Reinhard Salzmann. Ich szczęśliwie odnalezione dziecko przyssało się do butelki.

Maddalenę podrzucono na ich próg zeszłej nocy. W buzi miała smoczek, więc nie płakała.

– Widzieliście tego, kto to zrobił? – spytała Müller.

– Nie. Nasi sąsiedzi wrócili z teatru w Halle, zobaczyli ją i zadzwonili do drzwi – wyjaśniła Klara.

„Więc mają świadków" – pomyślała Müller. A co, jeśli to jednak Salzmannowie są porywaczami? Jeśli z jakiegoś powodu zabrali Karstena i Maddalenę ze szpitala w lipcu i coś złego stało się chłopczykowi? A potem, by odwrócić uwagę, upozorowali porwanie Maddaleny, aby zasugerować, że doszło do porwania obojga dzieci. Być może podrzucenie ciałka Karstena w aktówce też było ich pomysłem: miało sprawić wrażenie czegoś okrutnego. Takie myśli przebiegały przez głowę Müller, która mimo to starała się nadać swojej twarzy neutralny wyraz.

– Sprawia wrażenie, że dobrze o nią dbano? – spytał Tilsner. – Niczego jej nie brakowało?

Reinhard Salzmann zaśmiał się gardłowo.

– Popatrzcie tylko, jak je. Czy wygląda na dziecko, któremu czegoś brakuje? Powiedziałbym, że bardzo dobrze się nią zaopiekowano, prawda, *Liebling*?

Jego żona gorliwie przytaknęła.

– Natychmiast skontaktowaliśmy się z milicją i ze szpitalem. W ciągu kilku minut przysłali lekarza, by ją zbadał. Wasz kapitan Eschler zabrał jej posłanie i koszyk Mojżesza. Dałam mu też jej ubranie i smoczek.

– Czy któryś z sąsiadów widział lub słyszał coś nietypowego? – chciała wiedzieć Müller.

Frau Salzmann lekko wzruszyła ramionami, starając się nie przeszkodzić Maddalenie.

– Nie było kiedy spytać. Uznaliśmy, że to robota milicji.

Tilsner potarł szczecinę na podbródku.

– A gdy sąsiedzi zadzwonili do was, oboje byliście w domu?

Frau Salzmann zawahała się przez moment. Müller zdawało się, że widziała, jak małżeństwo wymieniło spojrzenia. Czy to wszystko zostało ukartowane? – zastanawiała się. Oboje są w to zamieszani?

– Tak, tak. Oboje byliśmy w domu. Szczerze mówiąc, co wieczór czekaliśmy na telefon. Że ktoś do nas zadzwoni.

– Więc... – westchnęła Müller po chwili milczenia. – Czy któreś z was ma jakiś pomysł, kto mógłby za tym stać? Macie jakichś wrogów? Czy ktoś zazdrościł wam ciąży, *Frau* Salzmann? Albo urodzenia bliźniąt?

Kobieta popatrzyła na Müller niewidzącymi oczami i powoli pokręciła głową, jakby nie rozumiała, o co ją pytają. Müller dostrzegła, że *Frau* Salzmann nie patrzy na nią, tylko na zdjęcie za jej plecami, przedstawiające Karstena w ramionach Reinharda Salzmanna. Wiedzieli już, że Karsten był słabszy i personel medyczny bardziej martwił się o jego stan niż o stan jego siostry. Zapewne dlatego nie przeżył porwania, co udało się Maddalenie.

Frau Salzmann wreszcie spojrzała w oczy milicjantki. Dla Müller było jasne, że po raz pierwszy podczas tej wizyty, a może po raz pierwszy od odnalezienia Maddaleny, matka myślała o zmarłym synu, a nie o uratowanej córce.

Klara Salzmann pociągnęła delikatnie nosem i powiedziała dość ostrym tonem:

– Odnajdźcie tego, kto to zrobił, bardzo proszę. Tego, kto spowodował śmierć mojego syna, nawet jeśli chciał tak naprawdę go ratować, jak wynika z autopsji. Zasługuje na karę. To nie wróci nam tego dziecka, ale może chociaż da pocieszenie.

35

Müller nie mogła otrząsnąć się z czegoś w rodzaju rozczarowania z powodu odnalezienia Maddaleny. Wiedziała, że to perwersyjne uczucie. Dla rodziców był to prawie cud, dla porwanego, urodzonego przedwcześnie dziecka – wielkie szczęście. Zwłaszcza jeśli wziąć pod uwagę to, co się stało z Karstenem. Milicjantka chciała dzielić z nimi radość, ale nie mogła oprzeć się podejrzeniom, że ten rodzinny obrazek był tylko fasadą. Być może jedno z ich dzieci wróciło do domu, ale w małżeństwie Salzmannów źle się działo. Bardzo źle.

Müller martwiło również to, że szefowie jej i Tilsnera w Milicji Ludowej – czy też grube ryby z Ministerstwa Bezpieczeństwa Państwowego, którym wydawali się ulegać – zdecydują, że sprawa została zakończona. Wiedziała, że to nieprawda. Ktoś przecież porwał bliźnięta i jedno z nich umarło. Sprawca musi ponieść karę. Gdy Müller i Tilsner czekali w komendzie na rozpoczęcie spotkania z milicjantami z Halle, wiedzieli, że najprawdopodobniej przełożeni odeślą ich do Berlina, a sprawa zostanie zamknięta. Janowitz wreszcie zatriumfuje. Dla Müller wynikał z tego jeszcze jeden problem. Co będzie z nią i Emilem? Nie chciała się z nim rozstawać, a zbieg okoliczności, który sprawił, że oboje trafili w okolice Halle w tym samym czasie, zapewne już się nie powtórzy. Jeśli odeślą ją do stolicy, zostanie sama. I wróci do tej gównianej roboty na Keibelstrasse, od której uciekła.

Zerknęła na Tilsnera. Wertował swój notatnik z nieobecnym spojrzeniem. Dostrzegł, że koleżanka go obserwuje, i wywrócił oczami, a potem pokazał na drzwi.

– Uważaj – wyszeptał. – Zdaje się, że mamy problem.

Na korytarzu pojawił się pułkownik Milicji Ludowej z Halle, Dieter Frenzel. Ubranemu w mundur milicjantowi towarzyszył major Malkus ze Stasi. Przerzucali się dowcipami. Müller jeszcze nie poznała Frenzla, który do tej pory raczej z radością pozostawiał ją samą sobie, być może rozdrażniony tym, że sprawy bliźniąt Salzmannów nie zostawiono jego podwładnym. Eschler wyrażał się o nim w samych superlatywach, ale Müller nie słyszała o nim od nikogo więcej.

– Ach, towarzysze! – zagrzmiał, gdy tylko znalazł się w ich biurze. – Co za wspaniałe wieści o dziewczynce. Chyba się zgodzicie. – Rozejrzał się po pomieszczeniu i wszystkich obecnych. Byli tam Müller i Tilsner, a także Eschler i jego ludzie, Wiedemann z archiwum oraz oczywiście Malkus i jego wszechobecny asystent Janowitz. – Mimo że rozwiązanie tej sprawy zawdzięczamy raczej łutowi szczęścia, chciałbym pogratulować wszystkim uporu i determinacji. Wiem, że mieliście ograniczone pole manewru, ale myślę, że to rozumiecie. – Ostro spojrzał na Müller, a Malkus lekko się uśmiechnął. – Szczególnie doceniam sposób współpracy z Ministerstwem Bezpieczeństwa Państwowego, majorem Malkusem i jego ludźmi. Teraz oddaję głos towarzyszowi majorowi, który wyjaśni, co będziemy robić dalej.

– Tak, bardzo dziękuję, towarzyszu pułkowniku. Jak dotąd nie wyjaśniłem wam, dlaczego operacja w sprawie Salzmannów musiała być prowadzona bez rozgłosu.

Müller zarumieniła się pod spojrzeniem bursztynowych oczu. Być może czuła się winna, że tak usilnie starała się rozszerzyć wyznaczone jej granice śledztwa. Malkus zamilkł na moment i patrzył na nią. Wiedział, o czym ona myśli?

– Tak, reputacja Halle-Neustadt była ważna. Ale służyła nam raczej za zasłonę dymną. Prawdziwym powodem jest to, że w mieście pojawi się ważny zagraniczny gość. Dlatego będziemy musieli jeszcze bardziej ukryć nasze dochodzenie przed osobami z zewnątrz. Nic nie może zagrozić tej wizycie. Chcę, żeby to było absolutnie jasne dla wszystkich. – Zerknął na zegarek. – Za chwilę dołączy do nas starszy oficer z Ministerstwa Bezpieczeństwa Państwowego, który wprowadzi was w dalsze szczegóły. – Na jego twarzy zagościł ironiczny uśmieszek i Müller uświadomiła sobie, że przez większość czasu kierował swoje słowa w jej stronę. – Tym zagranicznym gościem będzie nasz szanowny towarzysz, szef kubańskiego rządu Fidel Castro.

Usłyszawszy to nazwisko, już wiedziała, kto się tu zaraz pojawi, jeszcze zanim rozległo się pukanie i Frenzel zawołał: „Wejść!".

Nie myliła się. Do pokoju wkroczył opalony oficer Stasi. Pułkownik Klaus Jäger z Ministerstwa Bezpieczeństwa Państwowego. Podczas ostatniej sprawy w Berlinie tańczyła, jak jej zagrał. Teraz prawie go nie poznała. W miejsce wcześniejszego podobieństwa do zachodniego prezentera telewizyjnego pojawiła się wokół niego aura jakby gwiazdora filmowego – dzięki karaibskiej opaleniźnie i nowej fryzurze.

Po powrocie z Berlina Müller próbowała skontaktować się z Jägerem, który być może zdołałby pomóc odnaleźć jej biologiczną matkę. Nie odpowiedział na jej telefony, więc uznała, że nadal przebywa na Kubie, wypełniając zadanie, do którego próbował ją zwerbować podczas poprzedniego śledztwa. A teraz stał przed nią, we własnej osobie. Zjawił się, by przygotować wizytę Fidela Castro i wszystko, co się z nią łączyło.

Müller zagryzła wargi, wsunęła dłonie pod uda i starała się nie wyskoczyć z czymś głupim. Tilsnerowi opadły ramiona. Wyglądał na kogoś, kto ma wszystkiego dosyć. A ona była zwyczajnie zła. W miarę jak spotkanie z Frenzlem i Jägerem toczyło się dalej, stało się jasne, że sprawą Salzmannów będzie się zajmował tylko szczątkowy zespół: Müller, Tilsner i ledwie kilku ludzi z zespołu pracującego nad próbkami pisma. Schmidt wróci do Berlina, a Eschler i jego ludzie zostaną zangażowani wyłącznie do przygotowania wizyty Castro. Nawet Müller i Tilsner mieli im w razie potrzeby pomagać. Jäger uchwycił spojrzenie milicjantki, a na jego twarzy pojawił się ironiczny uśmieszek. Ich sprawa dostała najniższy priorytet, i to akurat teraz, gdy znalezione w Berlinie szkielety dawały nadzieję na jakiś przełom. Janowitz naciskał na to od jakiegoś czasu – Müller była tego świadoma od początku. Dzięki wizycie Castro dostał to, czego chciał. A Maddalenę „odnaleziono" tuż przed wielkim wydarzeniem. Co za wygodny zbieg okoliczności, można by powiedzieć.

Gdy wszyscy zaczęli się rozchodzić, Eschler spojrzał przepraszająco na milicjantkę. Odpowiedziała mu krzywym uśmiechem. Wraz z Tilsnerem i Schmidtem wycofali się do jej małego biura.

– Co teraz? – Tilsner podstawił sobie krzesło, opadł na nie ciężko i złożył ręce na udach.

– Działamy dalej – odparła Müller, ale była świadoma, że jej głos nie zabrzmiał przekonująco. – Mamy tylko jeden istotny nowy trop.

– Te szkielety pod Pałacem Republiki? To słaby trop. Jedynym powiązaniem jest bilet autobusowy. Bardzo wątłym, w najlepszym razie. A w najgorszym... – Tilsner rozłożył ręce.

– Co takiego? – warknęła Müller.

– W najgorszym to dość śmieszne powiązanie. Chwytamy się byle czego. Wiesz o tym. Ja też to wiem.

Müller zacisnęła usta. Jeśli mają coś osiągnąć w tak małym zespole, muszą trzymać się razem. Tilsner już w nich nie wierzył. Poczuła kolejną falę mdłości. Co się z nią działo? Przez ostatnich kilka tygodni czuła się fatalnie. Zaczęło się jeszcze przed wyjazdem do Berlina.

– A co z tobą, Jonas? – spytał Tilsner. – Jakoś siedzisz cicho... Przynajmniej raz. Założę się, że cieszysz się z powrotu do Berlina.

– Cóż... Tak i nie. Nie lubię zostawiać nierozwiązanej sprawy. Ale przyznaję, że dobrze będzie wrócić do domu. Moja żona raczej nie radzi sobie beze mnie.

– Mam nadzieję, że to nic poważnego? – zatroskała się Müller.

Technik pokręcił głową.

– Oby nie. Mówiłem wam, że mamy drobne problemy z Markusem. Myślę, że to normalne u młodzieńców w tym wieku...

– Jesteś dla niego za dobry. W tym szkopuł – stwierdził Tilsner.

Schmidt wzruszył ramionami i wstał.

– No cóż, chyba lepiej pojadę się spakować. Mam pociąg wcześnie rano. Jeszcze jedna rzecz, towarzyszko porucznik.

– Słucham, Jonas.

– Radziłbym porozmawiać z porucznikiem Wiedemannem. Gdy szliśmy na spotkanie, sprawiał wrażenie kogoś, kto trafił na coś interesującego.

– Dotyczącego czegoś konkretnego? – spytała.

– Dotyczącego szkieletów z Berlina.

Porucznik Dieter Wiedemann przeglądał właśnie różne dokumenty na biurku i rzucił ostre „Wejść!" w odpowiedzi na jej pukanie. Na widok Karin jego czerwona twarz rozbłysła szerokim uśmiechem, co przypominało rozcięty nożem pomidor.

– Towarzyszka porucznik. Co za szczęśliwy przypadek. Miałem właśnie się do was udać. – Wstał i podał jej rękę. Cała oficjalność tamtego lipcowego zebrania partyjnego odeszła w niepamięć. W każdym razie od tamtej pory Müller za radą Malkusa stawiała się na wszystkie zebrania. – Czy towarzysz Schmidt coś wam powiedział?

– Tak – uśmiechnęła się. – Dlatego tu jestem. Co tam macie, Dieter? – Celowo zwróciła się do niego po imieniu. Na tych wszystkich przywiązanych do tytułów i „towarzyszenia" nie było innego sposobu. Dzięki lekkiemu spoufaleniu tracili rezon i dawali się przyłapać, zdradzali więcej, niżby chcieli.

– To bardzo ciekawe. Znowu przeglądałem akta. W sześćdziesiątym siódmym roku zdarzył się jeden taki przypadek. Niestety, jeszcze tu wtedy nie pracowałem, byłem podporucznikiem w Lipsku.

– Taki przypadek?

– Dokładnie taki. – Wiedemann odwrócił w jej stronę akta. Potem pokazał wpis. – Popatrzcie tutaj. Raport o zaginięciu dwójki dzieci.

– Bliźniąt? – W tę dziwną sprawę wydawało się zamieszanych tyle par bliźniąt, że nie mógł to być zwykły zbieg okoliczności. Musiała istnieć jakaś przyczyna.

Wiedemann skinął głową.

– Ale – zniżył głos – podobnie jak do naszego dochodzenia, bardzo wcześnie włączyło się w to Ministerstwo Bezpieczeństwa Państwowego. – Müller zaskoczyło, że Wiedemann jako przedstawiciel partii w milicji zdawał się z radością dzielić się z nią tym faktem. – Dzieci nie znaleziono, ale raczej zbyt pilnie ich nie szukano. Z raportów wynika, że sprawę zamieciono pod dywan.

– Tak jak teraz.

– Bardzo podobnie. Jedyna sensowna konkluzja to fakt, że zdarzyło się to w samych początkach Halle-Neustadt, jeszcze zanim miastu nadano tę nazwę. Kiedy było to po prostu nowe miasteczko dla pracowników zakładów chemicznych. Mieszkanie dla każdego. Socjalistyczny sen. Rozumiecie, o czym mówię?

– Władze nie chciały, by cokolwiek zaburzyło ten wizerunek.

– Mniej więcej o to chodzi.

Müller usiadła i zaczęła przeglądać akta.

– Nie dotrzecie do prawdy o tym, co się tu działo, towarzyszko poru...

– Bez zbędnych formalności, Dieter. Denerwują mnie. Wystarczy Karin.

– Dobrze, Karin. Historia ma swój ciąg dalszy w tych aktach. – Wiedemann przerzucił kolejny stosik na swoim biurku i ponownie obrócił papiery w stronę Müller. – Tutaj. To samo małżeństwo, które zgłosiło zaginięcie, zostało oskarżone o zaniedbanie dziecka. Oboje trafili do więzienia. Mąż na rok, a żona na sześć miesięcy.

– Za zaniedbanie zaginionych bliźniąt? – Twarz Müller wyrażała zdziwienie.

Wiedemann znowu nachylił się nad biurkiem, by wskazać odpowiednią część raportu.

– Tak. Oskarżono ich o zagłodzenie dzieci na śmierć. Mimo to zgodnie z raportem milicji ciał nigdy nie odnaleziono.

Müller nie widziała w tym wszystkim najmniejszego sensu.

– Ale bez ciał nie można było wnieść prawomocnego oskarżenia?

Wiedemann odchylił się na krześle i wzruszył ramionami.

– Cóż... W innych aktach milicji były już raporty na ojca dzieci. Miał ponoć kontrrewolucyjne nastawienie. Jeśli chodzi o dowody, obawiam się, że nie ma tutaj wszystkich szczegółów.

– Dlaczego?

– Bo dochodzenie zostało przejęte z rąk wydziału kryminalnego w Halle przez...

– Ministerstwo Bezpieczeństwa Państwowego.

– Właśnie, Karin. Właśnie tak.

36

Wiedemann dowiedział się również, gdzie obecnie mieszkało małżeństwo z raportu – Hannelore i Kaspar Andereggowie. Po odsiedzeniu wyroków pozwolono im na powrót do Ha-Neu i przydzielono mieszkanie w nowo wybudowanym bloku numer 10. Müller pomyślała, że to dość niski numer. Spytała o to Wiedemanna, zanim wraz z Tilsnerem ruszyli na poszukiwanie budynku. Był uważany za największy i najdłuższy w całej Republice Demokratycznej. Należał do Kompleksu Mieszkaniowego I i w miarę rozrostu Halle-Neustadt przydzielono mu inne numery. Obecnie dzielił się na cztery części, których granice były wyznaczone przez tunele dla pieszych, dzięki czemu obywatele nie musieli obchodzić całego budynku, by dojść do apteki lub na pocztę w centrum kompleksu. Nowe numery zaczynały się od 600, ale ciągle nazywano ten budynek blokiem numer 10. Andereggowie mieszkali w samym jego środku, we wschodniej części obecnego bloku 619.

Śledczy weszli po schodach na trzecie piętro i Tilsner zapukał do drzwi mieszkania. Nikt nie odpowiadał. Odczekali kilka sekund i ponownie zapukali, tym razem mocniej. Tilsner był już gotów wyważyć drzwi, lecz Müller położyła mu rękę na ramieniu, potrząsając głową. Ich śledztwo miało ograniczony czas, nie chciała potem wyjaśniać, dlaczego postanowili siłą dostać się do mieszkania małżeństwa, którego sprawa była w rękach Stasi.

Odwrócili się i ruszyli korytarzem, gdy otworzyły się drzwi naprzeciwko mieszkania Andereggów.

– Co to za hałasy? – spytała starsza kobieta. – Zgłoszę to do Komitetu Obywatelskiego. Albo na milicję.

Detektywi odwrócili się do niej i Müller wyciągnęła legitymację.

– Nie ma takiej potrzeby, obywatelko. Jesteśmy z milicji. Wydział kryminalny.

Kobieta poprawiła kołnierz podomki i zaczęła bawić się rzadkimi włosami w gołębim kolorze. Uważnie przyjrzała się wyciągniętej w jej stronę legitymacji.

– No więc tu ich nie znajdziecie. Chyba że później. Oboje pracują. W chemii.

– Jakiej chemii? – spytał Tilsner.

– Tej wielkiej, obok Merseburga.

– To nam niewiele mówi, nie uważacie? – odparł ostrym tonem.

Staruszka się skurczyła, a Müller zgromiła swojego zastępcę wzrokiem.

– Podporucznik pyta, czy wiecie, o którą fabrykę chodzi, obywatelko. Obok Merseburga są dwie.

– Leuna. Myślę, że w Leuna, nie Buna.

Müller poczuła, że opada z sił. Już znalezienie ich w zakładach Buna – na północ od Merseburga – byłoby trudnym zadaniem. Leuna oznaczała dłuższą podróż, poza tym to były największe zakłady chemiczne w całej Republice Demokratycznej.

– Wiecie, w której części pracują, obywatelko? – pytała dalej.

Sąsiadka potrząsnęła głową.

– Przykro mi, ale nie wiem. Pracują razem, to na pewno. Od czasu tej historii z dziećmi on nie spuszcza jej z oczu. Myślę, że się boi.

– Boi? – spytał Tilsner. – Czego?

– Zemsty, jak sądzę. Wszyscy wiedzą, co się stało, nawet jeśli się o tym nie mówi. Starają się nie przyciągać uwagi.

– Czy widzieliście ich kiedyś z dziećmi, zanim...? – Słowa ugrzęzły Müller w gardle, ale kobieta zorientowała się, czego dotyczy pytanie.

– Nie. – Z wnętrza mieszkania dobiegło jęczenie. – Przepraszam, to mój mąż. Nie wstaje. Muszę wracać. Ale nie, przenieśli się tu już po wszystkim. Odsiedzieli swoje. Najpierw przyjechała ona. On siedział dłużej. Chociaż nie mam pojęcia za co. Zaniedbanie dziecka. W tym przypadku dwojga, dwa maleństwa. To wina matki, nie sądzicie? – W głębi mieszkania rozległ się kolejny jęk, tym razem zakończony słabym krzykiem. – Jeśli to wszystko, lepiej już pójdę.

Zamknęła drzwi, zanim milicjanci zdołali cokolwiek powiedzieć.

Müller pomyślała, że być może już dawno powinni byli pojawić się w zakładach Leuna, tak mocno związanych przecież z Halle-Neustadt. Jednak ten wielki kompleks przemysłowy został w zasadzie wykluczony z obszaru ich działań przez Stasi. Woleli nie zwracać na siebie uwagi.

Jazda wartburgiem zajęła im około pół godziny. Dystans wynosił trzydzieści kilometrów. Jednak już w połowie drogi poczuli w nosach i gardłach kwaśny, wywołujący kaszel smród zakładów. Przed nimi rozciągał się widok na kominy wyrzucające biały dym w zamglone niebo.

– To gorsze niż smog Berlina – stwierdził Tilsner. Oderwał jedną rękę od kierownicy i wyciągnął z kieszeni chusteczkę. – Chcesz sobie tym zasłonić nos?

Müller zerknęła na chustkę bez dotykania jej. Nie wyglądała na zbyt czystą. Potrząsnęła głową.

– Jakoś przeżyję.

Gdy to mówiła, poczuła kolejną falę mdłości. Za często jej się to zdarzało w ostatnich tygodniach.

Tilsner schował brudny kawałek materiału do kieszeni, spojrzał przez boczną szybę i zmarszczył brwi.

– Co się stało? – zaniepokoiła się Müller.

– Być może nic. – Wzruszył ramionami.

Nagle poczuła, że leci do przodu, a potem w bok, gdy Tilsner bez ostrzeżenia skręcił w boczną ulicę, prawie nie zwalniając. Opony wartburga wypaliły ślad na betonowej drodze. Nacisnął na hamulce, Müller ponownie zarzuciło.

– Co u dia...?

Tilsner złapał ją za głowę i pociągnął w dół, odwracając się w stronę skrzyżowania, przez które przejeżdżała właśnie czarna skoda, a jej kierowca uważnie im się przyglądał.

– Śledzili nas – wyjaśnił Tilsner.

Müller spojrzała na niego ze złością.

– Gówno mnie to obchodzi. Następnym razem, jak będziesz chciał się zabawić w kierowcę wyścigowego, uprzedź mnie. Mogłam wylecieć przez szybę.

Kolega tylko się uśmiechnął.

Dojechali na miejsce, a kierowca skody najwidoczniej znudził się pościgiem albo chciał tylko dać im do zrozumienia, że są śledzeni. Nie wiedzieli jednak, którym wejściem powinni się dostać na teren zakładów. Ostatecznie wybrali to z numerem 1, zbudowane w stylu neoklasycystycznym, zapożyczonym bez wątpienia od nazistów, by wzbudzać respekt przed władzą i poczucie ważności. Przynajmniej takie wrażenie odniosła Müller, gdy eskortowano ich przez główną bramę, ozdobioną portykiem i doryckimi kolumnami.

Zlokalizowanie Andereggów okazało się nadspodziewanie łatwe. Milicjantów po prostu poinformowano, że małżonkowie jedzą obiad w stołówce.

Gdyby Müller miała zgadywać, która to para – nie widząc ich wcześniej nawet na zdjęciach – trafiłaby bez pudła. Siedzieli naprzeciwko siebie, w pewnym odosobnieniu, na końcu długiego stołu w budynku przypominającym wielki hangar. Pracownik biurowy zakładów VEB Leuna-Werke zaprowadził milicjantów prosto do poszukiwanych małżonków.

Kaspar Anderegg był mocno skoncentrowany na składającym się z mięsa i ziemniaków posiłku i nie raczył nawet spojrzeć na Müller, Tilsnera i pracownika firmy. Zrobiła to Hannelore, a na jej twarzy pojawił się strach. Müller pomyślała, że rozmowy z przedstawicielami władzy były czymś, do czego przez te lata była więźniarka powinna się jednak przyzwyczaić.

Gdy milicjantka pokazała legitymację, Kaspar wreszcie odłożył sztućce, następnie popatrzył na nią ze złością.

– Nie lubimy rozmawiać z milicją – wyjaśnił. – Nie mamy wam nic do powiedzenia.

Przedstawiciel zakładów wzniósł oczy do nieba i zostawił dwójkę detektywów sam na sam z małżeństwem. Zapowiadała się trudna rozmowa.

– To zrozumiałe, *Herr* Anderegg, ze względu na to, co się wam przydarzyło.

– Zrozumiałe? Nie macie najmniejszego pojęcia, wy dupki. Dosłownie najmniejszego pojęcia, jak to jest, gdy ukradną wam dzieci – jedyne dzieci – i wrabiają w przestępstwo. I to ci, którzy powinni wam pomóc. Spadajcie więc.

Tilsner już szykował się do ciętej riposty, ale Müller prawie niedostrzegalnie pokręciła głową. Chciała sobie z tym jakoś poradzić. Kaspar Anderegg przecież nie wiedział, że akurat ona miała jakieś pojęcie, jak to jest stracić dwoje dzieci. Bliźnięta. Powstrzymała kolejną falę mdłości i odetchnęła głęboko, starając się odsunąć napływające jej do głowy obrazy.

– Musicie czuć zgorzknienie z powodu tego, co się stało, *Herr* Anderegg.

– Zgorzknienie? Ha! To nawet w połowie nie oddaje tego, co czujemy.

Müller postarała się o uśmiech, przyjacielski uśmiech, ale *Herr* Anderegg zachował kamienną twarz. Zwróciła się więc do jego żony.

– *Frau* Anderegg, chcemy ponownie przyjrzeć się waszej sprawie.

Kobieta spojrzała na milicjantkę. Jej oczy były pełne smutku, ale najwidoczniej słowa Müller dały jej odrobinę nadziei.

– To byłoby miłe z waszej strony. Prawda, Kaspar?

– Ba! – parsknął jej mąż, ponownie zabierając się za ziemniaki. Zapach mięsa nagle pobudził ślinianki Müller.

– Czy mieliście jakieś wskazówki co do tego, gdzie mogą przebywać wasze dzieci, *Frau* Anderegg? – Gdy tylko zobaczyła, że na twarzy Hannelore Anderegg pojawił się radosny uśmiech, pożałowała swoich słów. Nie mogła wyjawić tej nieszczęśliwej kobiecie, że w Berlinie znaleziono dwa dziecięce szkielety. To byłoby zbyt okrutne, a przecież nie dokonano identyfikacji. I być może nigdy się nie dowiedzą, czyje to dzieci. Nie powinna wzbudzać niczyjej nadziei.

– Dlaczego? Znaleźliście je?

Chwila znaczącego milczenia ze strony Müller wystarczyła, by twarz *Frau* Anderegg na nowo zgasła. Ile razy zrobiono to tej kobiecie w ostatnich latach? – zastanawiała się milicjantka. Wreszcie zdobyła się na odpowiedź.

– Za wcześnie, by cokolwiek stwierdzić. Proszę jednak nie obiecywać sobie zbyt wiele, *Frau* Anderegg. To, co znaleźliśmy...

– Nie żyją, prawda? – zaszlochała kobieta.

Jej mąż wbił nóż w mięso na talerzu, wstał i wyglądało na to, że ma zamiar rzucić się na Tilsnera.

– Powoli – ostrzegł go milicjant i chwycił za rękę. – To prosta droga powrotna do więzienia.

– Kaspar! – syknęła jego żona. – Nie rób z siebie większego głupka, niż jesteś.

Mężczyzna wyglądał na zmieszanego. Wyzwolił się z uścisku Tilsnera i z powrotem usiadł.

– Co znaleźliście? – spytał.

Müller spojrzała na zastępcę błagalnie. To nie tak miało być. Mieli pozyskać nowe informacje, a nie ich udzielać. Tilsner wzruszył ramionami.

– Możesz im powiedzieć. Mają prawo wiedzieć.

Müller z westchnieniem splotła dłonie, aż zbielały jej palce. Dlaczego to było takie trudne?

– Znaleźliśmy ciała... – zaczęła. Rozległo się „och!" Hannelore, ale milicjantka nie spojrzała na kobietę, skupiła się na swoich splecionych palcach – ...dwojga niemowląt. Właściwie szkielety. To mogły być bliźnięta.

Hannelore Anderegg szlochała z twarzą ukrytą w dłoniach. Jej mąż spojrzał ponuro na Müller.

– Gdzie? – spytał.

– W Berlinie – odparł Tilsner.

– W Berlinie? Dlaczego uważacie...

– Mamy dowód na powiązanie z Halle-Neustadt – wyjaśniła Müller.

– Jaki dowód?

Müller spojrzała na Tilsnera. Delikatnie pokręcił głową. Zaczerpnęła powietrza.

– W tym momencie nie możemy tego wyjawić. Może to nic nie znaczy. Ale chcieliśmy porozmawiać z wami o okolicznościach związanych ze zniknięciem waszych dzieci. Chcemy spróbować wam pomóc. Wiem, że trudno w to uwierzyć po tym, co działo się wcześniej, ale to prawda.

Kaspar Anderegg parsknął. Ale gdy zobaczył nieszczęście wypisane na twarzy żony, jakby spuścił z tonu. Ponownie odłożył sztućce i pogłaskał Hannelore po ramieniu.

– Dobrze – powiedział. – Porozmawiajmy.

37

Gdy małżeństwo Andereggów przełamało swój początkowy sceptycyzm i uwierzyło, że Müller i Tilsner rzeczywiście chcieli wyjaśnić historię ich zaginionych dzieci, zaczęło współpracować. Müller szybko uznała, że w szerszym śledztwie nie znajdują się w kręgu podejrzanych. Oboje wydawali się zbyt załamani, zbyt przybici utratą dzieci i okrucieństwem, z jakim potraktowały je władze, by chcieli innych rodziców narazić na nieszczęście, które stało się ich udziałem. Milicjantka uznała, że założenie o ich niewinności jest słuszne – być może niebezpieczne, ale mimo wszystko prawdziwe.

Opowiedziana historia była rzeczywiście nieszczęśliwa. *Frau* Anderegg zostawiła dzieci w podwójnym wózku przed sklepem, ponoć miała ich pilnować inna matka. Ale tamta kobieta wdała się w ożywioną dyskusję, w tle panował zaś hałas budowy i ogólne zamieszanie początków Ha-Neu. Betonowe bloki wyrastały wówczas z błota nad Soławą prawie z dnia na dzień. Gdy opiekunka się odwróciła, wózka z dziećmi już nie było. Wywołało to sekwencję wydarzeń niczym z koszmaru. Najpierw gorączkowo, lecz bezowocnie szukali dzieci, a tamta kobieta zaprzeczała, by Hannelore kiedykolwiek prosiła ją o przypilnowanie wózka. Twierdziła, że właściwie nigdy jej tam nie było. Müller mogła to sobie wyobrazić – strach opanowywał wszystkich, a kłamstwa zapewniały bezpieczeństwo.

Skoro zabrakło świadków na poparcie wersji Hannelore, w dodatku Kaspara już napiętnowano jako kłopotliwego obywatela i potencjalnego kontrrewolucjonistę, łatwo było przewidzieć dalszy bieg wydarzeń.

Müller mogła tylko obiecać Andereggom, że Milicja Ludowa zrobi wszystko, by zidentyfikować ciała dzieci znalezione w piwnicy kliniki doktora Rothsteina. Jeśli się okaże, że to ich dzieci, umrze w nich słabiutka nadzieja, ale przynajmniej cała sprawa zostanie zamknięta. Jednak milicjantka wiedziała, że zidentyfikowanie szkielecików jest mało prawdopodobne.

– Kupiłaś ich historię? – spytał Tilsner podczas podróży powrotnej do Ha-Neu.

– Myślę, że tak – odparła Müller, uradowana, że wreszcie opuścili ciężką atmosferę okolic zakładów Leuna. Otworzyła okno po swojej stronie i łapczywie zaciągnęła się czystszym powietrzem, w nadziei, że opanuje w ten sposób narastające mdłości. Niestety, nie zadziałało. – Wydali mi się pełni gniewu, ale szczerzy. Ja też byłabym wkurzona, gdyby coś takiego mnie spotkało.

Jej uczucia do Stasi były sprzeczne. Z jednej strony miała nadzieję, że z pomocą Jägera uda jej się ustalić nazwiska jej biologicznych rodziców. Poza tym pewien rodzaj wewnętrznej dyscypliny i bezpieczeństwa był Republice Demokratycznej niezbędny, by chronić ją przed wrogami z Zachodu. Chociaż nie pamiętała wojny, pamiętała niekończące się budowanie nowego kraju, jakie nastąpiło tuż po niej. Widziała ślady na licznych budynkach w Berlinie, także w tym miejscu, gdzie obecnie powstawał Pałac Republiki. Nie chciała powrotu nazistów, faszystów. Chciała pomagać w budowie bardziej sprawiedliwej przyszłości dla wszystkich obywateli Republiki Demokratycznej. Wszystkich. Ale gdy zerknęła ukradkiem na zachodni zegarek Tilsnera, przeszły ją ciarki na myśl o pewnych metodach działania Ministerstwa Bezpieczeństwa Państwowego. Widziała, że jej zastępca co jakiś czas rzuca okiem w tylne lusterko, sprawdzając, czy skoda znowu ich śledzi. Ciekawe, czy miejscowa gałąź Stasi w ogóle miała świadomość, że inwigiluje jednego ze swoich.

Nawet jeśli Müller miała już dość Stasi, jej agenci nie wydawali się zmęczeni milicjantką. Gdy wróciła do komendy, gdzie właśnie tworzono centrum kontroli na potrzeby zbliżającej się wizyty Castro, Eschler wręczył jej list.

Pytająco uniósł brew, wpatrując się w godło Stasi: flagę Republiki Demokratycznej wysuniętą ze strzelby. Müller zakryła je, gdy otwierała kopertę. Uspokoiła się, widząc, że było to „zaproszenie" na spotkanie z Jägerem. Odpowiedź na jej list, w którym prosiła pułkownika o pomoc w uzyskaniu informacji dotyczących jej biologicznej matki. Być może miał dla niej jakieś wieści.

Wybór miejsca spotkania przywoływał na myśl ich *rendez-vous* w Berlinie: Park Kultury na wyspie Peissnitz, między żeglowną a „dziką" odnogą Soławy.

Müller musiała pojechać najpierw na północno-wschodnią stronę miasta, w okolice siedziby Stasi. Może dlatego Jäger wybrał to miejsce: miał blisko i nic więcej się za tym nie kryło. Zaproponował, żeby się spotkali przy moście Łabędzim, pieszym trakcie łączącym wyspę z zachodnią dzielnicą Halle, gdzie mieścił się uniwersytet oraz, po drugiej stronie Heide Allee, ogromny garnizon sowiecki. Zaparkowała wartburga i przeszła przez lasek obok budynku Młodych Pionierów. Wtedy go zobaczyła – siedział w jednym z otwartych wagoników miniaturowej kolejki wąskotorowej.

– Wiesz, jak lubię parki tematyczne – zaśmiał się na jej widok. W jego uśmiechu było autentyczne ciepło.

– Dobrze wyglądasz, Karin. Cieszysz się, że znowu prowadzisz własne śledztwo?

Wszyscy jej powtarzali, że wygląda na zmęczoną. Ten komplement był pożądaną odmianą.

Usiadła obok pułkownika w miniaturowym pociągu i wygładziła spódnicę.

– Tak, chociaż to dość frustrująca sprawa. Pewnie wszystko o niej wiecie?

– Co nieco – przytaknął Jäger. – Chociaż, jak pewnie wiesz, pracowałem daleko od Berlina.

– Zdradza was trochę ta opalenizna. – Müller zdziwiła się, jak łatwo przyjęli ten przyjacielski ton, mimo że na zakończenie sprawy dzieci z domu poprawczego prawie go znienawidziła. Zdecydowanie nie znosiła jego metod, jego bezwzględności. Ale być może teraz mogła je wykorzystać do własnych celów.

Rozglądała się dookoła. Co spodziewała się zobaczyć? Czarną skodę zaparkowaną przy linii kolejowej? Przecież to, co chciała pokazać Jägerowi, nie było kontrowersyjne. Wyjęła z kieszeni pordzewiałe metalowe pudełko, otworzyła je i podała pułkownikowi zdjęcie. Znowu wyczuła słaby zapach Casino de Luxe. Może jej matka – adopcyjna matka – także używała tych perfum.

– Kto to? – spytał Jäger.

– Moja matka.

– Wygląda jak dziewczynka. A dziecko to...

– Ja. O ile wiem. I jeszcze to.

Wręczyła mu pożółkły akt przysposobienia, dokument, który pozwolił jej adopcyjnym rodzicom wychowywać ją jako własne dziecko w Oberhofie.

– Zapisałam tu wszystkie informacje. Wszystko, co moja adopcyjna matka mogła mi powiedzieć o biologicznej. Niewiele tego jest. – Podała pułkownikowi notatki.

Zerknął na nie z powątpiewaniem.

– Co mam z tym zrobić? Wiesz, że teraz większość czasu przebywam za granicą. Przyjechałem na krótko, tylko z powodu wizyty Castro.

– Jesteście moją nadzieją. – Starała się utrzymać z nim kontakt wzrokowy. – Pomogłam wam w sprawie dzieci z domu poprawczego...

– Bo ci kazano, Karin. Kazali ci to zrobić twoi zwierzchnicy z Milicji Ludowej. To twoja praca. A w Harzu nie do końca zachowałaś się poprawnie.

Müller nie odpowiedziała. Poczuła ucisk w gardle. Jej oczy zwilgotniały. Jäger to zauważył i ścisnął jej rękę.

– Przepraszam. Zabrzmiało ostrzej, niż chciałem. Ale nie wiem, jak mogę ci pomóc... nawet gdybym chciał.

Milicjantka ścisnęła pudełeczko, które trzymała w kieszeni, starając się nie wybuchnąć płaczem. Próbowała nadać swojemu głosowi spokojny i profesjonalny ton.

– Masz liczne kontakty w ministerstwie, Klaus. Przepraszam... towarzyszu pułkowniku.

– W porządku. To nie jest oficjalne spotkanie.

– Wiedziałeś, że dokonałam aborcji po gwałcie w szkole milicyjnej.

– Po przypuszczalnym gwałcie.

Müller westchnęła ciężko. Nie była w nastroju na kłótnię.

– Chodzi o to, że masz sposoby, żeby się dowiedzieć rzeczy, których ja nie mogę. Chcę cię prosić o pomoc w odnalezieniu mojej biologicznej matki. I ojca, jeśli wiadomo, kim był. Nie mogę cię do tego zmusić.

Jäger lekko się uśmiechnął na te słowa.

– Po prostu cię proszę, byś zrobił, co w twojej mocy.

Pułkownik Stasi złożył papier i włożył do kieszeni spodni.

– Dobrze, Karin. Zobaczę, co da się zrobić. Ale jeśli wyświadczę ci tę przysługę, pewnie będziesz musiała mi się kiedyś odwdzięczyć. Tak to działa.

Podszedł do nich mężczyzna w kombinezonie robotnika kolejowego. Lekko skinął głową Jägerowi i usiadł na miejscu motorniczego.

Oficer Stasi spojrzał na zachmurzone niebo.

– Mam nadzieję, że nie zacznie teraz padać.

Dał sygnał motorniczemu – poza nimi nikogo nie było w pociągu – i tamten zwolnił hamulce. Miniaturowy pociąg ruszył ze zgrzytaniem i szczękaniem metalu.

Przez chwilę jechali w milczeniu na północ. Rytmiczny stukot pociągu działał na Müller usypiająco, więc gdy Jäger wreszcie przemówił, prawie podskoczyła na siedzeniu.

– Pewnie się zastanawiasz, dlaczego cię tu zaprosiłem.

Müller starała się odczytać coś z jego twarzy. Znowu przybrał minę życzliwego prezentera zachodniej telewizji.

– Uznałam, że to reakcja na list, który ci wysłałam. Z prośbą o informacje dotyczące mojej matki.

– Nie, nie o to chodzi. – Potrząsnął głową. – Chociaż jak powiedziałem, postaram się pomóc. W zamian oczekuję, że będziesz ze mną współpracować. Tak naprawdę chciałem jednak porozmawiać o zbliżającej się wizycie państwowej.

– Towarzysza Castro?

Pułkownik Stasi skinął głową.

– Mamy informacje, że ktoś może zakłócić wizytę.

Müller ściągnęła poły swojej kurtki, gdy pociąg zawracał na cyplu wyspy. Nie było zimno, ale wschodni wiatr przyprawił ją o gęsią skórkę.

– Co ma zrobić mój zespół?

Jäger potarł podbródek.

– W newralgicznym dniu będziemy potrzebowali wszystkich rąk, więc ty i Tilsner musicie być pod telefonem i gotowi zostawić sprawy waszego śledztwa. Będziemy chcieli, byście byli czujni i obserwowali, czy dzieje się coś nietypowego.

Z pozoru wszystko trzymało się kupy. Jednak dlaczego Jäger chciał spotkać się z nią w ten na poły sekretny sposób?

Najwidoczniej oficer Stasi wyczuł jej wątpliwości, bo mówił dalej:

– Od tej chwili chcę, żebyście mieli oczy otwarte. Pytajcie pionierów, którzy zbierali dla was gazety.

Aha, czyli – jak podejrzewała – wiedział o szczegółach ich śledztwa.

– A jeśli jeszcze odwiedzicie jakieś matki w ramach waszej kampanii żywieniowej, niech sobie pogadają. Może się czegoś dowiecie. Jesteś z Turyngii, prawda? Przynajmniej tu się wychowałaś?

– Dobrze wiecie, że tak. – Zrobiła niedowierzającą minę. – Wszystko o mnie wiecie, towarzyszu pułkowniku.

Jäger uśmiechnął się do niej.

– Przyzwyczajasz się do naszych metod, Karin. – Popatrzył jej w oczy. – Grupa, która stoi za protestami, nazywa się Komitet Wywłaszczonych. Słyszałaś o nich?

Gwizd pociągu, który wjeżdżał właśnie na stację Most Peissnitz, zaskoczył Müller. Poczuła mocne uderzenia serca. Jakby była czemuś winna.

– Nie, raczej nie.

– Z treści listów sądzimy, że to ludzie zaangażowani lub w jakiś sposób powiązani z wyrzucaniem spekulantów ze stref turystycznych i naszymi wysiłkami zmierzającymi do zapewnienia Wolnemu Niemieckiemu Związkowi Zawodowemu budynków wypoczynkowych. Na Rugii, gdzie byłaś kilka miesięcy temu, i w...

– Oberhofie, mojej rodzinnej miejscowości – wtrąciła Müller.

Popatrzyła na peron, przez który przejeżdżali. Oczekujący pasażerowie wpatrywali się w nich, zaskoczeni, że pociąg się nie zatrzymuje. Skąd mieli wiedzieć, że to prywatny ekspres pułkownika Klausa Jägera.

– Wiesz o tym?

– O Komitecie Wywłaszczonych? – Zmarszczyła brwi. – Nigdy o nich nie słyszałam, jak już mówiłam. Wiem, że niektórzy chowają urazę, po tym jak państwo przejęło ich pensjonaty. Ale przecież dziesiątki tysięcy obywateli dostały w zamian tanie wczasy. Robotnicy nie mogliby sobie na nie pozwolić. – Wiedziała, że takiej odpowiedzi spodziewał się ktoś taki jak Jäger.

Skinął głową, jakby zdając sobie sprawę, że recytowała wyuczoną lekcję.

– Chciałbym, żebyś delikatnie wypytała rodzinę, czy coś słyszeli. Czy słyszeli jakieś narzekania?

Müller wiedziała, że nie zastosuje się do tej prośby. Stosunki z jej adopcyjną rodziną nadal były chłodne.

– Ale rodziny... – Nagle przerwała.

Johannes i jego rodzina byli dla niej dobrzy. Jego matka rozpieszczała ją, gdy tak bardzo brakowało jej uwagi ze strony własnej matki. Nie chciała źle o nich mówić, ale wiedziała, co chce usłyszeć Jäger.

– Przecież rodziny spekulantów zostały wyrzucone. To znaczy przeniesione. Widziałam to jako mała dziewczynka.

Następne zdania Jägera przyprawiły ją o dreszcze. Sprawiły, że wcisnęła się w siedzenie, chociaż najchętniej uciekłaby stamtąd gdzie pieprz rośnie.

– Wiem o tym, Karin. Twoje nazwisko jest na liście. Na liście tych, którzy się na to uskarżali.

38

DWA MIESIĄCE WCZEŚNIEJ: LIPIEC 1975

KOMPLEKS MIESZKANIOWY VIII, HALLE-NEUSTADT

Chwała na wysokościach. Jest taka piękna. Taka słodka.

Nadal nie mogę w to uwierzyć, chociaż Hansi ostrzegał mnie, że może tak być. Nacisk rosnącej macicy sprawił, że zatrzymało mi się krążenie. Zemdlałam i musieli mi podać leki uspokajające. Ponoć w szpitalu poszło jak z płatka. Podobnie jak ostatnim razem, gdy straciłam przytomność po upadku na rurach, to chyba były rury, i urodziłam na śpiąco. Przez cesarkę, to oczywiste.

Głaszczę się po brzuchu, gdy Heike ssie butelkę. Tym razem poddałam się Hansiemu. Tak, wolałabym karmić ją naturalnie. Ale wiem, że coś poszło nie tak poprzednio, ze Stefi. Hansi naciskał, bym tym razem robiła, co mi każe. Ciągle czuję się trochę winna. W sprawie Stefi. I w sprawie tego barmana nad Weissensee.

To trochę dziwne, że Heike jest taka malutka. Drobniutkie maleństwo. Piękna. Wdała się we mnie. Ale jej twarz jest taka wymizerowana. Wygląda jak pisklę. I jest bardzo malutka. Doktor mówi, że to dlatego, że urodziła się kilka tygodni za wcześnie.

Tym razem nie trafiłam do normalnego szpitala. Hansi załatwił klinikę zamkniętą w strefie Ministerstwa – jest wystarczająco ważny, by sobie na to pozwolić. Mówi, że Heike pójdzie też do przedszkola Ministerstwa, gdy trochę podrośnie. Jest dla mnie taki dobry. Przynosi mi wszystko, czego potrzebuję, robi zakupy. Heike jest wcześniakiem, więc on uważa, że nie powinnam wychodzić z nią na zakupy w centrum Ha-Neu. Mam utrzymywać jak najmniej kontaktów, by nie złapać żadnych zarazków.

– Moja śliczna, moja kochana – szepczę do Heike, gdy zaczyna płakać. Myślę, że zapowietrzyła się od szybkiego ssania butelki. Żarłoczna jest. Delikatnie klepię ją po pleckach. I jest wielkie beknięcie. „Tak lepiej, prawda, kochanie?”

39

TRZY MIESIĄCE PÓŹNIEJ: PAŹDZIERNIK 1975

HALLE-NEUSTADT

Słowa Jägera utkwiły w głowie Müller i nie pozwoliły jej się skoncentrować do końca dnia. Okropne było już to, że tamtego popołudnia żołnierze odnotowali komentarz pięcioletniej dziewczynki. Ale fakt, że ta notatka została zachowana i że powołano się na nią ponad dwadzieścia lat później, przechodził ludzkie pojęcie.

W mieszkaniu Emila przy Rynku Starego Miasta w Halle wciąż się zastanawiała, czy opowiedzieć mu o tych wydarzeniach. Szybko jednak odrzuciła ten pomysł. Może i się zakochała, ale to nie znaczyło, że nie powinna mieć się na baczności. Tak naprawdę ta jego przeprowadzka do Halle była dość niezwykłym zbiegiem okoliczności. A sposób, w jaki udało mu się uwieść Karin, zbyt szybki i łatwy. A co, jeśli wysłano go, by ją obserwował? A jeśli Jäger ze względu na jej powiązania rodzinne z Oberhofem podejrzewał, że ona ma coś wspólnego z tym Komitetem Wywłaszczonych? Oczywiście, że nie miała. Czasami zastanawiała się wręcz, czy nie jest przypadkiem zbyt lojalna wobec Republiki Demokratycznej. Ale w głębi serca nadal wierzyła w socjalizm. Więcej dobra dla większej liczby obywateli. Mogła nawet przymknąć oko na pewne metody Stasi, jeśli tylko miały wspomóc Republikę Demokratyczną w jej przetrwaniu i rozwoju. Ale to nie znaczyło, że nie musiała uważać.

Usiedli właśnie do przygotowanej przez Emila kolacji, gdy usłyszeli syrenę. Karin podbiegła do okna, by sprawdzić, co się dzieje. Grupa umundurowanych milicjantów wypadła z wartburgów na sygnale – ich niebieskie światła tańczyły po pomniku Händla. Przed restauracją zebrał się mały tłumek. W jego środku znajdowała się zrozpaczona dziewczyna, wyglądała na nastolatkę. Nagle zadzwonił telefon. Emil podniósł słuchawkę.

– To do ciebie. Podporucznik Tilsner. Mówi, że to pilne. – Emil uśmiechnął się z naganą. Jego spojrzenie pytało: tak teraz będzie, prawda? Jeśli będziemy razem. Tak będzie cały czas. – Na głos powiedział jednak: – Wstawię jedzenie do piekarnika.

Müller wzięła słuchawkę.

– Słyszałaś? – Przez trzaski dobiegł ją głos Tilsnera.

– Chyba nawet to oglądam.

– Zaraz obok ciebie. Na Rynku. Kolejne porwanie dziecka. Zaraz tam jadę. Spotkamy się na miejscu.

Müller zawsze dziwiła akceptowana w Republice Demokratycznej praktyka zostawiania dzieci w wózkach przed sklepami i kawiarniami. Tak, zazwyczaj przynajmniej jedna matka zostawała, by ich pilnować, ale jak dowodził przykład Andereggów, żadna matka nie będzie tak uważna jak własna.

Ludzie nadal się tłoczyli, a milicja starała się zebrać zeznania od nastolatki, która szlochała w pierś swojego chłopaka. Gdy dziewczyna się odwróciła, Müller zdała sobie sprawę, że ją zna. To Anneliese Haase, matka małej Tanji, którą Müller odwiedziła w Kompleksie Mieszkaniowym VI w pierwszym dniu „kampanii żywieniowej". Pamiętała nawet numer bloku: 956, i mieszkania: 276. Być może przeczucia Kamilli Seidel były trafne, tyle że sprawdziły się jakby z innej strony.

Pokryta rozpływającym się tuszem do rzęs twarz Anneliese wyrażała zdziwienie widokiem Müller, którą milicjanci traktowali jak szefową.

– Ty… ty nie jesteś… z przychodni, prawda? – spytała oskarżycielskim tonem. – Gdzie moje dziecko?! Co z nim zrobiliście?!

Tilsner złapał ją delikatnie za ramiona i odciągnął od tłumu gapiów.

– Nie krzycz – wysyczał jej do ucha. – Jeśli nie chcesz pogorszyć swojej sytuacji.

– Zabierzmy ją do mieszkania Emila – powiedziała Müller do swojego zastępcy. – Tam będziemy mieli spokój. Poproszę go, żeby na chwilę wyszedł. Chcę zabrać stąd Anneliese, zanim znowu zacznie się drzeć.

Dziewczyna próbowała wyrwać się Tilsnerowi, ten jednak prowadził ją pewnie, a milicjanci nie pozwolili jej chłopakowi czy innym iść za nimi.

– Dokąd mnie zabieracie? Nic złego nie zrobiłam! Ukradli mi dziecko. Moją Tanję. Dlaczego nie ścigacie…

Tilsner wykręcił jej rękę.

– Cicho bądź. Mówię ostatni raz. Zadamy ci tylko kilka pytań, wyjaśnimy sytuację, z dala od tego zbiegowiska. To najlepszy sposób na odnalezienie Tanji.

Jako że najpierw przerwano im posiłek, Emil nie był zbyt zadowolony, że teraz Müller poprosiła go, by na godzinkę wyskoczył do baru, podczas gdy ona i Tilsner będą przesłuchiwać Anneliese w jego mieszkaniu. Mimo to zgodził się pójść im na rękę.

Dziewczyna wyglądała na przerażoną. Rozglądała się na wszystkie strony, nadal niepewna roli, jaką odgrywa w tym wszystkim Müller. Pamiętała jeszcze spotkanie sprzed trzech miesięcy.

– Pewnie już wiesz, że nie jestem z przychodni. Jestem milicyjnym detektywem. Ale pod żadnym pozorem masz nikomu nie mówić, że przyszłam do ciebie w ramach kampanii żywieniowej. Zrozumiałaś?

– T-t-tak – wybąkała dziewczyna.

Milicjantka wyciągnęła notatnik i długopis.

– Teraz powiedz nam, co się stało. Powoli i ze wszystkimi szczegółami. Jestem pewna, że znajdziemy Tanję całą i zdrową. Nastąpi to szybciej, jeśli będziesz z nami całkowicie szczera.

– B-b-będę miała kłopoty?

Müller westchnęła ciężko.

– Najważniejsze to odnaleźć twoją córeczkę. Co robiłaś w centrum Halle? To daleko od twojego domu. Kompleks Mieszkaniowy Szósty znajduje się po drugiej stronie Halle-Neustadt.

– Mój chłopak pracuje w tym rejonie. Tutaj się spotykamy. W połowie drogi.

– Po co zabrałaś Tanję? Nie mogłaś jej zostawić z kimś z rodziny albo z koleżanką? Nie masz opiekunki?

To pytanie wywołało potok łez.

– Moja ciotka miała z nią posiedzieć. Ale w ostatniej chwili rozchorował się jej syn. Musiała zabrać go do szpitala i powiedziała, że nie może przyjść.

– Nie miałaś nikogo innego? – dopytywał Tilsner.

Dziewczyna wzruszyła ramionami i ukryła twarz w dłoniach.

– Co się stało, to się nie odstanie, Anneliese – powiedziała łagodnie Müller. – Ale dlaczego nie zabrałaś Tanji do środka?

Dziewczyna odgarnęła włosy z twarzy i zaczęła powoli oddychać, jakby chciała się uspokoić.

– Na początku wzięłam ją do środka. Ale potem zaczęła płakać. Próbowałam nakarmić ją piersią, ale komuś to się nie spodobało. Więc zabrałam ją do toalety, podkarmiłam trochę, aż zaczęła zasypiać, i odłożyłam do wózka.

– Na zewnątrz? – spytała Müller.

Anneliese przez moment milczała, jakby nie mogła sobie wybaczyć tego, co zrobiła.

– Tak – potwierdziła wreszcie. – Ale zostawiłam jej króliczka na pocieszenie i co chwila wychodziłam, żeby sprawdzić. Co pięć minut. Nie jestem złą matką, szczerze mówiąc.

– Twój chłopak jest ojcem dziecka? – spytał Tilsner.

Nastolatka pokręciła głową.

– Masz jakiś kontakt z ojcem?

Znowu potrząsnęła głową.

– On wrócił.

– Dokąd? – zdziwiła się Müller.

– Do Wietnamu.

Müller i jej zastępca stracili na moment rezon. Tilsner spojrzał z zastanowieniem na dziewczynę.

– Czy kiedykolwiek starał się nawiązać jakiś kontakt z Tanją? – spytała w końcu Müller. – Mógł wrócić w tajemnicy do Republiki Demokratycznej i próbować zabrać ze sobą dziewczynkę?

– Nie. On nie wie o jej istnieniu. Studiował na uniwersytecie, w kampusie Halle-West. To był przelotny romans, a ja w głupi sposób zaszłam w ciążę. Mieszkał z innymi w Kompleksie Szóstym. Skończył studia, ale miał zostać na lato. To było w zeszłym roku.

– Nigdy mu nie powiedziałaś o dziecku? – spytał zaskoczony Tilsner.

– Nie mam nawet jego adresu. Wiem tylko, że mieszka w Hanoi – w tym drugim, tym prawdziwym, w Wietnamie.

Müller potarła brodę. Ojciec zdecydowanie był fałszywym tropem. A chłopak?

– Jak się nazywa twój chłopak? – spytała.

– Nie chcę go w to mieszać. Chodzimy ze sobą niedługo. Samotna matka nie ma łatwo z chłopakami.

– Nie wygłupiaj się – warknął Tilsner. – Milicjanci tam na dole na pewno go spisali. On już jest w to zamieszany. Chcemy ci pomóc odzyskać dziecko. To, które zostawiłaś przed drzwiami, żeby sobie spokojnie flirtować z chłopakiem. Odpowiedz na pytania. Wszystkie.

Dziewczyna wpatrywała się w Tilsnera z otwartymi ustami. Ale Müller była zdania, że jej zastępca dobrze zrobił, zbijając ją nieco z tropu.

– No, Anneliese. Wyrzuć to z siebie.

– Ma na imię Georg. Georg Meyer.

– Jaki jest dla Tanji? – pytała dalej Müller.

– Jak to jaki?

– Czy ją akceptuje? Okazuje jej czułość? Wolałby, żebyś nie miała dziecka?

– Jest dla niej dobry. Ale...

– Ale co? – złapał ją za słowo Tilsner.

– No, jak każdy facet. Na pewno wolałby dziewczynę bez dziecka. Co chcecie powiedzieć? Że Georg załatwił, żeby ktoś zabrał mi Tanję? To śmieszne.

Müller energicznie potrząsnęła głową.

– Nie. Wcale tego nie mówimy. Po prostu analizujemy różne możliwości. Więc Georg cieszył się, że z tobą chodzi, chociaż czasami Tanja cię ograniczała, sprawiała, że nie zawsze mogłaś robić to, na co miałaś ochotę?

– Tak. Nie miał z tym problemu.

– Wiedział, że ona jest pół-Wietnamką? – spytał Tilsner.

– Nie. Na oko to nie jest takie oczywiste. Przynajmniej na razie. Ona wygląda... cóż, jest naprawdę śliczna. Słodziutka.

Müller przypomniała sobie wizytę u Anneliese trzy miesiące temu. Dziewczyna miała rację – Tanja wyróżniała się wyjątkową urodą. Była słodziutka. Do tego stopnia słodziutka, że jakaś kobieta – która bardzo chciała mieć własne dziecko – mogła ukraść maleństwo. Z czym tu właściwie mieli do czynienia? Ze zwykłym porwaniem dziecka? Czy to w ogóle miało jakiś związek ze sprawą bliźniąt Salzmannów albo dziecięcych szkieletów w zrujnowanej klinice aborcyjnej Rothsteina? Czy rzeczywiście tak wiele porwań dzieci musiało mieć jakieś powiązania, nie mogło być zwykłym zbiegiem okoliczności? Jeśli tak, dlaczego Maddalena wróciła cała i zdrowa do domu?

Kaszlnięcie Tilsnera przywróciło ją do rzeczywistości.

– Masz jakichś wrogów, Anneliese? – spytała. – Jest ktoś, kto mógłby zrobić Tanji krzywdę?

Dziewczyna się skupiła.

– Nic o tym nie wiem. No może...

– Może co? – naciskał Tilsner.

– Może... była dziewczyna Georga.

– Co z nią? – spytała Müller.

– Była wściekła, że zostawił ją dla mnie. Widzieliśmy ją niedawno w Halle. Rzuciła się na mnie. Georg musiał ją powstrzymać. Potem zaczęła się na niego wydzierać. Co ona powiedziała? A, już wiem: „Uważaj, gnoju. Prędzej czy później cię dopadnę”.

40

Müller mogłaby przysiąc, że Emil był na nią zły i pewnie miał swoje powody. Gdy skończyli przesłuchiwać Anneliese, skontaktowali się z mundurowymi milicjantami z Halle i przekazali im informację o byłej dziewczynie Georga Meyera, prosząc o jej zatrzymanie. Jednak Emil nie wrócił po godzinie, jak mu zasugerowała Müller. Pojawił się koło północy, śmierdziało od niego piwem.

Podczas gdy ktoś pokroju Tilsnera potrafił się napić na wesoło i nadal flirtować, Emil Wollenburg wydawał się bardziej w typie Gottfrieda. Posępny i prędki w reakcjach. Od tej strony Müller wcześniej go nie znała i niespecjalnie jej się to spodobało.

Gdy tylko zakończył jej wyrzucać, że robi z jego mieszkania pokój przesłuchań i że zepsuła romantyczny wieczór, opadł na krzesło przy stole i ukrył twarz w dłoniach.

– Nie jestem pewien, czy nam się uda – oznajmił, zerkając na nią.

– To działa w dwie strony, Emil. Gdy zaczęliśmy nasz związek, wiedzieliśmy, że mogą nastąpić takie dni – z obu stron. Gdybyś ty dostał nagłe wezwanie ze szpitala, byłoby tak samo.

– Ale z pewnością nie wykorzystałbym twojego mieszkania jako sali operacyjnej.

Müller poczuła, że z gniewu zaczynają jej pałać policzki.

– To niesprawiedliwe. Dziecko tej biednej dziewczyny zostało porwane. Potrzebowałam spokojnego miejsca na pół godziny, żeby mogła dojść do siebie i odpowiedzieć na pytania. Nie musiałeś włóczyć się po barach do północy.

– Hmmm.

– Co za hmmm?

– Więc to jednak nie jest to samo, prawda?

– Jakie to samo?

– To samo co wtedy, gdy zaczynaliśmy. Sprawiasz wrażenie nieustająco przemęczonej. Masz humory. I dlaczego ciągle łapiesz się za brzuch i robi ci się niedobrze?

Müller przysunęła sobie krzesło i usiadła naprzeciwko swojego mężczyzny.

– Nie wiem, co mi jest. Martwi mnie to. Ale jeśli będziesz na mnie krzyczał, wcale mi to nie pomoże.

Emil czule położył rękę na jej ramieniu, nagle zrozumiawszy, jak głupio się zachował.

– Przepraszam. Naskoczyłem na ciebie jak zepsuty chłoptaś.

– Co teraz?

– Idziemy do łóżka? – Uśmiechnął się. – To dobre lekarstwo na wszystko.

Müller się roześmiała, była mu wdzięczna, że postarał się rozładować napięcie. Jednak co właściwie się z nią działo? Chciała wiedzieć. Za długo to już trwało. Poczuła, że znowu ogarniają ją mdłości.

– Znowu ci niedobrze, prawda?

Skinęła głową.

– Wiesz co, powinniśmy cię zbadać. Prawie jestem pewien, co ci jest, choć pewnie przysięgłabyś, że to niemożliwe.

Spojrzała mu prosto w oczy, z rosnącym przerażeniem.

– Co?

– Jesteś w ciąży.

Pójście do łóżka i wszystko, co się z tym wiązało, może i było uniwersalnym lekarstwem, ale na Müller tym razem nie zadziałało. Emil szybko przekręcił się na bok i zaczął chrapać, zapewne zadowolony, że zbliżenie fizyczne pomogło zakopać topór wojenny między nimi. Jednak Karin nie mogła zapomnieć, z jakim uporem powtarzał, że zaszła w ciążę – mimo że wszyscy lekarze, z którymi dotychczas się konsultowała, twierdzili, że to niemożliwe. Więc jej chorobowe symptomy były po prostu porannymi mdłościami? Czy to możliwe? Jakim cudem? Czy w ogóle tego chciała? Ta kłótnia z pewnością wykazała, że ich związek nie wszedł jeszcze w fazę gotowości na dzieci.

Jej męczarnie przerwał dzwonek telefonu w dużym pokoju.

– Odbiorę – powiedziała, gdy Emil coś warknął i zakrył głowę poduszką.

Ostatecznie to było do niej. Znowu Tilsner.

– Zaczyna się, szefowo, niestety. Anneliese musiała się wygadać.

– Gdzie?

– Przed schroniskiem w Kompleksie Mieszkaniowym Ósmym. Tam, gdzie mieszkają robotnicy z Wietnamu.

Müller pędziła wartburgiem przez most na Soławie, przy akompaniamencie syreny.

Nie zdziwiło jej, że okolica została obstawiona przez osiłków w skórzanych kurtkach, którzy wydzierali z rąk protestujących kartony z hasłami.

– Wyłącz światła, Karin. Nie chcemy podkręcać atmosfery – nakazał Jäger, zanim jeszcze zdążyła wysiąść z samochodu. – Wiesz, o co w tym wszystkim chodzi?

Milicjantka raczej wiedziała, ale nie była pewna, czy chce wtajemniczać Jägera. Była zła, że Anneliese ich nie posłuchała. Obawy Stasi, że porwanie dziecka może wywołać niepokoje społeczne, zdawały się właśnie potwierdzać. Światło latarki jednego z tajnych funkcjonariuszy oświetliło tekst baneru: „Oddajcie nasze dziecko". Cieszyła się, że w ciemnościach Jäger nie może zobaczyć zażenowania z pewnością wypisanego na jej twarzy. Ale także on dostrzegł hasło.

– Mam nadzieję, że nie chodzi o konsekwencje czegoś związanego z twoim śledztwem, Karin. Wiesz, że miałaś to w pełni kontrolować. Nie chcemy, żeby sprawiło nam to problemy w dniu przyjazdu towarzysza Castro.

– Może gdybyśmy mogli wcześniej więcej zrobić, towarzyszu pułkowniku, nie mielibyśmy teraz tych problemów.

Jeden z funkcjonariuszy Stasi kneblował ręką krzyczącą kobietę. Zszokowana Müller rozpoznała w niej Klarę Salzmann. Dlaczego nie siedzi w domu z Maddaleną?

– Znasz ją? – spytał Jäger, który najwyraźniej w nikłym ulicznym świetle dostrzegł zainteresowanie milicjantki.

Przytaknęła.

– To matka zaginionych w lipcu bliźniąt. Ich sprawa sprowadziła mnie tu z Berlina.

– Sądzisz, że za bardzo protestuje?

Tilsner przyłączył się do nich i obserwował działania agentów, którzy aresztowali protestujących i wpychali ich do furgonetek.

– Karin zawsze ich podejrzewała – powiedział jej zastępca.

– To prawda – westchnęła. – Sama nie wiem dlaczego. Coś jest w tych spojrzeniach, jakie między sobą wymieniają. Uważam, że nie mówią nam wszystkiego. I co ona robi na nocnym proteście? Powinna być w domu z uratowanym dzieckiem. Ale jeśli chodzi o atak na wietnamski budynek, to nie mam pojęcia, skąd to się wzięło, towarzyszu pułkowniku.

Sprawą protestów zajęło się Ministerstwo Bezpieczeństwa Państwowego. Jäger dał Müller i Tilsnerowi jasno do zrozumienia, że ich pomoc nie jest do niczego potrzebna. Po późnym śniadaniu wyruszyli więc do położonego na południe od Halle Silberhöhe, by porozmawiać z byłą dziewczyną Georga Meyera – Kerstin Luitgard, która pracowała w tamtejszej szwalni. Wprawdzie milicjanci z Halle na krótko ją zatrzymali, ale gdy tylko się dowiedzieli, że Müller i Tilsner mogą się spóźnić z powodu nocnych zamieszek, wypuścili ją, by mogła iść do pracy.

Szwalnia wyglądała, jakby najlepsze lata miała już za sobą i groziła lada moment zawaleniem. Müller wiedziała, że stary budynek z czerwonej cegły wkrótce i tak czeka rozbiórka – te tereny przeznaczono pod budownictwo mieszkaniowe, miasteczko w stylu Ha-Neu. Za kilka lat to miejsce stanie się wielkim placem budowy, z którego będą wyrastać kolejne bloki.

Brygadzistka pokazała milicjantom boczny pokoik, w którym mogli spokojnie prowadzić przesłuchanie, i poszła po Kerstin, skarżąc się, że ta spóźniła się do pracy i przyszła dopiero co.

Dziewczyna wyglądała na wyczerpaną i nerwowo bawiła się włosami, gdy Müller przedstawiała siebie i swojego zastępcę.

– To podporucznik Tilsner z wydziału kryminalnego, ja jestem porucznik Müller. Wiesz, dlaczego tu jesteśmy, Kerstin?

– Niezupełnie – odparła cicho dziewczyna. – Milicjanci nic mi nie powiedzieli.

– Łatwo wpadasz w gniew, Kerstin? – spytał Tilsner.

– Raczej nie. Nie bardziej niż inni.

– Czy kiedykolwiek komuś groziłaś? – spytała Müller. Twardo spojrzała na przesłuchiwaną, aż tamta spuściła wzrok i zaczęła wykręcać sobie palce.

– Nie. O co chodzi? Nic nie rozumiem. Muszę wracać do pracy.

– Chodzi o twojego byłego chłopaka, Georga Meyera – wyjaśniła Müller.

– Co z nim? Nie mam z nim już nic wspólnego. W końcu go rzuciłam.

– Ty go rzuciłaś? Słyszeliśmy coś innego – stwierdził Tilsner. – Według naszych informacji to on rzucił ciebie. Dla innej, ładniejszej.

– Anneliese Haase – dodała Müller.

Dziewczyna milczała i nadal wykręcała sobie palce, nie podnosząc wzroku.

– Czy to się zgadza? – dopytywała Müller.

– Tak, jest z nią. I co z tego? Między nami już koniec. Nie rusza mnie to. Ale ona nie jest ładniejsza, poza tym to dziwka. Pieprzy się z Wietnamcami. Niech ją sobie weźmie.

– W takim razie – ciągnęła Müller, przeglądając notatnik – dlaczego tak się zdenerwowałaś, gdy zobaczyłaś ich razem w centrum miasta?

– Kto tak mówi?

– Mamy świadków – powiedział Tilsner. – Słyszeli, jak mu powiedziałaś: „Uważaj, gnoju. Prędzej czy później cię dopadnę". Zaprzeczasz, że to twoje słowa?

Müller dostrzegła łzy w oczach dziewczyny. Bez wątpienia była zazdrosna, nadal coś czuła do Georga Meyera. Ale żeby od razu porywać dziecko? Milicjantka w to nie wierzyła.

Dziewczyna nie odpowiedziała, więc Tilsner zwiększył nacisk.

– Dorwałaś go, prawda? Zeszłej nocy. Ukradłaś dziecko jego nowej dziewczynie.

– Co?! – krzyknęła Kerstin. – Oszaleliście. Po co mi dziecko? Jeśli chciałabym jakieś mieć, nie zabierałabym cudzego, w dodatku bękarta i mieszańca.

„Ten wybuch gniewu ujawnił prawdziwy charakter Kerstin" – pomyślała Müller. Ale nadal nie uważała, by dziewczyna była zdolna ukraść Tanję sprzed baru.

– Gdzie byłaś wczoraj o siódmej wieczorem? – wypytywał Tilsner.

– Tutaj – wypluła z siebie dziewczyna. – Spytajcie *Frau* Garber, brygadzistkę. Ona mnie nie lubi, ale potwierdzi, że tu byłam.

41

Brygadzistka rzeczywiście potwierdziła alibi Kerstin, pokazując karty wejścia i wyjścia z zakładu. Müller poczuła, że znów kręcą się w kółko, w dodatku teraz musieli zmierzyć się jeszcze z kolejnym porwaniem dziecka, a także pierwszym rzutem demonstracji i niepokojów – czegoś, co nie mogło zakłócić wizyty towarzysza Castro. W domu nie było lepiej. Emil nalegał, by zbadała się pod kątem ciąży, ale Müller jak dotąd mu się opierała. Nie mogła uwierzyć, że to, co powiedziało jej kilku ginekologów, miało okazać się nieprawdą.

Przygotowania do wizyty wyglądały tak samo jak do obchodów 1 Maja albo Dnia Republiki Demokratycznej w Berlinie. Müller i Tilsner zostali zaangażowani do pomocy Eschlerowi i jego ludziom w sprawach organizacji i bezpieczeństwa. Müller wiedziała jednak, że Jäger i jego podwładni bez rozgłosu odwiedzają podejrzanych o przynależność do szemranego Komitetu Wywłaszczonych. Udało jej się wydusić z samego pułkownika Stasi obietnicę, że zaraz po bezpiecznym zakończeniu wizyty jej zespół dochodzeniowy zostanie wzmocniony i będzie liczył tyle samo osób, ile przed odnalezieniem Maddaleny. Protest przed kwaterą Wietnamczyków najwidoczniej zdenerwował Ministerstwo Bezpieczeństwa Państwowego. Jeśli miało to pomóc Müller, dobrze się złożyło.

Sobota była słonecznym późnojesiennym dniem. Niebo bez chmur i mgły wywołanej przez zanieczyszczenia. Müller wręcz zastanawiała się, czy zamknięto Leunę, Bunę i inne zakłady, by ich wyziewy nie zakłócały spokoju kubańskiego przywódcy w tym ponoć najważniejszym dniu jego wizyty. Dumą napawał ją już sam fakt, że Castro miał odwiedzić Halle-Neustadt, modelowe miasto socjalistyczne Republiki Demokratycznej, chociaż uczucie to nieco mąciły mroczne wydarzenia, do których tu doszło: porwanie bliźniąt Salzmannów, śmierć Karstena, a teraz zniknięcie Tanji Haase. Wszystko to trzymano jednak w tajemnicy, by nie przeszkodziło w świętowaniu wizyty – jeśli rzeczywiście był to prawdziwy powód tej całej atmosfery tajemniczości.

Z wiaduktu dla pieszych nad Magistralą dwoje detektywów obserwowało paradę. Szli w niej pracownicy zakładów chemicznych z czerwonymi flagami oraz pionierzy w świeżo wykrochmalonych białych koszulach i niebieskich oraz czerwonych jaskrawych chustach.

– Na pewno by się cieszyli, gdyby tu byli w zwykły dzień pracy albo szkoły – wyszeptał Tilsner. – Ale w sobotnie popołudnie nie jest to już taka fajna sprawa.

Müller się skrzywiła. Jego cynizm nie znał granic. Ona zwyczajnie miała nadzieję, że wszystko pójdzie gładko. Patrzyła w kierunku końca pochodu i widziała szereg czarnych limuzyn, które z daleka wyglądały jak błyszczące w słońcu żuczki przekraczające most nad Soławą od strony Halle. Obok volvo – rozpoznała je po kształcie – niczym mrówki tłoczyły się milicyjne motocykle. Przebiegła wzrokiem po horyzoncie. Dostrzegła sylwetki uzbrojonych funkcjonariuszy Stasi na szczytach budynków, zapewne przekazywali przez radio informacje swoim kolegom na dole, gdy tylko dostrzegli coś nietypowego.

– Więc będziemy tu stać i patrzeć? – spytał Tilsner. – Jeśli coś się stanie, nie na wiele się przydamy.

– Nie, chodźmy do głównego szpitala. Tam mają wygłaszać przemówienia. Towarzysz Castro chce zobaczyć, czy nasza służba zdrowia dorównuje kubańskiej.

– Nie musimy się więc spieszyć. Słyszałem, że przemawia godzinami.

Przeszli na drugą stronę wiaduktu i znaleźli się w Kompleksie Mieszkaniowym IV, w którego obrębie mieścił się szpital. Nie musieli przedzierać się przez tłumy widzów tłoczących się na Magistrali. Pokazali legitymacje i bez problemu przepuszczono ich przez szeregi oficjeli, którzy w wejściu do szpitala czekali na przemówienia.

Müller skinęła głową Jägerowi. Stał po drugiej stronie korytarza. Emil też tam był, w swoim lekarskim fartuchu, ale nie udało jej się nawiązać z nim kontaktu wzrokowego. Jakieś dwadzieścia minut później szmer głosów przemienił się w huk aplauzu, zaczęły błyskać flesze fotoreporterów i pojawił się on, wszedł na podium i pomachał zebranym na powitanie, ubrany w swój oliwkowy mundur polowy. Obok niego stał Erich Honecker – w garniturze i okularach. Oto wielki bohater rewolucji i socjalizmu, jego twarz – obok twarzy Che Guevary – widniała na studenckich koszulkach i plakatach w całej Republice Demokratycznej. I, co dziwne, także na Zachodzie. Müller widziała to w wiadomościach i kronikach pokazywanych w zachodniej telewizji.

Tilsner nachylił się do jej ucha.

– W komendzie zrobiliśmy zakłady, ile czasu potrwa ta błazenada. Wiesz, że on pobił rekord w najdłuższym przemówieniu w Organizacji Narodów Zjednoczonych? Ponad cztery godziny.

Müller żachnęła się i wskazała jego zachodni zegarek.

– Przynajmniej będziesz mógł dokładnie to zmierzyć – powiedziała również szeptem. – Swoim drogim kapitalistycznym zegarkiem.

W odpowiedzi Tilsner tylko parsknął. Po drugiej stronie Jäger zmarszczył brwi, zdenerwowany, że detektywi stroją sobie żarty zamiast obserwować tłum w poszukiwaniu członków tajemniczego Komitetu Wywłaszczonych, który ponoć miał im się tutaj objawić.

Ostatecznie to nie Honecker ani Castro rozpoczęli przemowy. Zostawiono to miejscowemu przedstawicielowi partii.

– Kto to jest? – spytał Tilsner.

Müller tylko wzruszyła ramionami, ale jakaś groźnie wyglądająca kobieta klepnęła ją w ramię i wyjaśniła:

– To sekretarz partii w Ha-Neu, Rolf Strobelt.

Müller skinęła jej głową w podziękowaniu.

Strobelt stanął przed miniaturowym modelem nowego miasta i rozpoczął powitalną przemowę, w której wskazywał zalety Halle-Neustadt. Przerywały mu regularne oklaski. Müller wraz z resztą biła brawo w odpowiednim momencie. Tilsner zdenerwował ją tym, że patrzył gdzieś w przestrzeń i trzymał ręce przy sobie, nie przyłączając się do aplauzu. Czy nie zdaje sobie sprawy, że Jäger i jego kumple nas obserwują? – złościła się.

Potem nadeszła kolej Honeckera. Müller zaskoczyło, że nie było z nim jego żony, Margot. Według ich informacji także miała przyjechać. Urodziła się w Halle, więc to była dla niej okazja, by powrócić w rodzinne strony i zwiedzić labirynt betonowego nowego miasta, które powstało tuż obok.

Przemówienie Honeckera spotkało się z gorętszym przyjęciem, a na koniec przywódca Republiki Demokratycznej przedstawił Fidela Castro. Gdy ten rozpoczął mowę, tłum zafalował i rozłączył Müller i Tilsnera. Na początku uznała, że to entuzjazm, ale zaraz potem zaczęło się przepychanie i krzyki, milicjantka została brutalnie popchnięta do przodu i boleśnie zderzyła się z mężczyzną, który stał przed nią. Odwróciła się, by zaprotestować, i zobaczyła bijatykę dwóch ubranych w skórzane kurtki mężczyzn, a zaraz podniósł się krzyk: „Oddajcie nasze domy i sklepy! To, co się nam prawnie...”.

Żołądek wywrócił się jej na drugą stronę. Spojrzała w kierunku, z którego dobiegały krzyki, na prawo od niej. Kolejny mężczyzna w skórzanej kurtce – zapewne funkcjonariusz Stasi – zaciskał dłoń na ustach demonstranta. W ogólnym zamieszaniu ktoś zwiększył moc głośników i przez słowa Fidela Castro nie zdołały się przebić już żadne okrzyki.

Tłum znowu zafalował, Müller poczuła kolejne pchnięcie i się potknęła. Upadając, kątem oka dostrzegła twarz, która wydała jej się znajoma. Wspomnienia z dzieciństwa, z młodości. „Znam go” – pomyślała. Ale kto to jest? Zanim jednak w jej mózgu pojawiła się odpowiedź, podczas gdy w tle padały rozwlekłe zdania Castro i ich niemieckie tłumaczenie, jej głowa mocno uderzyła o podłogę.

42

LUTY 1963 ROKU

OBERHOF

Było tak strasznie zimno. Dziewczyna próbowała stanąć na nogi w niewygodnych, przystosowanych do jazdy butach narciarskich, by przywrócić krążenie. Z każdym wydechem przed jej twarzą pojawiała się para. Zacierała ręce, by się rozgrzać, długie narty trzymała oparte o ramiona.

Miejsce lądowania wyglądało prawie jak ze szkła, przedskoczkowie starali się zatrzymać przed barierami ze snopków pokrytych brezentem. Zderzenie z nimi byłoby jak uderzenie w ceglany mur. Bolałoby godzinami, nawet dniami, a jej rodziny nie było na miejscu, by w razie czego ją pocieszyła lub podniosła na duchu. Zanim zawodniczka się przebrała, zeszła na dół, by dotknąć słomianych bel. Zamarzły na kość, jak wszystko inne – mróz panował od tygodni, miesięcy.

I nie tylko tutaj, w górach Lasu Turyńskiego. Cała północna Europa skuta była lodem. Na zdjęciach w „Neues Deutschland" zamarznięte fale Bałtyku wyglądały jak drobne zmarszczki na lodowym torcie. Niesamowicie poustawiane łodzie w portach, efekt zamarzającego wiatru – ludzie chodzący po lodzie, by mu się lepiej przyjrzeć. Szyldy sklepowe i drzewa w stolicy pokryte iskrzącym się lodem, który nie topniał nawet w południowym słońcu.

Stanął przed nią trener, chuchnął zapachem kiełbasy i wyjaśnił kwestie techniczne, które znała już na pamięć. Wybicie ciała i kolan, pochylenie się w stronę czubków nart, ręce wzdłuż ciała jak skrzydła odrzutowca. A potem lądowanie na ugiętych kolanach, z jedną nogą przed drugą. Starała się skupić na jego słowach, ale jej oczy śledziły jedynie popękane naczynka na jego doświadczonej pogodą i alkoholem twarzy.

– Pamiętaj – krzyczał, a z jego ust wyleciał kawałeczek niepogryzionej kiełbaski – koncentracja! Koncentracja. Wszyscy będą na ciebie patrzeć. Wszyscy będą się cieszyć. Możesz wygrać. Jesteś dość dobra. Uwierz w to.

Na koniec klepnął ją w plecy wielką dłonią w rękawicy i pchnął w stronę schodów prowadzących na platformę. Z boku wzgórza piętrzyły się drewniane trybuny, pokryte morzem twarzy, z wielu z nich wydobywała się para, gdy widzowie popijali kawę lub grzane wino z wkładką. Dostrzegła kilkoro kolegów i koleżanek ze szkoły.

– Dalej, Katzi! – krzyczeli.

Dlaczego to robisz? – pytała samą siebie. Dlaczego chcesz koniecznie udowodnić, że jesteś lepsza od innych? Że jesteś najlepsza. Szukasz uznania ze strony matki? Brata? Siostry? Papy? Dlaczego? Nawet ich tutaj nie ma.

Była już na szczycie. Zaraz miała wsunąć się na ławkę. Ławka wisiała nad tym przerażającym białym zjazdem z dwoma śladami, które prowadziły... donikąd. A raczej ku wolnemu górskiemu powietrzu gwiżdżącemu w uszach. Kop adrenaliny. Magia ślizgania się w powietrzu, podczas którego ludzie są najbliżsi pięknu ptaków w locie.

Obserwowała Lukasa Habicha, który przygotowywał się do skoku. Był jej głównym rywalem, mistrzem młodzików okręgu Suhl. Wiedziała, że była lepsza – skakała dalej, miała lepszy styl. Ale gdy podliczono wszystko, jej punkty okazały się bez znaczenia. W skokach narciarskich nie było kategorii dziewczęcej ani kobiecej. Była najlepsza, ale nie mogła niczego wygrać.

Lukas poprawił gogle i dostał sygnał do startu. Odepchnął się, następnie w tradycyjny sposób wybił się z progu. Dziewczyna obserwowała ten moment, przesuwając się na miejsce, które przed chwilą opuścił.

Widzowie gorąco wiwatowali na jego cześć. To znaczyło, że wylądował za punktem K i w dobrym stylu. Wyznaczył standard, jak zawsze.

Wiedziała, że w tłumie znajdowali się nie tylko zwykli kibice, lecz także przedstawiciele Komitetu Olimpijskiego Republiki Demokratycznej. Nie przyjechali, by podziwiać Lukasa. Przyjechali tu dla niej. Chcieli sprawdzić, czy to, co słyszeli o latającej dziewczynie z Turyngii, było prawdą. Że powinna być przodowniczką nowej kobiecej reprezentacji olimpijskiej w skokach, dając Niemieckiej Republice Demokratycznej, małemu komunistycznemu krajowi na skraju radzieckiego bloku, miejsce na podium.

Poprawiała gogle, starając się zasłonić nimi jak najwięcej pola widzenia. By móc skupić się jedynie na gładkim starcie i kontrolowanym, mocnym wybiciu. Ale coś poszło nie tak. Kątem oka dostrzegła na górnej trybunie młodzieńca. Wpatrywał się w nią z nienawiścią, tak intensywną, że wręcz strzelającą zza jego drucianych okularów. Już wcześniej widziała tę twarz. Wiele razy. Na łące rolnika Bonza, gdzie praktykowali własną wersję saneczkarstwa. A ostatni raz, gdy wpychano go do ciężarówki ludowego wojska, kręcącego głową zagubionego chłopaka, którego oczy zmąciła krótkowzroczność. Johannes. To był Johannes.

Nagle zjazd wydał jej się pozbawiony końca. Pomyślała, że nie wyląduje tam, gdzie trzeba. Poczuła dreszcz strachu w swoim wysportowanym nastoletnim ciele. Skąd ten strach, skoro wcześniej była nieustraszona? Tak jakby niechętne spojrzenie Johannesa go w nią tchnęło. Ze względu na swój młody wiek nie mogła bronić przyjaciela, gdy przeżywał chwile grozy. Nigdy nie próbowała się dowiedzieć, co się z nim stało. Wyrzuciła go ze swojego życia.

A potem wywołali jej nazwisko – Karin Müller – i pomyślała, że ten sam strach musiał odczuwać on w momencie, gdy żołnierze zabierali go z całą rodziną. Gdy zabierali im dom. Siedziała tam, niezdolna do odbicia, drżąca, przykuta do ławki.

Wiedziała, że nie skoczy, że już nigdy nie skoczy.

43

Odzyskała przytomność, ale nie wiedziała, co się dzieje. Czy wtedy skoczyła, po raz ostatni? Czy pokonała ten nagły strach, który sparaliżował ją w momencie, gdy wydało jej się, że widzi twarz Johannesa... Potem upadła, rozbiła sobie głowę i teraz czuła potworny ból. Ogarnęły ją mdłości, takie jak w ostatnich tygodniach, gdy myślała, że jest...

W ciąży.

Mgła się rozwiała i Karin zobaczyła twarz nie Johannesa, lecz Emila Wollenburga. Pochylał się nad jej łóżkiem. Szpitalnym łóżkiem. Jego twarz wyrażała głęboką troskę.

– Wróciłaś do nas, Karin.

Chciała się podnieść, nie wiedziała, co powinna zrobić. Chronić Castro, Honeckera. Tłumaczyć się Johannesowi. Dlaczego ona mogła zostać w Oberhofie, a on nie. Dlaczego jego widok tam, na skoczni, sprawił, że zmroził ją strach i nie mogła skoczyć. Chciała też zadać mu pytania. Dlaczego przyjechał do Ha-Neu? Czemu kneblował usta protestującego? Ale czy to w ogóle był Johannes? Potrząsnęła głową, starając się zobaczyć to wszystko wyraźnie, ale szybko tego pożałowała, bo ostry ból przeszył jej czaszkę niczym uderzenie młotem.

– Spokojnie. – Emil delikatnie ułożył jej głowę z powrotem na poduszce. – Musisz trochę zwolnić przez następne kilka dni.

– Co się stało?

– Zemdlałaś. Uderzyłaś się w głowę. To pewnie z powodu podekscytowania jedną z legendarnych mów Fidela Castro.

– Nie. Widziałam coś. Widziałam jego.

– Kogo widziałaś? – Przez twarz Emila przemknęło zaniepokojenie.

Johannesa, chciała mu powiedzieć. Wiesz, tego przyjaciela, którego opuściłam. Pozwoliłam, by zabrali go żołnierze. Jednak żadne słowa nie padły z jej ust. W końcu kim Johannes był dla Emila? Nie znał go. Nie mógł zrozumieć.

Wobec milczenia Müller Emil sięgnął po jej dłoń.

– Gdy byłaś nieprzytomna, zrobili ci USG.

Oczy rozszerzyły jej się ze strachu.

– Nie chcę wiedzieć.

Przez twarz Emila przebiegł cień urazy. Urażona duma. Wiedziała, że musi to naprawić.

– Nie chcę wiedzieć, czy to chłopiec czy dziewczynka, jeśli... jeśli jestem w ciąży.

– Jesteś. USG to potwierdziło. Poza tym wszystko w porządku. Ale ja też nie chciałem poznać płci. Poprosiłem, żeby nic mi nie mówili, żeby tylko potwierdzili, czy jesteś w ciąży.

Müller znowu oparła głowę o poduszkę.

– A przez te wszystkie lata nie zabezpieczałam się, bo...

– Bo myślałaś, że nie zajdziesz w ciążę po tym, co się stało w szkole milicyjnej? Może po prostu mieliśmy szczęście... albo go nie mieliśmy.

Müller ścisnęła jego palce.

– A ty jesteś zadowolony?

– Ha! – Zaśmiał się. – Nie widzisz mojego uśmiechu?

Jednak ona miała kolejne zmartwienie. Co teraz będzie ze śledztwem w sprawie porwania i śmierci Karstena Salzmanna? Zniknięciem Tanji Haase? Ukradzionymi bliźniętami Andereggów? Teraz, gdy sama miała zostać pobłogosławiona dzieckiem, byłoby okrutną niesprawiedliwością porzucić pościg za tym – lub tymi – którzy uczynili innych tak nieszczęśliwymi.

Emil wydawał się czytać jej w myślach.

– Musisz trochę zwolnić. Zwłaszcza po tym uderzeniu w głowę i upadku. Mogłaś poronić. Twoja praca w tym stanie może okazać się niebezpieczna.

– Nie! – krzyknęła, wbijając mu paznokcie w dłoń. Dostrzegła ból na jego twarzy i prawie poczuła z tego powodu przyjemność. – Nie zamierzam znowu stracić stanowiska szefowej zespołu i stać się żoną przy mężu doktorze. Możesz o tym zapomnieć.

Od razu pożałowała tych słów. Emil wyglądał na przybitego. Chociaż była szczera, tkwiła w tym jednak zarozumiałość. Nie zaproponował jej małżeństwa. Być może nigdy tego nie zrobi.

– Przepraszam – powiedziała. – Nie chciałam, żeby to tak zabrzmiało. Ale chcę pracować. Uwielbiam moją pracę. Jeśli będziemy mieli dziecko...

– Jeśli?

– No dobrze, kiedy. Kiedy będziemy mieli dziecko, zamierzam nadal pracować.

– Ale chyba nie...

– Tak – powiedziała z całą mocą. – Jako szefowa zespołu do spraw zabójstw. Tym właśnie się zajmuję. Milicja Ludowa zaoferowała mi to stanowisko, i chociaż w pewnym momencie mogą tego żałować, na pewno lubią trąbić o tym, jacy są równościowi w wydziale kryminalnym – nawet jeśli nie ma tam żadnych kobiet na kierowniczych stanowiskach. Musisz się więc do tego przyzwyczaić, Emil.

Podniósł brwi, ale nic nie powiedział. Ta drobna sprzeczka na temat jej roli jako matki oczyściła jej umysł. Dostrzegła, że on nadal ma na sobie fartuch.

– Tak. Ciągle jestem na dyżurze. – Zauważył, w co ona się wpatruje. – Przyszedłem tu w przerwie obiadowej. – Spojrzał na zegarek. – Muszę wracać.

Pochylił się, by pocałować ją w policzek, ale odwróciła twarz, odchyliła głowę i dzięki temu ich usta się spotkały.

– Dobra robota, papciu – szepnęła.

W odpowiedzi pogłaskał ją po brzuchu.

– Ty także dobrze się spisałaś, *Mutti*.

Miała nadzieję, że jako następny przyjdzie Tilsner i wprowadzi ją w szczegóły, by przyspieszyć sprawę – albo sprawy, jeśli były niepowiązane. Jednak przyszedł Jäger. Sam. Ani śladu Malkusa czy Janowitza, na szczęście. Odkąd w okolicy pojawił się Jäger, lokalni oficerowie Stasi jakby usunęli się w cień. Tylko jak długo to będzie trwało, skoro wizyta Castro dobiegła końca?

– Prawie skradłaś mu przedstawienie, Karin – zaśmiał się. – Towarzysz Castro dzielnie kontynuował, mimo krzyków, ale twój upadek sprawił, że przerwał. Musiał poczekać, aż zabiorą cię do szpitala. Co się stało?

Czy musiał wiedzieć o jej ciąży? Nie zamierzała mu się spowiadać, przynajmniej nie teraz. Poczeka, aż jej stanu nie da się już ukryć. Ale na razie brzuch tylko lekko wystawał, wcześniej myślała, że to z przejedzenia. Nic więcej nie było widać.

– W zamieszaniu straciłam równowagę, towarzyszu pułkowniku. – Nie mogła powstrzymać się przed oficjalnym tytułem, chociaż znajdowali się w sytuacji nieformalnej. – Upadłam i uderzyłam się w głowę. Chyba straciłam przytomność, choć coś tam pamiętam.

– Jak długo mają zamiar cię tu trzymać?

– Myślę, że jakiś dzień lub dwa, na obserwacji. Tilsner będzie mógł przejąć dowodzenie, nie musicie się martwić. Czy aresztowaliście...

Jäger podniósł rękę, by ją uciszyć, i rozejrzał się po sali. Przysunął się bliżej.

– Nie omawiajmy tego tutaj, Karin. Tak, poradziliśmy sobie. Nie sądzę, by to była część czegoś większego. Nie ma się czym przejmować. Opowiem ci więcej, jak wyjdziesz.

– A co w tej drugiej kwestii?

– Jakiej? – zdziwił się Jäger.

– Moich pytań. Mojej prośby o znalezienie informacji.

– Ach, nie. Niestety, jak możesz sobie wyobrazić, byłem bardzo zajęty wizytą Castro. Teraz, gdy już się odbyła, może będę miał więcej czasu. Nie martw się, nie zapomniałem o tym.

Poklepał kołdrę na jej nogach i się pożegnał.

Brak postępu w kwestii poszukiwania jej biologicznej matki – albo ojca – rozczarował Müller. Jeśli, co stało pod wielkim znakiem zapytania, nadal żyli, niedługo zostaną dziadkami. To sprawiało, że ich odnalezienie było jeszcze ważniejsze: dla nich i dla niej, a także – pogłaskała się po brzuchu – dla jej nienarodzonego dziecka.

44

WRZESIEŃ 1975
KOMPLEKS MIESZKANIOWY VIII, HALLE-NEUSTADT

Wiedziałam, że to długo nie potrwa. Gdy tylko przytrafia mi się coś wspaniałego, następuje coś okropnego – zawsze, zawsze, zawsze. Byliśmy tacy szczęśliwi. Karmiłam Heike butelką, jak kazał mi Hansi. To na pewno nie była moja wina.

Ale Hansi ciągle powtarzał, że doktor powiedział mu, że to dość delikatne dziecko. Że urodziła się, gdy byłam w śpiączce. Ale dla mnie wszystko wyglądało dobrze.

Dlatego to był straszny szok, gdy po powrocie z wizyty kontrolnej u lekarza (mojej, nie dziecka, które zostało z Hansim w mieszkaniu) dowiedziałam się, że Hansi musiał zabrać Heike do szpitala. I że była w tak złym stanie, że musieli umieścić ją w izolatce.

– Mogę ją odwiedzić? – spytałam.

Na pewno widział tę potrzebę w moim wzroku. Ale jego oczy były zimne i patrzyły ostro. Czasami tak robi.

– Nie, Franzi. Przykro mi. Jest w szpitalu Ministerstwa. Ma tam najlepszą opiekę. Mam nadzieję, że nie potrwa to dłużej niż kilka tygodni.

– Tygodni? Nie będę jej widzieć przez kilka tygodni?

Pokręcił głową.

– Nie utrudniaj tego, Franzi. To dla jej dobra. Pamiętasz, co było ostatnio.

Niewiele mogłam na to odpowiedzieć. Wiem, że nadal obwinia mnie o to, co stało się ze Stefi. Ale minęło prawie dziesięć lat, na pewno już mi wybaczył. Starałam się, jak mogłam. Och, Heike, Heike. Mam nadzieję, że nic ci nie będzie. Będę się za ciebie modlić co noc.

45

GRUDZIEŃ 1975

HALLE-NEUSTADT

Minęły tygodnie, potem miesiące, a w śledztwie nie nastąpił prawie żaden postęp. Analizę próbek pisma nadal uważali za dającą największe szanse na przełom, ale to była gigantycza praca, która posuwała się w tempie godnym lodowca. Müller i Tilsner musieli w dodatku zająć się kilkoma drobnymi przestępstwami, jakie popełniono w nowym mieście: kradzieżami, napadami i inną działalnością antysocjalistyczną. Na wielu spotkaniach Janowitz powtarzał w imieniu Stasi, że obecność dwójki berlińskich detektywów nie ma sensu, i sugerował, że Ministerstwo Bezpieczeństwa Państwowego mogło samo zająć się dochodzeniem – czy raczej tym, co z niego zostało.

Nadeszła zima. Jeśli latem i jesienią Halle-Neustadt prezentowało najlepsze strony Republiki Demokratycznej – obietnicę nowiutkiego mieszkania dla wszystkich obywateli – zimą było zupełnie inaczej. Gdy tylko kalendarze pokazały grudzień, wszyscy zaczęli myśleć wyłącznie o świętach Bożego Narodzenia, w domu towarowym pojawiły się ozdoby i specjalne produkty na stoisku mięsnym Klary Salzmann. Müller nie czuła nastroju świąt. Tutejszy smog – wyziewy z zakładów Leuna i Buna – był tak samo okropny jak ten, który pamiętała z Berlina. A kiedy wreszcie ustąpiły poranne mdłości, rosnący brzuch zaczął jej ciążyć. Dziecko będzie duże.

Kwaśny smog przyprawił ją o suchy, nieustępujący kaszel, który irytował Tilsnera.

– Musisz się zbadać. Albo kupić jakiś syrop. To albo to. Nie chcę się zarazić.

Müller obdarzyła go groźnym spojrzeniem.

Siedzieli nad stertami starych gazet, pomagając ekipie funkcjonariuszy Stasi. Zbieranie próbek dobiegało końca, ale Müller, Tilsner i ich ludzie przeanalizowali dopiero połowę materiału, który pozyskiwano już wszędzie, gdzie to było możliwe. Na przykład zorganizowano fałszywy konkurs w różnych domach towarowych w okolicach Ha-Neu. Chętni na wygraną musieli ręcznie wypełnić kupon, w którym roiło się od dużych „E".

Tilsner wydał z siebie westchnięcie i walnął o stół stertą gazet, które właśnie przeglądał.

– *Scheisse!* Nie pisałem się na to, Karin. Jesteśmy w ślepym zaułku. – Wstał i poszedł zaparzyć kawę.

Müller siadła na jego miejscu i zabrała się za porzucone gazety. Jej uwagę przyciągnęło zdjęcie w egzemplarzu „Neues Deutschland", na wierzchu kupki. Reportaż z wizyty Fidela Castro w Ha-Neu sprzed kilku miesięcy. Na zdjęciu nie było nic specjalnego – tylko lokalny sekretarz partii w towarzystwie Castro i Honeckera przed miniaturowym modelem miasta. Przejrzała reportaż. Co miała nadzieję znaleźć? Informację o własnym upadku? Informację o plotkach na temat Komitetu Wywłaszczonych, który ponoć poszedł w rozsypkę? Tak twierdził Jäger po aresztowaniu kilku prowodyrów. Wcale się nie zdziwiła, gdy w ogóle nic o tym nie wspomniano. W gazecie znalazła tylko suche sprawozdanie z przydługich przemówień.

Tilsner gwizdał pod nosem przy ekspresie do kawy, a Müller leniwie przeglądała strony gazety, aż dotarła do działu z krzyżówką. Przyjrzała się jej. Nagle poczuła mrowienie w karku i aż podskoczyła.

– Chodź coś zobaczyć! – krzyknęła.

Reszta zespołu otoczyła jej stół. Tilsner wylał kawę na podłogę, gdy biegł do Karin. Poczuła kopnięcie w brzuchu – dziecko skarżyło się, że mu przeszkadzają. Nie obchodziło jej to. Niech się przyzwyczaja.

Bo oto mieli przed oczami, wyraźne jak widoki w te rzadkie jasne dni w Ha-Neu, charakterystyczne litery. W każdym haśle, które zawierało wielkie „E", pismo odpowiadało temu nietypowemu, odkrytemu latem przez Schmidta w gazecie, w którą zabójca – a raczej porywacz – zawinął ciałko Karstena Salzmanna.

Wszystkie kupki starych gazet zostały oznaczone przez pionierów numerem kompleksu mieszkaniowego, bloku, piętra oraz, jeśli tylko był znany, numerem mieszkania. Müller i Tilsner kazali im to robić w zamian za nagrody pieniężne z funduszy milicji. Teraz nadeszła pora zweryfikowania staranności i dokładności młodych obywateli. Na szczęście ta kupka została bardzo dokładnie oznakowana. Kompleks Mieszkaniowy VIII, blok numer 258, mieszkanie numer 329, na trzecim piętrze. Müller od razu, bez patrzenia na mapę, zorientowała się, gdzie to jest. Dziwaczny plan Ha-Neu miała już w małym paluszku. Blok, którego szukali, stał na północnym wschodzie nowego miasta, na samym skraju. Zaraz obok siedziby Stasi.

Tilsner też to zauważył. Przyłożył rękę do jej ucha i wyszeptał:

– Na pewno jest na liście Malkusa.

– Nic mnie to nie obchodzi – odparła Müller, starając się, by koledzy z zespołu jej nie usłyszeli.

Tilsner nalegał, by ruszyć tam od razu, przy akompaniamencie syren. Ale jego szefowa wolała działać ostrożnie.

– Po pół roku pracy nigdzie nam się nie spieszy. Najpierw spróbujmy się dowiedzieć, kto tam mieszka. Czy to rodzina?

Osoba samotna? Gdzie pracuje? I tego typu rzeczy. Jak będziemy mieli jakieś informacje, możemy tam wkroczyć i złapać tego drania.

– Albo drani.

Müller przytaknęła bez słowa i w zamyśleniu pogładziła się po brzuchu.

Według informacji, zebranych także z pomocą Stasi, mieszkanie należało do starszego małżeństwa, które poza miejscem zamieszkania nie miało żadnych powiązań z Ministerstwem Bezpieczeństwa Państwowego. Początkowo Müller poczuła rozczarowanie: ci ludzie nie wyglądali na potencjalnych porywaczy dzieci. Zresztą już grafolog, profesor Morgenstern, zasugerował, że charakter pisma może wskazywać na emeryta. Jednak gdy milicjanci stwierdzili, że małżeństwo jest bezdzietne, a archiwum medyczne żony – Gertrud Rosenbaum – wskazywało na liczne poronienia, poczuła, że może coś jest na rzeczy. To poczucie zmieniło się prawie w pewność, gdy okazało się, że *Frau* Rosenbaum była wolontariuszką na oddziale pediatrycznym.

Mogli obejść się z emerytami łagodnie, ale Müller zdecydowała się na ostre wejście. Zarządziła najazd o świcie i aresztowanie. *Frau* Rosenbaum została zabrana prosto do Czerwonego Wołu. Müller wiedziała, że mieszkańcy boją się tego miejsca, a zatrzymana była na tyle stara, by znać jego historię. W połowie XIX wieku budynek ten funkcjonował jako pruski dom poprawczy, a w czasach nazizmu jego losy były jeszcze bardziej mroczne – urządzono tam miejsce kaźni.

Müller i Tilsner usiedli ramię w ramię w niemal pozbawionym mebli pokoju przesłuchań. Przed nimi stało biurko z aparatem telefonicznym i lampą. Po drugiej stronie – krzesło. Umundurowani milicjanci Eschlera wprowadzili starszą kobietę i pchnęli ją, by na nim usiadła. Ręce miała skute kajdankami. Zazwyczaj detektywi stosowali metodę dobrego i złego policjanta, jednak tym razem Müller nie zamierzała się bawić, tylko po prostu przestraszyć kobietę, która siedziała przed nimi i szlochała.

– Co zrobiłaś z Tanją? – warknęła milicjantka.

Kobieta była zaskoczona.

– O co chodzi? Nic złego nie zrobiłam.

Tilsner walnął ręką w stół, aż plastikowy aparat telefoniczny zadźwięczał.

– Z dzieckiem, które porwałaś.

– Nie mogłabym czegoś takiego zrobić. – Popatrzyła na Müller. – Jesteś kobietą. Musisz mi uwierzyć. Kto to jest Tanja? Dziewczynka z pediatrii? Ja chodzę tam tylko pomagać. Nawet mi za to nie płacą. Kocham małe dzieci. Nigdy bym żadnego nie skrzywdziła ani nie ukradła.

Müller wytrzymała jej spojrzenie.

– Gdzie byłaś dwudziestego pierwszego października wieczorem?

W oczach kobiety dostrzegła panikę, tamta zrozumiała, że oskarżenia są poważne. Cała się trzęsła ze strachu.

– Nie... nie pamiętam. Jak mam pamiętać? Ja-jaki to był dzień?

Tilsner otworzył kalendarz, by to sprawdzić, ale Müller od razu sobie przypomniała.

– Wtorek.

Kobieta wyglądała na jeszcze bardziej rozbitą. Podniosła dłoń do czoła, na którym rysowały się zmarszczki.

– We wtorek wieczorem?

Müller skinęła głową.

– Po-powinnam być w szpitalu. Zawsze pomagam na oddziale we wtorki wieczorem. Kiedyś byłam pielęgniarką.

Tilsner zabębnił palcami w stół i ruszył do ataku.

– Masz jakąś przerwę na posiłek lub coś podobnego? Gdzie byś była koło siódmej wieczorem?

Kobieta najwyraźniej się rozluźniła, wiedząc, że ma alibi.

– Na oddziale. Zaczynam o szóstej. Do dziewiątej zazwyczaj nie wychodzę.

– Ktoś może to potwierdzić? – spytała Müller.

– Oczywiście. Odbijamy kartę.

– Ktoś mógł ją odbić za ciebie, prawda? – prychnął Tilsner.

– Niby po co? – zdziwiła się kobieta.

Müller dostrzegła w jej głosie cień gniewu, który pojawił się w miejsce strachu. Sięgnęła do teczki, wyjęła długopis i czystą kartkę.

– Napisz SEPLENIENIE, wielkimi literami, swoim normalnym pismem. Nie próbuj go fałszować, bo porównamy tę próbkę z dokumentami, które wypełniałaś.

Przez twarz kobiety przemknął wyraz zdziwienia, ale wzięła długopis i zaczęła pisać.

– Wielkimi literami, obywatelko! – huknął Tilsner. – Nie słyszeliście, co powiedziała towarzyszka porucznik?

– Przepraszam – odparła kobieta. – Od nowa.

Skreśliła napisane słowo i drżącą ręką wykonała ich rozkaz. Później porównają to z gazetą, w którą owinięto ciałko Karstena, ale już teraz Müller widziała, że są prawie identyczne.

Nawet jeśli się okaże, że zatrzymana miała alibi, czy ktoś z jej mieszkania mógł zabrać gazetę z wypełnioną krzyżówką? Albo wyciągnąć papier ze śmietnika, by wplątać w tę sprawę niewinną kobietę? Ton Müller zabrzmiał łagodniej, gdy zadawała następne pytanie.

– Załóżmy na chwilę, że wasza wersja jest prawdziwa, *Frau* Rosenbaum. Interesuje nas pewna krzyżówka z egzemplarza „Neues Deutschland", który jest powiązany ze zniknięciem dziecka. A może nawet kilkorga.

Kobieta wydała okrzyk przerażenia.

Tilsner znowu walnął pięścią w stół.

– Nie wolno ci o tym wspomnieć poza tym pokojem. Ani mężowi, ani nikomu.

– Więc – ciągnęła Müller – rozwiązujecie krzyżówki, gdy jesteście w szpitalu?

Frau Rosenbaum energicznie pokręciła głową.

– Nigdy. Nie mam na to czasu. Poza krótką przerwą na posiłek, raczej kawę czy coś takiego, ciągle jesteśmy zajęte. Zmieniamy pieluchy, pościel, pomagamy pielęgniarkom.

Tilsner wciągnął głęboko powietrze.

– W porządku, obywatelko Rosenbaum. A wasz mąż?

– Co mój mąż?

Tilsner wzniósł oczy do nieba.

– Gdzie on mógłby być we wtorkowy wieczór, dwudziestego pierwszego października?

Kobieta wzruszyła ramionami.

– Cóż, na sto procent nie jestem pewna, trzeba by zapytać jego. Ale we wtorki gra w kręgle. W barze w Halle Nietleben. W gospodzie Zielona Jodła. – Müller przypomniała sobie, że chodzi o gospodę, w której odbyło się jedno z pierwszych spotkań z Voglem i Eschlerem w sprawie bliźniąt Salzmannów. – Myślę, że był wtedy właśnie tam. Chyba że grali w innym mieście albo wiosce. Mogę go spytać.

Müller położyła ręce na brzuchu i westchnęła. Dziecko kopnęło. *Frau* Rosenbaum zauważyła jej grymas.

– To będzie chłopiec czy dziewczynka?... To znaczy?... – Zorientowała się, że to nie ona zadaje tutaj pytania, i zamilkła w pół zdania. Oblała się rumieńcem, najwyraźniej nie była pewna, czy się nie pomyliła, chociaż brzuch Müller był widoczny.

– W porządku, *Frau* Rosenbaum. Tak, jestem w ciąży – uśmiechnęła się Müller.

Jeśli alibi kobiety się potwierdzi – a instynkt Müller podpowiadał, że tak będzie – to mimo zgodności próbek pisma wcale nie zbliżą się do rozwiązania sprawy. Czuła narastającą desperację, ale to przecież nie była wina *Frau* Rosenbaum.

– Nie chcę jednak znać płci dziecka. To będzie niespodzianka. – Müller zaczęła zbierać papiery i układać je w teczce.

– Czy to już wszystko? – spytała kobieta.

– Jeśli wasze alibi i alibi waszego męża na interesujący nas wieczór zostaną potwierdzone, to tak – odparł Tilsner. – Teraz możecie już iść.

Müller ponownie się do niej uśmiechnęła.

– Dziękujemy za pomoc, *Frau* Rosenbaum. Przepraszam za początkową ostrość. Pewnie się pani zorientowała, że to poważna sprawa. Jak powiedział towarzysz podporucznik, nie wolno wam pod żadnym pozorem wspominać nikomu o naszym śledztwie, nawet mężowi. Inaczej wpadniecie w poważne kłopoty.

– Rozumiem. Chcę wam pomóc. Kocham małe dzieci. To dziwne, że sprowadziliście mnie tu z powodu krzyżówki w „Neues Deutschland". Kupujemy tę gazetę tylko okazjonalnie. Chciałam mieć pamiątkę z wizyty Fidela Castro. Na pewno nie chciałam wyrzucić jej do śmieci. Mąż musiał przez pomyłkę oddać ją na makulaturę.

Müller skinęła głową. Miała nadzieję na przełom, ale nie mogła uwierzyć, że ta starsza kobieta była porywaczką dzieci.

Alibi *Frau* Rosenbaum wydało się nie do podważenia. Müller przejrzała zapisy odbijanych w szpitalu kart. Rzeczywiście potwierdzały, że wolontariuszka była na dyżurze tego wieczoru, gdy zaginęła Tanja. W dodatku nie było jej tam w dniu, w którym zniknęły bliźniaki Salzmannów. Tilsner miał trudniejsze zadanie: musiał się dowiedzieć, gdzie tamtego wieczoru grała drużyna z Zielonej Jodły. W końcu ustalił, że *Herr* Rosenbaum grał wówczas w Merseburgu – przyczyniając się do wygranej. Chociaż starszego pana nie zawsze wystawiano w tych rozgrywkach, raczej udzielali się w nich młodsi, jego koledzy pamiętali dobrze tamtą noc, bo miał szczęśliwą passę – zebrał najwięcej punktów.

Taki obrót spraw przygnębił Müller i Tilsnera. Nie tylko śledztwo znowu zabrnęło w ślepy zaułek, ale coraz bardziej oddalali się od rozwiązania zagadek. Jeśli *Frau* Rosenbaum nie była osobą, której poszukiwali – a to wydawało się oczywiste – stwierdzenie profesora Morgensterna, że próbka pisma była wyjątkowa, okazało się chybione.

46

STYCZEŃ 1976
HALLE

Nadchodzący rok miał być ważny dla rodzinnego życia Müller – jej ciąża stawała się coraz bardziej widoczna. Jednak w pracy panowała stagnacja. Wyczerpali wszystkie tropy w poszukiwaniach Tanji Haase i jej porywcza. Śledztwo w sprawie bliźniąt Salzmannów straciło na znaczeniu, gdy Maddalena wróciła do domu oraz potwierdzono, że Karsten nie został zamordowany. Jeśli chodzi o „zamrożoną" sprawę bliźniąt Andereggów, milicjanci nie zdołali jej powiązać ze swoim dochodzeniem. Müller czuła się przede wszystkim wyczerpana, brzuch rósł razem z jej apetytem. Nie miała nic przeciwko jedzeniu za dwoje, ale czuła się, jakby jadła za całą rodzinę.

Gdy wraz z Emilem pochowali świąteczne ozdoby w jego mieszkaniu, które teraz dzielili, miała wrażenie, że w jej chłopaku coś wzbiera. Do tej pory zachowywał się niezwykle cicho, a teraz, z pewnym ociąganiem, przerwał milczenie.

– Zostaw to pudło, Karin. Pozwól, że ja to zrobię. Musisz więcej odpoczywać. Ostatnio myślałem, że czas, byś...

– Nawet tego nie mów.

– To już prawie siódmy miesiąc. Każdego wieczoru wracasz z pracy wykończona. Wykończona i zrezygnowana. Jeśli to śledztwo się nie posuwa, może powinnaś rozważyć... zwolnienie tempa.

Müller wykrzywiła twarz i westchnęła. Wiedziała, że miał rację.

– Jutro mamy zebranie. Pewnie ta decyzja zostanie podjęta za mnie. Ale może ci się to nie spodobać. Istnieje możliwość, że zwiną śledztwo i wyślą mnie z powrotem do Berlina.

– Tego nie chcemy. Przynajmniej ja tego nie chcę. Nie będę mógł tak od razu zrezygnować z tej pracy. Mogę poprosić o przeniesienie do Berlina, ale to potrwa.

– Ja też tego nie chcę. Jeszcze nie teraz. Ale chcę, by nasze dziecko wychowywało się w Berlinie, a nie tutaj.

Emil zabrał jej pudełko z ozdobami i postawił je na stole, a potem pomógł jej ułożyć się na kanapie. Ujął obie jej ręce w swoje dłonie, a ona popatrzyła w jego niebieskie oczy. Niebieskie jak oczy Tilsnera i jej własne.

– Może przejmiesz inicjatywę? Powiesz, że źle się czujesz – to nie będzie kłamstwo, przysięgam – i poprosisz o wolne.

– A co z Tilsnerem?

– On też oficjalnie wciąż przebywa na zwolnieniu, prawda? Może pozwolą mu działać na pół gwizdka. Prawdopodobnie nie jest jeszcze do końca gotowy, by wrócić do zwykłego berlińskiego rytmu, czyż nie?

Zebranie miało się rozpocząć o dziewiątej rano następnego dnia w komendzie głównej milicji w Halle, nie w Ha-Neu. Tilsner – który po wyjeździe Schmidta sam mieszkał w służbowym lokalu w Kompleksie Mieszkaniowym VI – wstąpił po Müller. Korek był zaskakująco duży, więc musieli szybko znaleźć miejsce na parkingu i pobiec do sali, gdzie odbywało się zebranie.

– Chwila! – krzyknęła Müller, opierając się o ścianę w korytarzu. – Zapominasz, że jestem prawie w siódmym miesiącu.

– Chyba nie, Karin – odparł zdziwiony Tilsner. – Mam iść przodem i cię usprawiedliwić?

– Nie, daj mi tylko kilka chwil na złapanie oddechu.

Za długim stołem siedział szef milicji w Halle, pułkownik Frenzel. Po jego obu stronach usadowili się Malkus i Janowitz. O ile Müller było wiadomo, Jäger wrócił już do Berlina, a może nawet na Kubę. Nie dostarczył obiecanych informacji na temat jej biologicznych rodziców. Odłożyła tę kwestię na bok, dziecko było ważniejsze.

– Ach, Karin i Werner. Dziękujemy, że do nas dołączyliście – powiedział Frenzel.

To powitanie zabrzmiało autentycznie szczerze. Malkus uśmiechnął się bez przekonania, a Janowitz tradycyjnie siedział naburmuszony. O ile lepiej było w ciągu tych kilku tygodni, gdy sprawami ze strony Stasi kierował Jäger. Nie sądziła, że jeszcze kiedykolwiek spotka się oko w oko z tymi dwoma. Być może po prostu przeszkadzały im kobiety na ważnych stanowiskach.

– Do rzeczy – kontynuował Frenzel. – Chciałem, żebyśmy się spotkali, bo sądzę, że nadszedł czas, by podjąć kilka trudnych decyzji w sprawie naszego śledztwa. Jak wiecie, major Malkus hojnie wsparł nas swoimi ludźmi, ale to już musi się skończyć. A kapitan Janowitz dostarczył Ministerstwu Bezpieczeństwa Państwowego raport, w którym stwierdzono, streszczając, że wasz zespół raczej szybko do niczego nie dojdzie.

– Ale... – Interwencja Müller została szybko przerwana przez podniesienie ręki Frenzla, który rzucił jej zarazem ostre spojrzenie. Ona też była zła, na Janowitza, za to, że starał się we wszystkim przeszkadzać.

– Jak powiedziałem, musimy podjąć pewne trudne decyzje. Postanowiłem, że...

Teraz jemu przerwało natarczywe pukanie do drzwi. Szef milicji westchnął.

– Wejść! – rzucił.

W drzwiach stanął umundurowany milicjant, zdyszany, jakby przebiegł tu całą drogę z dyżurki.

– Przepraszam, że przeszkadzam, towarzyszu pułkowniku, ale dzwoni kapitan Eschler i chce rozmawiać z porucznik Müller.

Rozdrażniony Frenzel zamknął oczy i przeciągnął dłońmi po twarzy.

– Lepiej już idź, Karin. I wy też, towarzyszu Tilsner. Jeszcze dziś wrócimy do tej rozmowy. Jeśli to będzie możliwe. I jeśli nadal będzie ona potrzebna.

Przy wyjściu Karin dostrzegła kątem oka, że Tilsner mruga do Janowitza. Tamtemu nie było jednak do śmiechu.

Eschler powiedział Müller, że spotkają się na statku na wyspie Raben na Soławie, położonej na południe od Peissnitz i podobnie jak tamta wciśniętej między dziki nurt rzeki na zachodzie a żeglowny na wschodzie. Można się tam było dostać jedynie od strony dzielnicy Böelberg w Halle. Członkowie klubu wioślarskiego zgłosili, że na tyłach budynków klubowych dostrzegli coś podejrzanego.

Zanim dwójka berlińskich detektywów dotarła na miejsce, umundurowani milicjanci pod dowództwem Eschlera i Fernbacha zabezpieczyli cały teren wyspy i ewakuowali kawiarnię obok statku. Budynek został ogrodzony taśmą i rozpoczęto kopanie w na wpół zamarzniętej ziemi. Eschler podał im plastikowy worek na dowody. Müller wzięła go i od razu zorientowała się, co w nim jest: króliczek Tanji Haase – ten sam, którego widziała podczas swojej lipcowej wizyty w mieszkaniu Anneliese. Dziewczyna powiedziała, że zostawiła go w wózku tego wieczoru, gdy jej córka zniknęła.

– Sama zabawka raczej by nas nie zaalarmowała – wyjaśnił Eschler. – Ale wygląda na to, że tę ziemię niedawno przekopano. Na ten widok jeden z wioślarzy sam chwycił łopatę i zaczął kopać, mimo zamarzniętej ziemi. Uderzył w coś twardego, próbował się przebić i usłyszał lekki zgrzyt. Jakby kamień albo coś takiego. Wyciągnął to.

Eschler podniósł drugi worek na dowody. W środku znajdowała się ludzka ręka, odcięta w nadgarstku. Ziemia zmieszała się z krwią. Była to idealnie ukształtowana, drobna rączka niemowlęcia. Mimo że fragment ciała był brudny, Müller dostrzegła lekko oliwkowy, opalony kolor skóry. Ręka dziecka rasy mieszanej. Niemal na pewno należała do Tanji Haase.

Müller nie chciała towarzyszyć Anneliese w kostnicy, ale wiedziała, że powinna to zrobić. Nawet w swoich najlepszych czasach niezbyt chętnie prowadzała rodziców na identyfikację zwłok ich dzieci. Tym razem patolog podał przyczynę śmierci prawie ze stuprocentową pewnością – uduszenie. Wskazywały na to ślady na szyi dziecka.

Gdy ciałko wyjechało z chłodni, Anneliese mocno ścisnęła rękę Müller i oparła się o nią. Odkryto twarz zamordowanego dziecka. Anneliese się zachwiała. Ciężarna detektyw starała się ją podtrzymać.

– Potwierdzasz, że to Tanja?

Dziewczyna milczała.

– Anneliese? – nalegała Müller.

Raczej poczuła, niż dostrzegła lekkie potaknięcie dziewczyny. Ostrzegła pracownika kostnicy, by zakrył szyję i odsłonił tylko twarz. Nie chciała, by Anneliese cierpiała więcej, niż to było konieczne.

– Musimy mieć absolutną pewność, Anneliese. Potwierdzasz, że to ciało twojej córki?

Dziewczyna spróbowała rzucić się i złapać ciałko. Müller z trudem ją powstrzymała, pomógł jej pracownik kostnicy.

– Muszę usłyszeć odpowiedź. Przykro mi, Anneliese.

Dziewczyna płakała i szarpała się z dwójką towarzyszących jej ludzi, ale wreszcie wydusiła z siebie słabe, żałosne „tak”.

47

MARZEC 1976
HALLE-NEUSTADT

Być może gdy pułkownik Frenzel dowiedział się o pilnym telefonie Eschlera do Müller, uzmysłowił sobie, że decyzja milicji i Stasi o zmniejszeniu skali śledztwa zostanie wstrzymana. Odkrycie ciała Tanji na wyspie na Soławie, gdzie często przebywali spacerowicze, wioślarze i kajakarze, znaczyło, że wszelkie wysiłki zmierzające do utrzymania tego zdarzenia w tajemnicy nie mogły się udać. Raz jeszcze Müller poczuła ten wewnętrzny konflikt detektywa wydziału kryminalnego. Z jednej strony znalezienie zamordowanej dziewczynki było tragedią. Anneliese Haase się załamała. Po tym zdarzeniu Müller co kilka minut łapała się za brzuch, pełna obaw, czy jej dziecko będzie bezpieczne. Z drugiej strony znowu zaczęli liczyć na pojawienie się nowych tropów. Wyspa Raben była chętnie odwiedzanym miejscem rekreacji – miała nawet połączenie promowe z miastem – więc Müller i Tilsner liczyli na to, że ktoś mógł widzieć, jak mordowano lub zakopywano dziecko.

Zespół złożony z funkcjonariuszy Stasi, którzy sprawdzali próbki pisma w sprawie Salzmannów, podwoił więc wysiłki, a Müller, Tilsner i Eschler zorganizowali wyczerpujące przesłuchania potencjalnych gości wyspy, a zwłaszcza statku.

Jednak mijały godziny, dni i tygodnie, a oni nie trafili na żaden istotny ślad, mimo dokładnego zbadania przez techników kryminalnych okolicy, w której znaleziono ciało, i przeanalizowania wszystkiego, co tam znaleziono, w tym króliczka dziewczynki. Autopsja potwierdziła, że Tanja została uduszona kilka godzin przed tym, jak ją zakopano. Ale jeśli morderca zdołał ukryć swoje ślady tak dobrze, że nic nie znaleziono, i nie było świadków, dlaczego zabawka leżała na widoku? Czy zabójca chciał zostać złapany? Skoro powiązania – jak dotąd – ze sprawą Salzmannów były wyłącznie poszlakami i wynikały ze zbiegu czasu i miejsca, jedynym łącznikiem ze sprawą Andereggów było... co? Bilet autobusowy.

Mocny kopniak jej nieustannie rosnącego dziecka wyrwał Müller z zamyślenia.

– Wszystko w porządku? – spytał Tilsner. – Może...

– Chociaż ty mi tu z tym nie wyskakuj, Werner. Emil ciągle mnie zamęcza. Nie martw się, zorientuję się, kiedy nadejdzie czas, by przestać pracować.

Siedzieli w budynku straży pożarnej, w wielkiej sali pozostawionej do dyspozycji Tilsnera i jego ludzi przeglądających stare gazety. Wrócili tu, gdy wszystkie inne tropy okazały się bezużyteczne. Gazety były ich planem awaryjnym – może znajdą swój szczęśliwy los i trafią na krzyżówkę wypełnioną tymi samymi dużymi literami E, co w gazecie, w którą owinięto ciałko Karstena. Problem w tym, że pismo *Frau* Rosenbaum wydawało im się prawie tym wygranym losem na loterii, tymczasem zarówno ona, jak i jej mąż mieli solidne alibi.

Gdy pod koniec dnia Müller wróciła do mieszkania Emila, nagle poczuła się bardzo źle. Usiadła, ściskając brzuch, pokój zawirował jej przed oczami. Emil podbiegł do niej.

– Zaraz dojdę do siebie – powiedziała.

– Nie – odparł, wyciągając z torby jakiś aparat i przykładając ręce do jej twarzy i dłoni. – Wygląda na to, że masz opuchliznę. Muszę ci zmierzyć ciśnienie.

– Dlaczego? – Podniosła rękę do czoła. Nagle mocno rozbolała ją głowa. – Co się dzieje? Na pewno zaraz mi się poprawi, tylko chwilę odpocznę.

Emil owinął jej rękę nad łokciem aparatem do mierzenia ciśnienia i zaczął pompować. Słuchał przez stetoskop jej tętna i dostrzegła w jego twarzy nagły niepokój, gdy odczytał wynik.

– Jest za wysokie – oznajmił. – Musimy cię zbadać. – Delikatnie dotknął jej nadgarstka, przedramienia i skroni.

– To chyba nic poważnego. – Zakręciła nerwowo włosy na palcu.

Emil troskliwie przytrzymał i opuścił jej rękę.

– Nie rób tak. Zawsze to robisz, gdy jesteś zdenerwowana. Na pewno nie ma się czym martwić, ale musimy jechać do szpitala na badania.

Müller pozwoliła mu odwieźć się do szpitala. Czuła, jakby coś bardzo ciężkiego napierało na jej głowę, a niespokojne spojrzenia Emila ją martwiły. Była opuchnięta i coś ściskało ją za gardło.

W szpitalu dzięki interwencji Emila zostali przyjęci niemal natychmiast.

Pulchna pielęgniarka skakała wokół Müller, nakłaniając ją, by się położyła, i przygotowując wstępny wywiad. Emil poszedł po jednego z kolegów, a pacjentka dostrzegła, że kobieta intensywnie wpatruje się w jej dokumentację medyczną, jakby coś ją zszokowało.

– Chyba nic takiego się nie dzieje? – spytała Müller.

Kobieta zamknęła teczkę, z lekkim poczuciem winy wypisanym na twarzy. Przynajmniej tak pomyślała milicjantka. A może coś jednak się działo, tylko pielęgniarka nie mogła o tym poinformować pacjentki.

– Nie, nie, kochana. Twój facet poszedł po dyżurnego lekarza. Tylko sprawdzałam twoje wyniki. Wszystko w porządku. Zaraz powinni tu być.

Gdy wrócił Emil w towarzystwie ubranego na biało doktora, kobieta wyszła z pokoju.

– Gdzie się tak spieszyła? – spytał, marszcząc brwi.

– Nie wiem. To tylko pielęgniarka, która mi pomagała.

Lekarz zrobił to samo badanie, co Emil w mieszkaniu. Zmierzył ciśnienie, dotknął skóry i zajrzał Karin w oczy.

Podniósł jej dokumentację, przejrzał ją i odłożył z trzaskiem na stolik przy łóżku.

– Karin – powiedział wreszcie. – Musisz chyba zostać w szpitalu na kilkudniowej obserwacji.

Objęła brzuch. Przed chwilą czuła ruchy dziecka – na pewno nic się nie działo?

– Co takiego was martwi?

Emil wziął ją za rękę i delikatnie trzymał, masując jej palce.

– To pewnie nic takiego, ale masz lekką opuchliznę i wysokie ciśnienie. Możliwe, że to łagodny stan przedrzucawkowy.

– Co to takiego?

– Skutek uboczny ciąży – wyjaśnił lekarz. – Musimy pobrać ci mocz i zbadać zawartość białka. Ze względu na twoją historię medyczną kilka dni cię tu potrzymamy, by się upewnić, że wszystko będzie dobrze. To naprawdę dość powszechny objaw i nie ma się czym przejmować.

Müller tak bardzo chciała pracować, dopóki mogła. Czuła, że jest to winna Anneliese Haase, Salzmannom, nawet Andereggom. Jak dotąd ona i Tilsner tylko ich zawodzili. Chciała to naprawić. Ale teraz praca musiała poczekać. Müller odwróciła się do ściany i sfrustrowana przycisnęła poduszkę do głowy.

48

Początkowe zaniepokojenie Müller pobytem w szpitalu oraz jej obawy, że może stracić dziecko, opadły w miarę upływu dni, gdy ciśnienie się ustabilizowało. Ale lekarze nie spieszyli się ze zwolnieniem jej do domu. Do porodu pozostał tylko miesiąc i Emil wyjaśnił jej, że może konieczne będzie cesarskie cięcie. Müller jednak nie tego chciała. Próbował jej powiedzieć, co wykazało badanie USG, ale milicjantka przerwała mu w pół zdania.

– Już ci mówiłam, że nie chcę wiedzieć. Ani o płci, ani o możliwych chorobach. Nic. Chcę tego dziecka. Jakiekolwiek będzie.

Zabijała nudę szmatławymi powieściami i gazetami, więc ucieszyła się, gdy trzeciego dnia jej pobytu w szpitalu pozwolono Tilsnerowi na wizytę. Emil trzymał go z dala, obawiając się, że Karin znowu rzuci się w wir pracy, ale przekonała go, że dobrze jej zrobi, jeśli czymś zajmie głowę.

– Wyglądasz lepiej, niż się spodziewałem – powiedział uśmiechnięty Tilsner. – Nie chcesz po prostu wycisnąć z siebie dziecka i mieć tego z głowy?

– Zostały mi jeszcze cztery tygodnie. Poza tym mój stan...

Tilsner powstrzymał ją wyciągnięciem ręki, gdy Müller pokazała w stronę pachwiny.

– Dość. Nie przyszedłem tu rozmawiać o kobiecej anatomii.

– Nie bądź dzieckiem – zaśmiała się milicjantka. – Wygląda na to, że zrobią mi cesarkę. Poród naturalny byłby zbyt ryzykowny.

– Fantastycznie – odparł Tilsner. – Powiedziałbym, że tak jest lepiej. Koletta chciała, bym uczestniczył, i się zgodziłem. Marius urodził się, jak to mówią, naturalnie. Dla mnie nie było w tym nic naturalnego. Krew, parcie, wrzaski, myślałem, że jego głowa wy...

Tym razem Müller powstrzymała go wyciągnięciem ręki.

– Myślałam, że przyszedłeś mnie rozerwać, a nie przypominać mi, że poród jest straszny.

– Przepraszam – skrzywił się Tilsner.

– Jest jakiś postęp?

Jej zastępca przechylił głowę. Sięgnął do aktówki i wyciągnął oliwkową teczkę na dokumenty. Kolor na krawędziach wyblakł z powodu ekspozycji na światło, pewnie miała ładnych parę lat.

– Co to? – spytała Müller.

– Wiedemann powiedział, że może cię to zainteresuje. – Tilsner przerzucał papiery, aż dotarł do właściwego miejsca. Podał Müller odwrócone kartki.

Oparła je o koc, który przykrywał jej brzuch, i zaczęła czytać.

– Raport z wypadku. Drogowego. W Halle. W pięćdziesiątym ósmym roku? Jaki to ma związek z naszą sprawą?

– Szczerze mówiąc, pewnie nie ma żadnego – prychnął Tilsner. – Tyle razy weszliśmy już w ślepy zaułek, że równie dobrze możemy to zrobić jeszcze raz. Tyle że to nie jest zwyczajny raport z wypadku. To był wypadek śmiertelny.

– I?

Tilsner odwrócił stronę.

– Niby nic, ale ofiarami była dwójka dzieci, bliźnięta. Rodzice przeżyli, ale dzieci nie.

Müller próbowała skupić się na raporcie, ale jej mózg pracował na zwolnionych obrotach, nie myślała jasno.

– Więc dlaczego ma to związek z naszym śledztwem?

Tilsner wzruszył ramionami.

– Od początku prosiliśmy Wiedemanna, by szukał różnych nietypowych raportów dotyczących śmierci dzieci albo porwań, zwłaszcza bliźniąt. Jak wiesz, jako gorliwy partyjniak sumiennie wywiązuje się ze swoich zadań. Nie jest nawet taki zły, gdy się go bliżej pozna. Ma spaczone poczucie humoru. I przebija mnie w piciu. Powiedział mi o tym w barze. Na początku był trochę skryty. Chce, żebyśmy nie obnosili się z tymi informacjami.

– Dlaczego?

– Popatrz, co podają w rubryce „wynik śledztwa".

– Nic. Śledztwo zostało odebrane milicji.

– Właśnie. Jak ta sprawa z Rugii. Skarga matki dziewczyny z domu poprawczego. Jak brzmiało tamto zdanie?

Müller spojrzała na notatkę.

– „Sugeruję zgłoszenie Ministerstwu Bezpieczeństwa Państwowego". Tutaj też tak napisali.

– I więcej już się o tej sprawie nie wspomina. Nie było żadnego postępowania sądowego, nic. Brak szczegółowych informacji, nazwiska kierowcy. Zamazano nawet nazwiska poszkodowanych.

Müller wydawała się zagubiona.

– Nawet jeśli, i tak mamy tu do czynienia z wypadkiem drogowym. To nie porwanie dzieci.

– Czyżby? Nie tak szybko. – Tilsner uniósł brwi. – Nasz przyjaciel, towarzysz Wiedemann, pokopał trochę głębiej, wiesz? Z tego samego wieczoru mamy jeszcze jeden raport milicyjny. – Tilsner przerzucił kilka kartek i pokazał wpis. – Przeczytaj to. Ten sam wieczór, kilka godzin po wypadku.

Müller przeczytała wskazany fragment, próbując zrozumieć jego znaczenie. Litery tańczyły jej przed oczami, poczuła mocny ból w czaszce. Głęboko wciągnęła powietrze i otarła twarz ręką.

– Dobrze się czujesz, Karin? – Tilsner sięgnął po akta. – Pójdę już, jeśli to dla ciebie za dużo.

Zacisnęła dłonie na teczce i potrząsnęła głową.

– Wszystko w porządku.

Zmusiła się do koncentracji. Drugi wpis dotyczył innego wypadku samochodowego. Na wjeździe do Halle zatrzymano samochód z całkowicie rozbitym przodem i światłami. Kierowca wyjaśnił, że miał wypadek i odprowadza samochód w bezpieczne miejsce. Milicjanci pozwolili mu odjechać, mimo że śmierdziało od niego alkoholem, a wzrok miał rozbiegany. Spory fragment raportu został zamazany. Müller podniosła kartkę pod światło, licząc, że coś się przebije i zdoła odczytać nazwisko, jednak znów niczego się nie dowiedziała. Raporty, które miała w rękach, mogły okazać się przełomem w sprawie, ale podobnie jak ulice tego dziwnego miasta, zostały pozbawione imion. Tym razem jednak miała pomysł, czyje imię pominięto.

49

PIĘĆ MIESIĘCY WCZEŚNIEJ: 22 PAŹDZIERNIKA 1975
KOMPLEKS MIESZKANIOWY VIII, HALLE-NEUSTADT

Oczywiście, że powinnam bardziej ufać mojemu kochanemu mężowi, bo – co za radość – wróciła moja dziewczynka.

Hansi obiecał, że potrwa to tylko kilka tygodni, i tak było. Szpital Ministerstwa zdziałał cuda, bo malutka wygląda teraz znacznie lepiej. Przybrała na wadze i jest – ojacie, ojacie – najpiękniejsza, czyż nie? Nie wiem, w kogo się wdała. Na pewno nie w Hansiego. Ani w matkę. Jest wcieloną słodyczą i cudownie jest mieć ją z powrotem. Nie mogę przestać się zachwycać jej małym noskiem, idealnie symetryczną buzią – skąd to właściwie jej się wzięło? – i tym cudnym, zdrowym odcieniem skóry.

Tylko jedna rzecz trochę mnie niepokoi. Jej oczy. Są jakieś inne. Muszę spytać Hansiego.

Ha! Mój mężczyzna jest taki mądry. Mógłby być lekarzem – kiedyś uczył się medycyny, mimo że w końcu został chemikiem, więc to wcale nie dziwne. W każdym razie zachowałam swoje obawy co do jej oczu dla siebie. Szczerze mówiąc, martwiłam się, czy przypadkiem nie ma downa. Łagodne objawy, z powodu oczu właśnie. Ale Hansi mnie uspokoił. Powiedział, że wiele dzieci rodzi się z tym, co nazywają zmarszczką nakątną – to taka skórka pokrywająca górną powiekę. Z czasem powinna ustąpić. Głupia jestem, że w ogóle tym się przejęłam.

50

PIĘĆ MIESIĘCY PÓŹNIEJ: MARZEC 1976

HALLE-NEUSTADT

Müller nie spodziewała się, że sprawy potoczą się tak szybko. Chciała, by Emil z nią był, ale tak się nie stało. Lekarz, którego nie znała, wyjaśnił jej, na czym będzie polegać zabieg. Że nie ma powodów do obaw. Przed operacją dadzą jej zastrzyk uspokajający. Pielęgniarka właśnie go przygotowywała.

Kobieta odwróciła się i uśmiechnęła pokrzepiająco. Müller z ulgą rozpoznała znajomą twarz. Ta sama pielęgniarka przyjmowała ją na oddział. Zna jej historię medyczną i wie, że z powodu poprzednich zabiegów ginekologicznych powinni troskliwie się nią zająć.

– Moglibyśmy zaczekać, aż przyjdzie ojciec dziecka? Powiedziałaś mu? – spytała pielęgniarkę, gdy ta dezynfekowała miejsce, w które zamierzała się wkłuć.

Lekarz spojrzał na nią przez okulary w rogowych oprawkach. Twarz miał zasłoniętą maską chirurgiczną, ale jego oczy wyglądały znajomo.

– Wie i już tu jedzie, nie martw się. Spadło ci ciśnienie. Nie możemy czekać. Dziecko musi się już urodzić.

Pielęgniarka podwiązała jej ramię i poszukała żyły. Müller poczuła ukłucie i prawie natychmiast zaczęła odpływać. Kiedyś podano jej środki znieczulające – gdy usuwano jej zęby mądrości. Wiedziała, że jest się wtedy na lekkim haju. Nic cię nie obchodzi.

Tak też poczuła się tym razem. Ale coś ją ciągnęło. W stronę czarnej dziury. Walczyła z tym, walczyła, by pozostać świadoma, ale nie dawała rady. Coraz bardziej osuwała się w ciemność, aż ta kompletnie ją otoczyła.

51

Tilsner miał już wszystkiego dość i zazdrościł Schmidtowi, że udało mu się wcześniej wypisać z tego śledztwa. Od pierwszego dnia w Halle poruszali się jak muchy w smole. Nie określili wyraźnego motywu, oczywistych podejrzanych ani żadnych rzeczywistych perspektyw na rychłe zakończenie. Tilsner miał dość także Halle-Neustadt. Miasto z identycznymi mieszkaniami dla wszystkich obywateli wydawało się dobrym pomysłem, ale jego realizacja najwyraźniej nie pasowała berlińczykowi.

Cały ten czas musiał pisać raporty ludziom Jägera na Normannenstrasse. Wolałby kontaktować się bezpośrednio z podpułkownikiem, ale ten znalazł sobie spokojną fuchę na Karaibach. Teraz jeden z jego podwładnych czytał raporty. Tilsner podejrzewał, że Karin o tym wie albo nawet że Jäger jej to powiedział. Ciągle się z nim drażniła o jego roleksa.

Prawie się spodziewał, że jego kontakt w Berlinie odradzi mu bardziej dogłębne zbadanie sprawy dziwnego wypadku samochodowego z 1958 roku, który tak podekscytował Wiedemanna. Ale najwyraźniej po skontaktowaniu się z Jägerem wysłano Tilsnerowi wiadomość, że ma wolną rękę. Może niuchać, ile potrzebuje i chce. Z wiadomości wynikało, że Ministerstwo Bezpieczeństwa Państwowego jest tak samo jak Tilsner zmęczone sprawą bliźniąt z Halle. Chcieli ją wreszcie zakończyć, niezależnie od konsekwencji.

Tilsner musiał znaleźć nazwiska wymazane z raportu. Nazwiska martwych dzieci i ich rodziców, nazwisko kierowcy samochodu. Liczył na pomoc ze strony techników z wydziału kryminalnego komendy w Halle.

– Wiecie, że celowo wykluczyliśmy to z materiału dochodzeniowego? – upewnił się kapitan, któremu Tilsner przedstawił swoją prośbę.

– Tak. Ale to dziwne, skoro sprowadzono nas tutaj z Berlina. Szczerze mówiąc, bardzo tego żałuję. Co za koszmarna sprawa. Mam jednak swoją małą teorię, dlaczego trzyma się nas z dala od pewnych kwestii.

Kapitan spojrzał na niego, jego twarz była pozbawiona wyrazu.

– Naprawdę? Dlaczego?

– Tak na sto procent nie mogę mieć pewności – wzruszył ramionami Tilsner. – Powiedzmy, że ma to jakiś związek z tym wypadkiem.

– Co? – prychnął kapitan. – Wypadek drogowy z lat pięćdziesiątych? Żarty sobie stroicie.

– Nie. Mogę się oczywiście mylić – uśmiechnął się Tilsner. – Ale będę to wiedział, tylko jeśli wasi technicy sprawdzą te raporty. Na pewno można jakoś usunąć korektor i odczytać nazwiska pod spodem. Jeśli się mylę, stawiam wam piwo.

– Flaszkę.

– Flaszkę?

Kapitan lekko przytaknął i szelmowsko się uśmiechnął.

– Whisky. Single malt. A jeśli jej nie zdobędziecie, to chociaż flaszkę doppelkornu.

– No dobrze – westchnął Tilsner. – Chociaż wygląda mi to na próbę przekupstwa.

Przez technika kryminalnego Petrę Stober Tilsner pożałował, że wcześniej nie trafił do laboratoriów milicyjnych w Halle. Wysoka piękna blondynka. Większego przeciwieństwa korpulentnego Jonasa Schmidta nie można było sobie wyobrazić. Najwidoczniej ona nie spędzała wolnego czasu na badaniu i próbowaniu wszelkiego rodzaju kiełbasek dostępnych w Republice Demokratycznej.

– To chyba mój szczęśliwy dzień – uśmiechnął się Tilsner. – Niebiosa zesłały mi anioła.

Kobieta miała jakieś dwadzieścia kilka lat. Tylko westchnęła i zrobiła wiele mówiącą minę.

– Kim jesteś? I czego chcesz? Poza kopniakiem w jaja...

Tilsner wyjaśnił, że prosi ją o pomoc za zgodą kapitana. Wyciągnął swoją oliwkową teczkę na dokumenty i wskazał raporty.

– Popatrz. Zamazano nazwisko korektorem. – Wyjął odpowiednie kartki z akt i jej wręczył.

Technik kryminalny Stober włączyła stojącą na biurku lampę, podniosła jedną z kartek pod światło i odwróciła ją.

– Hmmm. To nie będzie łatwe. Korektora użyto po obu stronach.

– Obu?

– W latach pięćdziesiątych używano maszyn do pisania z czcionką, której ciężar zostawiał wgłębienia. Można było odczytać nazwisko z drugiej strony w lustrze. By temu zapobiec, użyto korektora także po drugiej stronie.

– Czyli nie możesz mi pomóc? To bardzo ważne. Muszę wiedzieć, o kim wspominają te raporty. Tożsamość tych osób może być kluczem do rozwiązania sprawy, nad którą pracujemy.

Stober przewróciła oczami.

– Tak, dosłownie każdy, kto tu przychodzi, mówi, że to, czego chce, jest absolutnie ważne i potrzebne na wczoraj. Mam nadzieję, że uda mi się pomóc, ale to może potrwać.

– Jak długo?

– Do jutra rana? Może być?

Tilsner wyobraził sobie Petrę Stober tuż po przebudzeniu. Teraz miała delikatny makijaż. Pomyślał, że o poranku jej twarz jest mniej więcej taka sama – niesamowicie piękna.

Dostrzegła, że się na nią gapi.

– Czy może tak być, podporuczniku?

– Tak, tak, oczywiście. Możecie zadzwonić do mnie z informacją do komendy w Ha-Neu?

52

Petra Stober dotrzymała słowa. Tyle że wyniknął pewien problem. Udało jej się odczytać nazwiska matki i ojca ofiar wypadku drogowego. Jednak ten drugi raport, dotyczący pijanego kierowcy, okazał się twardszym orzechem do zgryzienia. Przed użyciem korektora nazwisko zostało wydrapane z papieru. Stasi dobrze wykonała swoją robotę. Co – lub kogo – chcieli w ten sposób ukryć? Tilsner był pewien, że to nie zbieg okoliczności.

Następnego dnia z pomocą Wiedemanna zabrał się za poszukiwanie rodziców z raportu. Jeśli w ogóle mieszkali jeszcze w okolicy Halle. Po przekopaniu się przez wiele list adresowych Wiedemann wreszcie ich znalazł.

– Mam ich, towarzyszu podporuczniku.

Tilsner odczytał adres. Przeszedł go silny dreszcz. Wyglądało na to, że pokpili sprawę, i to poważnie. Jego instynkt milicjanta podpowiadał mu, że ten z pozoru niewinny wypadek drogowy odkryty przez Wiedemanna był kluczem do rozwiązania zagadki porywanych niemowląt. Sprawdził, czy adres figuruje na „zakazanej" liście Malkusa, którą Tilsner nosił w kieszeni. Znajdowały się na niej nazwiska kilku osób, które Ministerstwo Bezpieczeństwa Państwowego zabroniło im przesłuchiwać. Także to nazwisko. Ale było coś jeszcze, co sprawiło, że nogi się pod nim ugięły.

Rozpoznał adres, mimo że nie miał fotograficznej pamięci Karin. Kompleks Mieszkaniowy VIII, blok 358, mieszkanie 328. Zaraz obok mieszkania Rosenbaumów. Powinni byli to sprawdzić, jak tylko mocne alibi wykluczyły starsze małżeństwo ze sprawy. Tak, w końcu to była gazeta *Frau* Rosenbaum. Nie ta, którą dostarczyli pionierzy, z relacją z wizyty Castro wiele tygodni po śmierci Karstena. Pismo w gazecie, w którą zawinięto martwe niemowlę, było pismem Rosenbaum. Tilsner nie miał co do tego wątpliwości. Jej sąsiad musiał wziąć sobie jedną z wyrzuconych przez nią gazet.

Nie mieli tu do czynienia z uzbrojonymi przestępcami – tak przynajmniej rozumował Tilsner. Mimo to po wydarzeniach z Harzu nie mógł podejmować ryzyka. Wyciągnął z szuflady swojego makarowa, upewnił się, że w magazynku znajdują się naboje i że ma zapasową amunicję. Potem poszedł do Eschlera i Fernbacha. Nie miał zamiaru dawać temu draniowi – czy draniom, jeśli było ich więcej – żadnych szans na ucieczkę.

Tilsner i Eschler zostawili Fernbacha na straży na schodach prowadzących na trzecie piętro. Miał pilnować, by nikt nie wszedł na korytarz ani z niego nie wyszedł. We dwóch podeszli do drzwi mieszkania numer 328.

Eschler stanął po jednej stronie drzwi z podniesioną bronią. Tilsner kopnął w zamek. Raz, dwa, trzy razy – wreszcie framuga się odbiła i drzwi ustąpiły. Wycelował makarowa w środek pomieszczenia i wszedł, a za nim Eschler. Wcześniej ostrzegli sąsiadów, by nie opuszczali swoich mieszkań.

W środku panowała cisza. Sprawdzili wszystkie kąty – duży pokój, obie sypialnie, kuchnię i łazienkę. Nikogo nie było. Ale w drugiej sypialni Tilsner znalazł coś, co potwierdziło jego podejrzenia. Dziecięce łóżeczko. Zabawki. Puste butelki. Pieluchy i inne akcesoria dla niemowląt. W dużym pokoju na półce odkrył coś jeszcze, coś, co sprawiło, że zacisnął szczękę, a jego nozdrza rozdęły się w gniewie. Stało tam zdjęcie. Kobieta z nadwagą. Wyglądała na zbyt starą, by zostać matką. Stała obok tyczkowatego mężczyzny w okularach. Trzymała na ręku dziecko, które Tilsner natychmiast rozpoznał jako Tanję Haase. Na sąsiednim zdjęciu ta sama para z innym niemowlęciem w objęciach. Także je Tilsner od razu rozpoznał – to była Maddalena Salzmann. Kolejne zdjęcie pokazywało tę samą kobietę, ale młodszą i znacznie grubszą, ubraną według mody z lat sześćdziesiątych, z jeszcze innym dzieckiem. Na ostatnim zaś kobieta i mężczyzna – jeszcze młodsi – każde z dzieckiem w ramionach. Tilsner nie był stuprocentowo pewny, co to za dzieci. Te z ostatniej fotografii prawdopodobnie zginęły w wypadku samochodowym.

Odwrócił się i popatrzył Eschlerowi w oczy.

– *Scheisse!* – zaklął. – Spieprzyliśmy robotę. Cały czas mieliśmy ich pod samym nosem. A teraz dali nogę.

– Tak, tylko dokąd?

Tilsner wypuścił ciężko powietrze i siadł na kanapie, wpatrując się w zdjęcia wszystkich dzieci i nie do końca poczytalnych dorosłych, którzy je porwali.

– Nie mam pojęcia. Kompletnie. Ale ktoś ich chroni, tak jak ktoś chroni tego pijanego kierowcę z drugiego samochodu.

53

Odzyskawszy przytomność, Müller najpierw poczuła, jak ogarnia ją wielka radość. Żyła. I wiedziała, że wreszcie została matką. Ustąpił cały ból, wszystkie okropne wspomnienia o Walterze Pawlitzkim zostały wymazane. Wiedziała, że już nie będzie musiała wysuwać swojej tajemnej szuflady w mieszkaniu na Schönhauser Allee i głaskać dziecięcych ubranek. Spali je i wreszcie zatrze całą przeszłość.

Zawołała pielęgniarkę, gdy ta pojawiła się na porannym obchodzie. Nie chciała znać płci dziecka przed porodem, ale teraz musiała się dowiedzieć, czy ma syna czy córkę. Chciała, musiała go albo ją przytulić. I nakarmić piersią.

– To chłopiec czy dziewczynka? – spytała, świadoma, że mówi słabym głosem.

– Ależ *Frau* Müller – skarciła ją pielęgniarka. – Mówiła pani, że nie chce wiedzieć. Mamy wyraźne instrukcje.

– Tak, ale to było przed.

Przez twarz kobiety przemknęło zdziwienie.

– Przed czym?

Müller poczuła narastającą frustrację.

– Przed cesarką. Przed tym, jak moje dziecko...

Pielęgniarka wytrzeszczyła oczy. Złapała prześcieradło, które Müller trzymała przy twarzy, i je uniosła. Strój i zmniejszony brzuch pacjentki powiedziały wszystko.

– Boże drogi!

Podbiegła do dzwonka alarmowego na ścianie i go nacisnęła. Syrena zawyła.

Müller zakryła uszy i poczuła, że ogarnia ją panika.

– Co się dzieje? Co się dzieje?! – krzyczała. – Gdzie moje dziecko?

Pielęgniarka ją zignorowała.

– Doktorze, doktorze! – krzyknęła w korytarzu. – Proszę tu szybko przyjść.

Müller nadal nie rozumiała, co się wokół niej dzieje. Dlaczego nie chcieli podać jej dziecka? Co to za panika? Wszystko zmieniło się w koszmar na jawie. Nie wiedziała już, co działo się naprawdę, a co nie.

Uspokoiła się dopiero na widok Emila.

– Nie chcą dać mi dziecka. Nawet nie mówią, jakiej jest płci. Ty wiesz, Emilu? Wiesz? – Wpatrywała się w jego twarz, czekając na odpowiedź, ale wyglądał na tak samo przerażonego jak pozostali.

Wreszcie wziął ją za rękę.

– Trudno mi to powiedzieć, Karin. Musisz się uspokoić. Jestem pewien, że wszystko będzie dobrze. Tak, miałaś cesarkę. To nie był sen. Ale nie wiemy, kto ją wykonał. Nie wiem, gdzie są dzieci.

– Dzieci? Boże drogi! A więc bliźnięta?

Emil przytaknął.

– Chłopiec i dziewczynka. W szpitalu wiedzieli dzięki USG, ale ty nie chciałaś nic wiedzieć. Na pewno je znajdziemy. Mamy tu jakieś okropne zamieszanie.

– To nie jest zamieszanie. Ktoś ukradł moje dzieci!

Usiłowała się podnieść, z trudem łapiąc kolejne urywane oddechy, ale Emil ją powstrzymał. Skinął głową w stronę pielęgniarki, która zaczęła przygotowywać zastrzyk.

– Nie! – krzyknęła Müller, walcząc z Emilem. – Musisz pozwolić mi wyjść. Muszę je znaleźć.

Zastrzyk jednak ją pokonał.

54

DWA MIESIĄCE WCZEŚNIEJ: STYCZEŃ 1976
KOMPLEKS MIESZKANIOWY VIII, HALLE-NEUSTADT

Nie wiem, co robić. Nie mogę powiedzieć Hansiemu. Nie mogę powiedzieć mu prawdy. Był dla mnie taki dobry, to nie może się skończyć w ten sposób.

Może powiem, że ją ukradli. Słyszałam, jak kobiety plotkują o kradzieży dzieci. Kilka miesięcy temu ukradziono jedno w Halle, przynajmniej tak mówią. W samym centrum miasta, obok pomnika Händla. Na widoku. Czy nie dało się ich powstrzymać?

Tyle że jeśli tak powiem, przyjdzie milicja. I odkryją, co naprawdę się stało. Co noc śnią mi się koszmary, w których widzę jej idealną twarzyczkę. Zupełnie idealną, poza tymi oczami.

Hansi nie jest taki idealny. Wiem o tym. Ma swoje sekrety. Trzyma je w metalowym pudełku, do którego nie pozwala mi zajrzeć. W tym z zamkiem. Mówi, że to praca dla Ministerstwa. Tajemnice jego Ministerstwa. Cóż, wszyscy mamy swoje tajemnice, Hansi. Może powinnam odkryć kilka twoich.

Rozbijam zamek młotkiem. Sąsiedzi usłyszą, ale w ogóle mnie to nie obchodzi. Łup, łup, łup. Czasami zaskakuje mnie moja siła. Wyciągam rękę z młotkiem daleko za siebie i walę nim dokładnie w zamek. I jeszcze raz.

Sąsiedzi pewnie usłyszeli hałas. Ktoś puka do drzwi. Nie otwieraj, Franzi, pójdą sobie. Zamek się luzuje. Jeszcze raz. I oto się udało, zamek ustąpił, skoble zniszczone, wygięte.

Nie wiem, czego się spodziewałam. Może jakaś część mnie uznała, że będą to tylko sprawy Ministerstwa, tajne dokumenty i takie rzeczy. Nie rozumiem tego, co jest w środku.

Są tam różne wycinki z „Neues Deutschland" – przynajmniej tak to wygląda. Na temat otwarcia nowego ośrodka sportów zimowych. To żadna tajemnica raczej. Zdjęcie ładnej blondynki. Ma jakieś sześć, siedem lat. Trudno powiedzieć. Czy to ukryta siostra albo córka?

Pod spodem pamflety i ulotki. Nagle zdaję sobie sprawę, że to będzie moja karta przetargowa. Ja mam swoją tajemnicę, a Hansi swoją. Bo to nie może być robota dla Ministerstwa, jeśli ją tu ukrywał. Nie rozumiem wszystkich słów, ale brzmią dość niebezpiecznie. Antypaństwowo. Antykomunistycznie. Lista nazwisk, adresów, numerów telefonów. To moja karta przetargowa. Wszystkie pamflety zawierają nazwę jednej organizacji – i brzmi ona tak, że władze na pewno nie byłyby zadowolone. Koledzy Hansiego z Ministerstwa nie byliby zadowoleni. Komitet Wywłaszczonych.

55

DWA MIESIĄCE PÓŹNIEJ: MARZEC 1976

HALLE-NEUSTADT

Tilsner łamał sobie głowę nad tym, co robić. Gdzie mogli znaleźć tę parę? Pułkownik Frenzel od razu zgodził się na wysłanie listów gończych po całej Republice Demokratycznej. Podano numery rejestracyjne ich łady. Zgodził się nawet na blokadę wjazdów i wyjazdów z Ha-Neu. Poprzednia polityka wzbraniająca wszelkiego rozgłosu – z którą nieustannie mierzyli się Müller i Tilsner – została jakby zapomniana. Tyle że wtedy działano na rozkaz Stasi. Frenzel sprawiał wrażenie, że w końcu chciałby postawić na właściwe milicyjne działania, a nie na potrzeby tajnych służb.

Malkus nie był tak chętny do współpracy, początkowo odmówił postawienia w stan gotowości sił Ministerstwa Bezpieczeństwa Państwowego. Tilsner wiedział, że mógłby go pominąć i skorzystać z kontaktów Jägera w Berlinie, ale lepiej było mieć szefa miejscowej Stasi po swojej stronie.

– Czy chcecie, byśmy rozwiązali tę sprawę i aresztowali sprawców, towarzyszu majorze?

– Oczywiście, że tak – odparł Malkus ze złością. – Ale fakty się nie zmieniają. Nie chcemy, by mieszkańcy się niepokoili. Będziemy rozmawiać z pułkownikiem Frenzlem o konieczności zdjęcia blokady miasta. Ludzie się skarżą, nie wiedzą, co się dzieje.

– Z pewnością – odparł Tilsner. – Ale sami mówiliście, że mieliśmy prowadzić tajne śledztwo, by nie zakłócić wizyty Castro. Ta dawno już jest za nami, więc przestała być wymówką. Ale nasz dobry kapitan Janowitz cały czas zdawał się dążyć do zamknięcia śledztwa. – Tilsner miał świadomość, że stąpa po kruchym lodzie, lecz był pewien, że jeśli sprawy przybiorą zły obrót, będzie mógł nacisnąć na Jägera. Znajomość cudzej przeszłości miała mnóstwo zalet, a Tilsner sporo wiedział o Klausie Jägerze. Ten zaś mógł zjeść Malkusa na śniadanie, gdyby tylko zechciał.

– Chcę wiedzieć – ciągnął Tilsner – dlaczego właściwie Janowitz chce nas stąd wygryźć. – Nie był pewien, czy powinien odkryć wszystkie karty i powiedzieć Malkusowi o raportach z wypadków drogowych. Chociaż jeśli udałoby mu się wbić klin między majora i jego zastępcę, zyskałby przewagę. Czasami, gdy chcesz zerwać jabłko, trzeba mocno potrząsnąć drzewem. – Widzicie, dzięki pomocy towarzysza Wiedemanna z archiwum jesteśmy coraz bliżej tej wiedzy.

Tilsner górował teraz nad biurkiem Malkusa, gotowy na walkę. Wcześniej odmówił zajęcia niższego miejsca. Obserwował teraz, jak na twarzy Malkusa zaczyna malować się niepewność.

– Co znalazł Wiedemann?

– Interesujący raport z wypadku drogowego z końca lat pięćdziesiątych.

Malkus objął rękami brzuch i zapadł się w sobie.

– Dlaczego to ma znaczenie?

Tilsner obserwował jego odmianę.

– To chyba nie wyglądałoby dobrze, gdyby wasz kapitan Janowitz został posądzony o fałszowanie dowodów, prawda? Zwłaszcza że kierowca był pijany. Nawet jeśli to nie był Janowitz, ktoś ze Stasi ingerował w akta. Mam na to dowody. – Tilsner wiedział, że to strzał w ciemno. Ale miał tylko to.

Przez twarz Malkusa przemknął cień ulgi.

– Cóż, mam nadzieję, że wasze dowody są mocne, towarzyszu podporuczniku. Jeśli nie, to wplątaliście się w niebezpieczną grę. Mimo wszystko, skoro już o tym wspomnieliście, muszę przyjrzeć się tej sprawie.

– Dobrze. I może jednak zdecydujecie o pozostawieniu blokad. Chcemy złapać sprawców i jestem pewien, że wy też. Jeśli jednak kapitan Janowitz jest w to jakoś wplątany, na pewno będzie nalegał na zaniechanie przeszukań, żeby spowolnić śledztwo, a mnie i porucznik Müller wysłać z powrotem do Berlina, czyż nie?

Malkus wstał z krzesła i zaczął wyganiać Tilsnera z gabinetu.

– Już powiedziałem, towarzyszu podporuczniku, że przyjrzę się tej sprawie i zastanowię się nad tym, co mi przekazaliście. Ale niczego nie mogę obiecać, poza jednym. Jeśli oskarżenia pod adresem jednego z moich oficerów są nieuzasadnione, zapłacicie mi za to. Możecie być tego pewni.

Frenzel zebrał Eschlera, Fernbacha i ich ludzi, Tilsner poczuł zaś, że powinien poinformować Karin o przebiegu wydarzeń. Jednak w szpitalu zorientował się, że dzieje się coś bardzo niedobrego.

– Nie możesz z nią rozmawiać – powiedział mu Emil Wollenburg.

– Muszę jej przekazać pewne informacje.

Lekarz załamał ręce.

– Nie rozumiesz. Stało się coś strasznego. Nie wiem, co robić. Szukamy wszędzie.

Tilsner złapał go za ubranie.

– Co się stało? Gadaj!

– Nasze dzieci – zaszlochał Emil.

– Czyje dzieci?! – krzyknął Tilsner. – O czym ty mówisz?

– Moje i Karin.

– Bliźniaki? Urodziła bliźniaki? Jak mogliście je zgubić?

– Ktoś je ukradł. Z jej brzucha.

Tilsner usłyszał dziki wrzask i zdał sobie sprawę, że wydobywa się z jego gardła. Odepchnął Emila i wbiegł do sali, w której leżała Müller. Zauważył, że jest splątana, zamroczona, pod wpływem leków. Jej oczy nie mogły się na nim skupić. Obok łóżka siedziała pielęgniarka.

– Werner. Och, Werner.

Tilsner nie wiedział, co robić. Ona musi być w pełni sprawna. Odsunął pielęgniarkę, wziął szklankę wody ze stolika przy łóżku i chlusnął nią w twarz Müller.

– Co? Co to za...

– Nie mamy czasu, Karin. Zbieraj się i chodź ze mną.

Pielęgniarka zaczęła go odciągać.

– Ona dopiero co przeszła poważną operację, jest za...

– Zamknij się – powiedział Tilsner. – Ona idzie ze mną.

Zamroczona Müller zaczęła wstawać i zakładać kurtkę na koszulę. Przy łóżku zjawił się Emil Wollenburg i inni lekarze.

– Karin, to szaleństwo. Nie wiesz, dokąd jedziesz, co...

W tym momencie zaskrzeczało radio Tilsnera. Odpowiedział. To był Eschler.

– Natychmiast wracaj do komendy. Mamy świadka, który widział tę kobietę. Z dzieckiem.

56

Müller prawie nie zdawała sobie sprawy, co się wokół niej dzieje. Do działania pchał ją tylko instynkt. Środki uspokajające spowolniły jej funkcjonowanie, ale odczuwała i podzielała potrzebę szybkiego działania, jaką emanował Tilsner. Emil unikał jej spojrzenia. Lekarze i pielęgniarki także tylko zamarkowali wysiłek, by ją powstrzymać. Pchała ją desperacja. Już raz ją oszukano i nie została matką – a raczej sama się oszukała decyzją o usunięciu ciąży. Teraz musiała uratować dzieci swoje i Emila.

Tilsner zawiózł ją wartburgiem na tyły budynku straży pożarnej, chociaż normalnie szybciej dostaliby się tam pieszo. Wreszcie jechał ostrożnie, mimo pośpiechu, i Müller cieszyła się, że w samochodzie nią nie rzucało. Nie sądziła, by jej wymęczone, poobijane ciało mogło znieść jego szarże. Jednak ta krótka podróż dała jej szansę na zebranie myśli.

W komendzie Fernbach pokazał im drogę do małego biura. Był zadziwiony stanem Müller, na szpitalną koszulę narzuciła tylko kurtkę. Prawie żałowała, że nie ma swojego czerwonego płaszczyka, dzięki któremu czuła się pewnie, ale przestała go nosić jeszcze w ciąży, bo stał się dla niej za ciasny.

– Eschler jest tam z nim – wyjaśnił Fernbach.

– Z kim?

– Ze Stefanem Hildebrandem.

Müller skinęła głową, ale dostrzegła, że Tilsner patrzy na nią pytająco.

– To włóczęga – wyjaśniła.

Tilsner wyglądał na jeszcze bardziej zdziwionego.

– Tak, wiem, Werner. W Republice Demokratycznej nie ma bezdomnych. Ten jednak istnieje naprawdę.

Hildebrand nadal wyglądał niechlujnie i właśnie próbował złapać oddech, wyjaśniając Eschlerowi, co zobaczył. Kapitan podniósł rękę.

– Zaraz, zaraz. To nie ma sensu. Od początku. Myślałeś, że kobieta trzyma lalkę.

– Tak, tę, którą znaleźliście w tunelach obok bloku Y.

– Jest wśród naszych dowodów – stwierdził Eschler. – Gdzie ona jest, obok bloku Y?

– Nie. Dlatego zaryzykowałem przyjście tutaj. Wiem, że nie powinienem mieszkać w tunelach...

– Gówno nas to obchodzi! – wrzasnął Tilsner.

Müller położyła mu rękę na ramieniu, próbując go uspokoić, chociaż sama chciała to wreszcie usłyszeć, nawet bardziej niż on.

– Gdzie ona jest? – spytał groźnie Tilsner, zbliżając się do Hildebranda.

– U mnie.

– U ciebie? Co to ma znaczyć? – spytał Eschler, tak samo sfrustrowany przebiegiem przesłuchania jak Tilsner.

– U mnie w domu.

– U ciebie w domu?

– Ma na myśli swoje schronienie – wyjaśniła Müller. – Prawda, Stefan?

Mężczyzna nerwowo przytaknął, przerażony i podekscytowany zarazem.

– Twoje schronienie przy Oślim Młynie.

– Tak, tak. I nie trzymała lalki, tylko dziecko. Żywe dziecko.

Tilsner szykował się, by wkroczyć. Wszyscy unieśli broń, włączyli syreny. Müller go powstrzymała. Kimkolwiek była ta kobieta – Tilsner nadal nie wyjaśnił jej, czego się dowiedział – nie chciała jej wystraszyć. Świeżo upieczona matka miała coś w rodzaju przeczucia, jakby jej porzucone, poranione łono wysyłało do mózgu sygnał, że tam w środku znajduje się jej dziecko. Od tak dawna na nie czekała.

Zaskoczeni klienci Oślego Młyna obserwowali czworo cudaków. Eschler był w milicyjnym mundurze, Tilsner w skórzanej kurtce, Hildebrand w swoich brudnych ubraniach i z rozczochranymi włosami, wreszcie Müller w kurtce narzuconej na szpitalną koszulę. Przerażała ją myśl, jak musi wyglądać. Ale to nie miało znaczenia. Nic nie miało znaczenia. Liczyło się tylko odnalezienie dzieci, całych i zdrowych.

– Gdzie jest wejście do tuneli ciepłowniczych? – wrzasnął Tilsner do kelnerki.

Dziewczyna pokazała kuchenne drzwi.

Zapach jedzenia, gorąco i para sprawiły, że Müller prawie się wywróciła i zemdlała. Tylko siłą woli zmusiła się, by utrzymać się na nogach. Tilsner już otwierał metalowe drzwi. Wcisnął Hildebranda przodem. Od razu uderzyło ich wilgotne, gorące powietrze i przypomniało Müller pierwsze przeszukiwanie tuneli, pod blokiem Y, kiedy myślała, że lalka jest prawdziwym dzieckiem. Tym razem miała wielką nadzieję, że dziecko, które widział Hildebrand w ramionach szalonej kobiety, żyło i było dzieckiem Karin.

Światła ich latarek ślizgały się po ścianach. Wreszcie dostrzegli w mroku kartonowe pudła, które Hildebrand nazywał domem. Tilsner podszedł pierwszy, podniósł klapę kartonu służącą za drzwi. W kobiecie, która tam siedziała i próbowała karmić dziecko piersią, Müller rozpoznała osobę, którą widziała kilka dni wcześniej w szpitalu.

Pielęgniarkę, która przeglądała dokumentację medyczną Müller w dniu przyjęcia jej do szpitala. Kobieta była przerażona i zarazem zdziwiona ich widokiem. Milicjantka poczuła, jak przepływają przez nią różne emocje. Zadowolenie i szczęście, że jedno z dzieci było całe, wściekłość na szaloną kobietę, lęk o drugie dziecko. Wiedziała, że musi się kontrolować. Poczuła, że w każdej chwili może upaść, oddychała z trudem, każdy wdech kłuł ją w płucach. Musiała zachować kontrolę. Dla dobra dzieci, ale także dla dobra śledztwa, w które tyle zainwestowała.

– Franziska Traugott? – krzyknął Tilsner.

– Tak – odpowiedziała trzęsącym się głosem kobieta.

– Nie ruszajcie się. Jesteście aresztowani. Oddajcie mi dziecko.

Kobieta chroniła maleństwo swoim ciałem przed wyciągniętymi rękami Tilsnera.

– Ona teraz jest moja. – Spojrzała Müller prosto w twarz. – Nie chciałaś jej.

Müller oparła się na Eschlerze, znowu poczuła, że zaraz upadnie. Ona. Jej córka. Pierwszy widok jej córki. Chciała tylko potrzymać małą. Wziąć to dziecko, które wraz z jej bratem zostało ukradzione z jej łona.

– C-c-co ty mówisz? – wydukała, czując ogromny ciężar w klatce piersiowej.

Kobieta nadal mocno ściskała zawiniątko z dzieckiem.

– Hansi powiedział, że jej nie chcesz. Byłaś na liście.

Tilsner podszedł do kobiety i położył ręce na śpiącym noworodku.

– Co ty mówisz? Hansi powiedział, że jestem na liście?

– Hansi. Mój mąż. Jest bardzo ważny. Pracuje dla Ministerstwa.

Kobieta mówiła, a Tilsner wreszcie delikatnie odebrał jej dziecko. Obudziło się i zaczęło płakać, ale kobieta prawie tego nie zauważyła.

– Wiecie, dla Ministerstwa Bezpieczeństwa Państwowego. Chyba nie nazywają go tam Hansi, tylko...

Zanim kobieta wypowiedziała imię, Müller już wiedziała. Odbijało się o jej czaszkę. Traugott. Nazwisko, które wypowiedział Tilsner. Przypomniało jej się. Poczuła, że osuwa się w rękach Eschlera, bez sił. Jej córka była bezpieczna w ramionach Tilsnera. Ogarnęła ją miłość do tego dziecka, chciała je wziąć na ręce, ale nie ufała samej sobie, a nazwisko dudniło jej w głowie. Nagle uzmysłowiła sobie, kto ma jej syna. Nie Hansi, przynajmniej nie dla niej. Johannes. Johannes Traugott. Tyczkowaty Johannes. Ten, którego prześladowano. Johannes w okularach. Jej najlepszy przyjaciel z dzieciństwa, którego pozwoliła sobie odebrać.

57

Müller co chwila gryzła się w wewnętrzną stronę policzka. Chciała pozostać w gotowości, skoncentrowana, nie zważać na pooperacyjny ból, który przeszywał całe jej ciało. Gdy Eschler zabrał Franziskę Traugott do tymczasowej siedziby milicji w Halle-Neustadt na przesłuchanie, Tilsner odwiózł Müller do szpitala.

Emil siedział jak sparaliżowany, nie mógł zdecydować, co ma robić. Müller podała mu ich córkę. Nie chciała wypuszczać jej z rąk, ale wiedziała, że musi to zrobić, jeśli ma odnaleźć jej brata.

– Bądź przy niej – ostrzegła ojca. – Nie opuszczaj jej ani na chwilę. Nie spuszczaj z niej oka.

Wyglądał na przerażonego. Zapewne uznał, że powrót Müller do szpitala oznacza ponowne przyjęcie jej na oddział i odpowiednią opiekę. Powinna zostać przebadana, bo teraz już było jasne, że zoperował ją amator, choć wstępne przesłuchanie Franziski Traugott ujawniło, że jej mąż – Hansi, Johannes – miał za sobą przeszkolenie chirurgiczne. Müller w to wątpiła, choć zarazem miała nadzieję, że to prawda.

– Dokąd się wybierasz, Karin? Nie możesz tak się narażać.

– Muszę. Muszę odnaleźć moje drugie dziecko. Naszego syna.

Traugott ujawniła, że posprzeczała się z mężem i Johannes zniknął z nowo narodzonym chłopcem. Nie miała pojęcia, gdzie mógł teraz być. Tilsner i Müller również nie wiedzieli.

Müller siedziała w komendzie, podtrzymując ręką ubranie, nie bardzo wiedząc, co mogliby zrobić. Wiadomość radiowa, która do nich dotarła, była pierwszą wskazówką, dokąd zmierzał Johannes z dzieckiem. Patrol milicyjny zauważył jego ładę w Straussfurcie, na drodze w kierunku Erfurtu.

Wiadomość odebrał Eschler.

– Próbowali go ścigać, ale skręcił w boczną drogę i się im wymknął. Zaalarmowali okręgi Erfurt, Gera i Suhl.

– Powiedzieli, w którą stronę jechał? – dopytał Tilsner.

– Tylko tyle, że na południe.

– Wiem, dokąd jedzie – oznajmiła Müller.

Tilsner popatrzył na nią zdumiony.

– Skąd niby wiesz? Dokąd?

Nie była pewna, zaledwie przeczuwała. Jednak gdy ścigani ludzie nie mają dokąd uciec, gdzie szukają schronienia?

– Wraca do swojej rodzinnej miejscowości. I mojej. Do Oberhofu.

– Jeśli masz rację, to ma nad nami godzinę albo dwie przewagi. Nigdy go nie dogonimy – stwierdził Tilsner.

– Możemy – sprzeciwił się Eschler. – Gdy tylko pułkownik Frenzel usłyszał o ucieczce tej pary z mieszkania w Kompleksie Ósmym, zarządził, by milicyjny helikopter był w pełnej gotowości. Jest w Südparku, może wystartować w każdej chwili.

Eschler z piskiem opon zatrzymał wartburga przed wejściem do parku. Śmigło rosyjskiego ka-26 w biało-oliwkowych barwach Milicji Ludowej już się obracało. Müller zebrała poły kurtki, chroniąc się przed silnym wiatrem, pochyliła się i powoli przesuwała w stronę helikoptera. Eschler wszedł jako pierwszy, potem Tilsner podniósł Müller, by kapitan mógł ją wciągnąć do środka, możliwie najdelikatniej. Ledwie Tilsner dotknął dłońmi podłogi maszyny, pilot wystartował. Nogi berlińskiego milicjanta wisiały jeszcze przez chwilę na zewnątrz, w końcu Eschler wciągnął go do środka.

– Mam nadzieję, że się nie mylisz, Karin.

Müller czuła, jak krew pulsuje jej w ranie po cesarskim cięciu. Spojrzała w dół i zobaczyła, że lekko krwawi. Musiała to zignorować, po prostu musiała. Dla dobra dziecka.

– Wiem, że mam rację. Muszę mieć.

Helikopter, kołysząc się, zmierzał na południe, do miejsca, w którym ostatnio widziano ładę Johannesa Traugotta. Eschler założył słuchawki i wziął do ręki mikrofon, by utrzymywać kontakt z siłami milicji na ziemi.

Odwrócił się do siedzących z tyłu Müller i Tilsnera.

– Widziano go ponownie – starał się przekrzyczeć silnik maszyny.

– Co takiego?! – odkrzyknęła Müller.

Eschler odchylił się, przysunął twarz do jej ucha i powtórzył wiadomość.

– Gdzie? – chciała wiedzieć.

– W Gamstädt. Wygląda na to, że celowo ominął Erfurt. Którędy twoim zdaniem powinien lecieć pilot?

Müller nie musiała nawet patrzeć na mapę, rozkład miasteczek i wiosek po drodze miała w głowie.

Podniosła prawą słuchawkę z ucha Eschlera i zbliżyła do niego twarz.

– Niech leci na Crawinkel. Południowy zachód od Arnstadt. Tamten pewnie jedzie boczną trasą. Musimy go odciąć, zanim dotrze do Lasu Turyńskiego. Jeśli trafi tam wcześniej, nigdy go nie znajdziemy.

Eschler przekazał pilotowi instrukcje i kontynuował pełną emocji rozmowę.

– On nie wie, że go dogonimy – krzyczał. – Nawet na pełnej prędkości będziemy tam lecieć jeszcze jakąś godzinę. A on jest pewnie o godzinę drogi od nas.

– Nie, jeśli jedzie boczną trasą. – Wskazała przez okienko helikoptera. – Ciągle też leży tam śnieg. Zanim dolecimy do Lasu Turyńskiego, może będzie musiał założyć łańcuchy.

Müller miała nadzieję, wręcz się modliła, by jej przeczucie się sprawdziło. To nie było nic więcej. Nalegała, żeby Eschler poprosił przez radio pułkownika Frenzla, by samochody milicyjne nie ścigały łady. Nie mogła znieść myśli, że jej nowo narodzony syn, którego jeszcze nie widziała na oczy, zginie w wypadku samochodowym, zanim ona zdąży wziąć go w ramiona.

Tak naprawdę nie mogła wiedzieć, dokąd zmierzał Johannes. Ale nie potrafiła wymazać z pamięci obrazu pola rolnika Bonza w 1952 roku. Tego dnia, kiedy oboje chcieli zostać mistrzami w saneczkarstwie w sławetnej republice robotników i chłopów. Tego dnia, kiedy żołnierze zabrali Johannesa. Czuła, że wraca w tamto miejsce nad wioską. Tam albo do pensjonatu Edelweiss, dawnej własności jego rodziny, który stał się teraz schroniskiem młodzieżowym dla synów i córek lojalnych członków partii. W ostatnim akcie oporu jej dawny przyjaciel wracał do swojej rodzinnej miejscowości.

Podczas lotu Tilsner wprowadził ją w szczegóły sprawy, które połączył w całość na podstawie raportów z lat pięćdziesiątych oraz przeszukania mieszkania Traugottów w Kompleksie Mieszkaniowym VIII. Zdjęcia dzieci na kominku. Franziska Traugott z małą Tanją. Małą Maddaleną. Niezidentyfikowane dziecko z lat sześćdziesiątych, które mogło być – jak podejrzewał – jednym z dzieci Anderegggów. Wreszcie ostatnie zdjęcie, z lat pięćdziesiątych, na którym widnieli młodzi Franziska i Johannes Traugott, na samym początku małżeństwa, z dwójką własnych dzieci – tych, które tragicznie zginęły w wypadku spowodowanym przez pijanego kierowcę. Z powodu fałszerstwa dokonanego w aktach przez władze Republiki Demokratycznej w tym przypadku sprawiedliwości nie stało się zadość.

Z ziemi przesłano kolejny raport. Łada o mały włos nie wpadła na blokadę niedaleko Holzhausen, na zachód od Arnstadt, kilka kilometrów przed Lasem Turyńskim. Jednak Johannes uniknął jej, zjeżdżając na polną drogę.

Müller trzymała się za brzuch, gdy pilot zniżył maszynę. Leciał teraz niewiele ponad sto metrów nad ziemią. Rana ją paliła. Zdecydowała się rzucić na nią okiem, ale szybko tego pożałowała. Krew przesiąkła już przez koszulę.

Tilsner, który siedział obok niej w ciasnym kokpicie maszyny, ścisnął ją za rękę.

– Wytrzymaj. Dopadniemy go, nie martw się.

Wtedy zobaczyli ładę, czerwoną kropkę w morzu śniegu, zbliżającą się do krawędzi lasu. Müller zauważyła, że pilot przesunął dźwignię do pozycji maksymalnej. Śmigła zaczęły się obracać z największą możliwą prędkością, a helikopter zadygotał. Prawie złapali zbiega. Potem lecieli nad samochodem. Siła podmuchu ich śmigieł przerzucała śnieg wokół łady.

Nagle Müller poczuła, jakby wyciągnięto jej trzewia przez stopy, gdy pilot przechylił i podniósł maszynę. Przed jej oczami pojawiła się ściana zielonych świerków. Miała wrażenie, że rozbiją się w lesie. Zacisnęła ręce na dłoni Tilsnera, aż zbielały jej kłykcie. Potem pojawiło się bezchmurne niebo i pokryte śniegiem czubki drzew. Byli nad lasem, a pilot krzyczał coś do ucha Eschlera.

Kapitan odwrócił się do Müller.

– Przykro mi, Karin, ale wjechał do lasu przed nami. Pilot musiał podnieść maszynę, żeby nie zderzyć się z drzewami. Dokąd lecimy? Do Oberhofu?

Müller ponuro skinęła głową. Czuła, że jej puls się uspokaja.

Nie miała pojęcia, co się działo w głowie Johannesa Traugotta. Nie mogła jednak odpędzić obrazu ich dwojga jako dzieci bawiących się na zboczu nad prestiżowym ośrodkiem sportów zimowych Republiki Demokratycznej. Skoro tak mocno obraz ten wbił się w jej mózg – jak cały dzień, w którym pojawili się żołnierze – na pewno jeszcze większy wpływ miał na Johannesa. Wypędzono całą rodzinę, skonfiskowano pensjonat, a ich marzenia legły w gruzach.

Gdy zbliżyli się do Oberhofu, lecąc nisko nad lasem, Müller wyróżniła punkty charakterystyczne okolicy. Skocznie narciarskie, gdzie ostatecznie straciła odwagę, ku rozczarowaniu członków Komitetu Olimpijskiego Republiki Demokratycznej. Pełną zakrętów trasę bobslejową i saneczkarską, na których mieli z Johannesem zdobywać medale. Wreszcie udziwniony podwójny dach ultranowoczesnego, niepasującego do otoczenia Interhotelu Panorama, gdzie śmietanka towarzyska Republiki Demokratycznej lubiła spędzać zimowe urlopy.

Eschler spojrzał na nią pytająco. Wskazała łąkę na zboczu, która kończyła się małą równiną i górowała nad miejscowością. Gdy tam się skierowali, Müller popatrzyła w dół, szukając wzrokiem dawnego pensjonatu Edelweiss. Nigdzie nie było widać łady – ani jej synka. Spojrzała na lewo i zobaczyła dom prowadzony przez jej rodzinę adopcyjną, Hanneli, z krwistoczerwonymi ścianami, które tak mocno kontrastowały ze śnieżną bielą dookoła. Zaczęli zniżać lot – podmuchy śmigieł odgarniały puchowy śnieg. Wylądowali delikatnie w północnej części pola rolnika Bonza. Z tego miejsca Johannes Traugott ćwierć wieku temu patrzył, jak niszczono przyszłość jego rodziny.

Hałas helikoptera się zmniejszył, a śmigła zwolniły. Eschler, Tilsner i pilot popatrzyli na Müller, rozbitą, potarganą porucznik Milicji Ludowej, której skórzana kurtka detektywa ledwo zakrywała szpitalną koszulę. Nikt nic nie powiedział, jednak wiedziała, o czym wszyscy myślą. O tym samym, co ona. Nie ma go tutaj, więc co teraz?

58

Eschler miał odłączone słuchawki, a jako że helikopter znacząco zwolnił obroty silnika, cała czwórka usłyszała wiadomość radiową, która przebijała się przez trzaski.

– Napad w Interhotelu Panorama. Uzbrojony mężczyzna. Wszyscy na miejsce. Alarm. Alarm.

Nagle zniknął ból promieniujący z rany na brzuchu. Müller poczuła ponowny przypływ adrenaliny i lekkość w piersiach. Oddychała głęboko, podczas gdy pilot zwiększył obroty silnika – jego wyciu towarzyszył przybierający na sile hałas wirujących śmigieł. Czas jakby się zatrzymał. Müller nie rozumiała, dlaczego się nie wznoszą. Eschler zdążył już założyć słuchawki, odsunęła jedną z nich od jego ucha.

– Dlaczego nie startujemy? – krzyknęła.

– Zajmuje to kilka sekund – odkrzyknął. – Już, ruszamy.

Helikopter się podniósł, wysunął nos do przodu i odlecieli w kierunku dziwacznych dachów Interhotelu, przypominających skocznie narciarskie.

Gdy tylko wylądowali na pokrytym śniegiem trawniku obok głównego wejścia, Müller dostrzegła pulsujące światła milicyjnych samochodów. Przeraził ją widok uzbrojonych funkcjonariuszy mierzących z długiej broni. Nie chciała strzelaniny. Przede wszystkim jej synek musiał być bezpieczny. Tylko to się liczyło. Ale poza tym jej zawodowa duma domagała się, by Johannes Traugott, jej dawny przyjaciel z dzieciństwa, został ujęty żywy i oddany pod sąd. O tak wiele chciała go zapytać.

Początkowo uzbrojeni milicjanci zagrodzili wejście Müller, Tilsnerowi i Eschlerowi. Ustąpili dopiero, gdy Tilsner wyjaśnił, kim jest Müller, i pokazał swoją legitymację – Karin podejrzewała, że była to legitymacja Stasi, a nie Milicji Ludowej.

Tak szybko, jak na to pozwalał stan Müller, przeszli przez korytarz do recepcji, gdzie natknęli się na tabliczki informacyjne: Dom 1 i Dom 2.

– Tędy – krzyknął mundurowy milicjant i wskazał na windy prowadzące na piętra Domu 1. – Stoi na dwunastym.

Eschler ruszył po schodach, a Tilsner poczekał z Müller na jedną z sześciu wind. Zjawiła się natychmiast, a potem uniosła ich szybciutko ku niebu. Jednak na dwunastym piętrze drzwi nie chciały się otworzyć.

– *Scheisse!* – krzyknął Tilsner. – Zablokowane.

Nacisnął guzik, by sprowadzić windę piętro niżej. Zjechali i Tilsner pomógł Müller wyjść. Oddział milicji już wbiegał na dwunaste.

– Nie możecie tam wejść – oznajmił kapitan, który nim dowodził.

Tilsner znowu wyciągnął swoją legitymację czy przepustkę. Tym razem Müller spojrzała mu przez ramię i zobaczyła godło z umięśnionym ramieniem trzymającym strzelbę, z której wychodziła flaga Republiki Demokratycznej. Jej podejrzenia się potwierdziły.

Milicjant niechętnie pozwolił im przejść.

Na dwunastym piętrze jego podwładni pilnowali wejścia do czegoś, co wyglądało na luksusowy apartament. Tilsner zachmurzył się i popatrzył na Müller.

– To pokoje dla grubych ryb – wyjaśniła milicjantka. – Honecker się tu czasami zatrzymuje.

Tilsner najwyraźniej nie był w nastroju na wykład o zwyczajach przywódców partii.

– Gdzie on jest? – spytał milicjanta, który dowodził grupą.

Tamten pokazał oczami na klatkę schodową. Tilsner dostrzegł, że schody prowadziły jeszcze piętro wyżej.

– Myślałem, że tu jest tylko dwanaście pięter?

– Zgadza się. Te prowadzą na dach.

– Z dzieckiem?

Milicjant przytaknął bez słowa.

– Dziecko żyje? – spytała spanikowanym, piskliwym głosem Müller.

Milicjant ponownie skinął głową.

– Ten facet przyszedł tu ze skargą. Towarzysz Honecker przebywa obecnie na wakacjach w tym hotelu. Facet stanął przed jego apartamentem, krzycząc i wrzeszcząc coś o rodzinnym domu, który mu ukradli. Towarzysz Honecker zarządził alarm.

Tilsner pokazał klatkę schodową.

– Idziemy na górę.

– Nie możecie. Mamy strzelać do każdego, kto spróbuje.

Tilsner złapał go za klapy munduru.

– Słuchaj, brzydalu. Idziemy na górę. Mówiłem ci. To jest matka tego dziecka. A to jest przepustka. – Tilsner raz jeszcze pokazał swój dokument czy też upoważnienie, ale tym razem milicjant pozostał niewzruszony.

– Mam rozkaz. Nikt tam nie wejdzie.

– Spróbuj nas powstrzymać, a trafisz za kraty na długo, zapamiętaj to sobie! – wrzasnął Tilsner, a z jego ust wytrysnęła ślina.

Müller ścisnęła ubranie wokół rany po cesarce, minęła ich i odpięła łańcuch, który jako ostatnia rzecz, poza bronią milicjanta, zagradzał drogę na dach. Była pewna, że tamten nie strzeli. Albo przynajmniej na to liczyła.

Usłyszała za sobą kroki Tilsnera i okrzyk milicjanta:
– Ostrzegałem!
Nie padł jednak żaden strzał.

59

Tilsner otworzył drzwi ewakuacyjne na dach Domu 1. Podmuch ostrego zimnego wiatru prawie przewrócił Müller. O mało co nie spadła ze schodów. Był koniec marca, ale zima jeszcze nie odpuściła.

Poczłapała za Tilsnerem na dach, trzymając się poręczy. Nie wiedziała, co tam zastaną, ale i tak widok był bardziej przerażający, niż się spodziewała. Znaleźli się na wierzchołku udawanej skoczni narciarskiej. Miał on szerokość drabiny, a z obu jego stron ciągnęły się schody.

– Nie ruszać się! – Krzyk był ledwo słyszalny z powodu wiatru. Müller utkwiła spojrzenie w postaci po drugiej stronie, która jedną ręką trzymała jej syna, a w drugiej wycelowany w Tilsnera pistolet. Milicjantka starała się nie zwracać uwagi na wysokość, na jakiej się znajdowali. Żeby jej nie sparaliżowało, tak jak lata temu na szczycie prawdziwej skoczni w Oberhofie.

– Nie wygłupiaj się, Traugott! – krzyknął Tilsner. – To koniec. To już jest koniec. Odłóż broń i powoli przynieś mi tu dziecko.

– Nie! Jest moje. To mój syn. Matka nie chciała mieć dzieci.

Tilsner przykucnął i zaczął się zsuwać wzdłuż drabiny na szczycie dachu.

– Ostrzegam! – wrzasnął Johannes. Zadźwięczała kula, która odbiła się rykoszetem od ochraniającej drabinę metalowej ścianki kilka metrów przed Tilsnerem. Rozległ się wrzask dziecka. Müller poczuła, że jej serce zamiera. Musiała uratować dziecko. Musiała je wziąć w ramiona, choćby na moment.

– Nieprawda, chcę moje dziecko, Johannes. To ja, Karin.

Mężczyzna wydawał się zbity z tropu. Popatrzył na trzymane w zagięciu ramienia dziecko.

Tilsner wykorzystał ten moment, by posunąć się o kolejny szczebel na drabinie, ale Johannes ponownie strzelił, tym razem celując kilka centymetrów od ręki detektywa. Müller usłyszała odgłos rykoszetu na betonie tuż za nią.

– Powiedziałem, nie ruszaj się. Już. Następnym razem strzelę ci w głowę.

Tilsner podniósł rękę.

– Dobrze już. Wracam.

Müller obserwowała swojego zastępcę, który starał się cofnąć na tym dziwnym dachu, co utrudniał mu napierający od strony lasu wiatr.

– Proszę, pozwól mi potrzymać moje dziecko, Johannes – krzyknęła przez dzielącą ich przestrzeń. – Tylko raz. Tylko przez chwilę. Proszę. To ja, Karin. Pamiętasz. Mała Karin Müller z pensjonatu Hanneli. Bawiliśmy się razem na łące rolnika Bonza. Tutaj. W Oberhofie.

Johannes popatrzył na nią przez grube szkła okularów, jakby nie mógł uwierzyć w to, co usłyszał.

– Karin, to naprawdę ty? – Müller dostrzegła, że gdy rozpoznał w jej złachmanionej sylwetce coś, co pasowało do małej dziewczynki, jaką pamiętał z dzieciństwa, jego ciało jakby opadło z sił. – Dobry Boże! – krzyknął i mocniej przycisnął dziecko.

Tilsner wrócił już na ich stronę dachu.

– Niech mówi – szepnął do Müller. – Pójdę drugimi schodami, by zajść go od tyłu.

Müller złapała go mocno.

– Nie ryzykuj życia mojego dziecka, Werner. Proszę.

– Musimy coś zrobić, Karin. Dziecko nie przeżyje z tym szaleńcem długo. On w każdej chwili może rzucić się w dół z nim w ramionach.

Müller ścisnęła jego ramię, aż zobaczyła grymas na twarzy Tilsnera.

– Proszę, Werner. Błagam cię.

– Niech mówi, skup się na tym.

Johannes oparł się o komin, z którego unosił się biały dym, niczym na statku. Wyglądał, jakby miał się zaraz rozpłakać, wpatrywał się w twarzyczkę dziecka.

– To nieprawda, Johannes, że nie chciałam dzieci. Kocham je z całego serca.

– Dlaczego więc zabiłaś tamte bliźniaki? – odkrzyknął.

– To niesprawiedliwe – zaszlochała Müller.

– Byłaś na liście, Karin. Liście Stasi, na której znajdowały się kobiety, które nielegalnie dokonały aborcji. Franzi znalazła twoją dokumentację w klinice doktora Rothsteina w Berlinie.

– Tak, ale tam pewnie nie napisali, dlaczego miałam aborcję! – wrzasnęła Müller, a złość stłumiła ból.

Johannes znowu spoglądał niepewnie. Milczał.

– Prawda? – krzyczała Müller. – Napisali, że zostałam zgwałcona? Że to były dzieci gwałciciela? – Stłumiony gniew, którym nasyciła każde słowo przerzucone przez szczyt dachu, sprawił, że coś się w niej załamało. Ścisnęła się za brzuch, za ubranie, poczuła, że puszczają szwy, a krew wypływa z rany. – O Boże – jęknęła, padając na dach. – Daj mi choć przez chwilę potrzymać dziecko.

Johannes zobaczył, co się dzieje, rzucił broń i przebiegł przez wąski szczyt. Panika sprawiała, że był skoncentrowany i stawiał pewne i bezbłędne kroki. Po kilku sekundach pochylił się nad nią, podając wrzeszczące dziecko, by mogła je pocałować i przytulić.

– Karin, Karin, tak mi przykro – rozpłakał się.

Müller trzymała swoje dziecko i czuła, jak wraz z krwią płynącą z już zupełnie otwartej rany wycieka z niej życie.

Traciła przytomność, gdy usłyszała czyjś krzyk. Tilsner. Po drugiej stronie dachu. Potem wystrzał.

Johannes dotąd mocno trzymał jej dłoń, ale nagle jego uścisk zelżał. Jednak mężczyzna nie został trafiony. Rzucił się do ucieczki. Müller chciała go przytrzymać, ale opuściły ją siły.

– Nie strzelaj... – próbowała zawołać, ale Tilsner znowu podniósł rękę, w której trzymał broń, i choć świat rozmazywał się Müller przed oczami, zobaczyła jeszcze, że Johannes spada.

– Karin – krzyknął. – Przepra...

Nie dokończył. Stracił grunt pod nogami i upadł do tyłu na oblodzony dach przypominający skocznię narciarską. Jego ciało toczyło się w dół. Najpierw powoli, potem coraz szybciej. Müller próbowała podtrzymywać otwarty brzuch, patrząc, jak okulary Johannesa odrywają się od jego ciała. Już się nie turlał, tylko zsuwał, nadaremnie próbując czegokolwiek się złapać. Ale pokryty lodem dach był śliski jak prawdziwa skocznia narciarska przed laty. Müller wiedziała, że nie uda jej się ocalić niegdysiejszego przyjaciela. Czuła wszechogarniający ból.

Potem Johannes zniknął na krawędzi dachu. Nie było eleganckiego wybicia, nie miał nart, na których mógłby wylądować. Nic z tych rzeczy.

Spadł.

I zginął, uznała Müller.

Tilsner pojawił się przy niej. Także Eschler.

– Zajmij się nią, Bruno. Na nosze, do helikoptera i do najbliższego szpitala. Musimy ją uratować. Ja się zajmę dzieckiem.

Potem złapał syna Karin, który jeszcze nie miał imienia, odwrócił się i zbiegł z nim po schodach.

W ciągu kilku minut Müller przeniesiono na nosze i podłączono, by zrobić transfuzję, jeszcze zanim dotarli do helikoptera.

Była prawie nieprzytomna, ale jej pierwsza myśl dotyczyła tego, że musi potrzymać syna, na wszelki wypadek. Gdyby to był jej koniec. Druga myśl – wiedziała, że nie powinno jej to obchodzić, ale jednak obchodziło: czy Johannes przeżył?

Z trudem zadała to pytanie Eschlerowi.

– Tilsner mówi, że tak. Spadł na kupę śniegu. Ale jest w kiepskim stanie. Sparaliżowany. Pewnie nie pożyje długo.

– Muszę się z nim zobaczyć – wycharczała, walcząc o zachowanie przytomności.

– Ale musimy wsadzić cię do helikoptera.

– Zabierz mnie tam, Bruno, proszę.

Eschler nakazał sanitariuszom, by skręcili w miejsce, gdzie upadł Johannes Traugott.

Mężczyzna popatrzył na nią, a Müller próbowała się podnieść.

– Dlaczego? Johannesie, dlaczego? Byliśmy przyjaciółmi.

– K-k-karin – wykrztusił z siebie. – Nie wiedziałem...

Jego głowa opadła na śnieg. Sanitariusze zaczęli go reanimować i po chwili oprzytomniał. Nadal istniała szansa, że kiedyś opowie Müller swoją historię. Ale teraz nie była na to pora.

– Wystarczy, Karin! – krzyknął Eschler. – Musimy ruszać. Jak najszybciej musimy cię dostarczyć do szpitala.

Pobiegli do helikoptera. Müller zobaczyła grupę uzbrojonych mężczyzn w skórzanych kurtkach zmierzającą tam, gdzie udzielano pierwszej pomocy Johannesowi. Z zaskoczeniem dostrzegła wśród nich Malkusa i Janowitza. Podniosła głowę, by zobaczyć, jak odpychają od rannego sanitariuszy. Potem zniknęli jej z oczu, bo nosze skręciły w inną ścieżkę wokół hotelu. Zespół załadował ją do ka-26, którego śmigła kręciły się już zapamiętale, gotowe do podniesienia maszyny. Hałas silników zagłuszył dosłownie wszystko, ale zaczął niknąć, gdy Müller powoli osuwała się w nieświadomość. Tuż przed zupełną utratą przytomności pomyślała, że słyszy jakiś dźwięk poza szumem helikoptera. Był inny. Podwójny.

Nie miała pewności. Jej mózg nie mógł się skoncentrować, a hałas silników i śmigła zagłuszał praktycznie wszystko. Jednak coś powiedziało jej, że ten drugi odgłos to były strzały z pistoletu. Stłumione przez śnieg.

60

Tilsner wiedział, że powinien przesłuchać Franziskę Traugott, sprawdzić jej wersję i dowiedzieć się, do jakiego stopnia była wspólniczką swojego męża. Czy mogła wyjaśnić, kto ze Stasi sfałszował raporty z wypadków z lat pięćdziesiątych? Przebywała, dobrze pilnowana, w Czerwonym Wole, więc przesłuchanie mogło poczekać tę godzinkę. Najpierw chciał się dowiedzieć, jak się czuje Müller, chciał ją zobaczyć na własne oczy. Sprawdzić, czy przeżyła.

Przed wejściem na oddział intensywnej terapii zobaczył siedzącego na krześle Emila Wollenburga z głową ukrytą w dłoniach. Początkowo zabrano Müller do Suhl – najbliższego centrum medycznego – ale potem przetransportowano ją do Halle, gdyż lekarze w Suhl niewiele mogli dla niej zrobić. Obawiano się, że taka utrata krwi może doprowadzić do uszkodzenia mózgu. Szefowa Tilsnera nadal trzymała się życia, choć obecnie znajdowała się w śpiączce.

Milicjant usiadł obok ojca dzieci Müller i objął go ramieniem, choć nie czuł się z tym zbyt komfortowo.

– Coś nowego, Emilu?

Lekarz popatrzył na niego, przygnębiony, i potrząsnął głową.

– Czekamy, nie tracimy nadziei.

– Co z dziećmi?

Wollenburg zaśmiał się ironicznie.

– Wszystko świetnie. Zdrowe jak ryby, chociaż „urodziły się" kilka tygodni przed terminem. Oboje mają też mocne płuca. Leżą bezpieczne na pediatrii. Pilnujemy ich, jeśli o to pytasz.

– Mają imiona?

– Myślisz, że moja ukochana podziękowałaby mi, gdybym nadał dzieciom imiona, nie pytając jej o zdanie? Znasz ją. – Jego twarz znowu pociemniała. – Miejmy nadzieję, że będzie mogła się na ten temat wypowiedzieć. Przeszła już dwie transfuzje.

– Mogę ją zobaczyć?

– O ile mi wiadomo, tak. – Wollenburg wzruszył ramionami. – Siedzę przy niej prawie bez przerwy, czytam jej i takie tam, ale po jakimś czasie ta jednostronna rozmowa mnie boli. Żałuję, że nic więcej nie mogę dla niej zrobić. Gdy Karin poszła ryzykować życie, czułem się jak piąte koło u wozu, zostając z córeczką.

Tilsner ścisnął jego ramię.

– Jesteś lekarzem. Codziennie ratujesz komuś życie. Karin świetnie się spisała. Uratowała syna. Cokolwiek się stanie, wiele jej zawdzięczasz...

Emil Wollenburg strząsnął jego rękę i wstał.

– Nie mówmy „cokolwiek się stanie". Próbuję się nie poddawać. Chcesz ją zobaczyć?

Bladość Karin zszokowałaTilsnera. Z bliska, z tymi wszystkimi aparatami podtrzymującymi życie, sprawiała wrażenie śmiertelnej, kruchej. Nawet tam na dachu, gdy najwyraźniej coś poszło bardzo nie tak i Müller zaczęła się wykrwawiać, w jakiś sposób podtrzymywała w nim wiarę, że wszystko się ułoży. Tilsner pogłaskał jej nadgarstki, prawa ręka na lewym nadgarstku Müller, lewa na prawym, nie wiedząc za bardzo, co zrobić, co by jej pomogło.

– Już dobrze. – Wollenburg położył rękę na ramieniu Tilsnera, oddając gest sprzed kilku minut. – Byłem w szoku, gdy ją pierwszy raz zobaczyłem. Mówią, że jest stabilna, ale...

Tilsner zagapił się na kilka rozświetlonych monitorów. Pokazywały cyfry, których znaczenia nie rozumiał.

– Nie straciła krwi z powodu puszczenia szwów. Kawałek kuli utkwił jej w pachwinie.

Tilsner skrzywił się na samą myśl.

– Możesz z nią posiedzieć – powiedział Emil. – Potrzymaj ją za rękę, może mów do niej, chociaż nie wiem, czy cokolwiek słyszy. Mnie to pomaga, jej może niekoniecznie.

Tilsner przysunął sobie krzesło i delikatnie ujął dłoń Müller, starając się nie odłączyć sondy z solami fizjologicznymi wpiętej w niesamowicie bladą skórę. Ścisnął jej palce.

– Cześć, Karin. Brakuje mi cię w pracy, wiesz. Dziś po południu będę oficjalnie przesłuchiwać Franziskę Traugott i nie bardzo mam na to ochotę, skoro ciebie tam nie będzie. Ona jest dziwna. Stara się zrzucić wszystko na Johannesa. Może i słusznie, ale sto razy bardziej wolałbym, żebyś była tam ze mną. Żebyś przejrzała jej kłamstwa, rozumiesz, o co mi chodzi.

Wiedział, że Emil Wollenburg opuścił salę, zostawiając detektywów sam na sam, chociaż tylko jedna strona tej „rozmowy" była aktywna. Tilsner spojrzał na zamknięte powieki Müller, licząc, że zobaczy jakieś drgnienie, jakikolwiek ruch – ale nic takiego nie nastąpiło.

– Zebraliśmy fakty. Wygląda na to, że podawał jej leki, by powstrzymać menstruację i wywołać efekt podobny do ciąży. A potem z jakiegoś nagłego powodu musiała „mieć cesarkę". Usypiał ją, robił jej nacięcie na podbrzuszu, które zszywał, a potem – patrzcie tylko! – kilka dni później przynosił jej dziecko. Cudze dziecko.

Tilsner ścisnął rękę Müller, licząc, że odpowie mu tym samym. Nie poruszyła się, jedyną oznaką życia było ciepło krwi płynącej przez jej żyły, sztucznie w nią wpompowanej.

– Najpierw zrobili to z dziewczynką Andereggów. Nazwali ją Stefi. Ale Franzi to beznadziejny przypadek. Z tego, co wiemy, zaniedbała ją. Nie ustaliliśmy, co się stało z chłopcem, ale też umarł, może z przyczyn naturalnych albo z zaniedbania, zanim Franzi doszła do siebie po fałszywej cesarce. Hansi ukrył zwłoki w klinice Rothsteina, pewnie licząc na to, że ktoś je weźmie za późno abortowane płody. My też tak na początku myśleliśmy, prawda? Wybierał swoje ofiary wśród kobiet, które poddały się aborcji – czy to w nielegalnej klinice, czy w innym miejscu, które Stasi miało w swoich aktach.

Müller nadal nie odpowiadała, ale przynajmniej aparaty podtrzymujące życie pikały w niezmiennym rytmie. Tilsner wiedział wystarczająco dużo o szpitalach, by zorientować się, że zatrzymanie fali i piknięć – prosta linia na wyświetlaczu – oznaczało kłopoty.

Pielęgniarka przyszła sprawdzić odczyty z monitorów, ale szybko zniknęła, najwidoczniej usatysfakcjonowana wynikami.

Tilsner wrócił do swojego monologu, licząc, że sprawozdanie z biegu spraw wywoła u Müller jakąś reakcję.

– Wreszcie, zeszłego lata Traugottowie wrócili do Halle-Neustadt. Hansi – dla ciebie Johannes – wywołał u Franzi kolejną fałszywą ciążę, mając pomoc ze strony tak zwanego doktora, w rzeczywistości zwykłego kapusia, na którego Johannes miał haka. I nagle, patrzcie no tylko, „rodzi" się ich córka Heike. Tyle że tak naprawdę to była Maddalena Salzmann. Możemy tylko przypuszczać, że Hansi chciał dać Franzi bliźnięta. Ale Karsten był znacznie słabszy. To o niego martwili się lekarze w szpitalu, nawet wtedy, gdy jeszcze był pod ich opieką. Poza szpitalem nie przeżył.

Ponownie ścisnął jej rękę.

– Wszystko robi się trochę dziwne, gdy pojawia się Tanja Hase, w połowie wietnamska dziewczynka.

Córka Anneliese prawdopodobnie zginęła najbardziej okrutną śmiercią w tej sprawie, była też, jak wiedział, najbliższa Müller, bo milicjantka widziała tę dziewczynkę żywą. Kiedy wypowiedział jej imię, Tilsner coś poczuł. Przez chwilę wydawało mu się, że Müller odwzajemniła jego uścisk, ale szybko odsunął tę myśl, sądząc, że to zwykła reakcja mięśnia.

– Śliczna mała Tanja. Według Franzi mąż przekonał ją, że ich córka Heike trafiła do szpitala. Wtedy oddał Maddalenę Salzmannom, zostawiając ją pod drzwiami rodziców. Podejrzewam, że poprzez swoje kontakty w Stasi usłyszał o sprawdzaniu próbek pisma. Jednak nasze śledztwo nie posuwało się do przodu, więc szybko poczuł się na tyle pewnie, by spróbować kolejnego porwania. Dziewczynka, którą nazywali Heike, wyszła nagle ze szpitala – zdrowsza, śliczniejsza i o ciemniejszym odcieniu skóry, gdyż ta nowa „Heike" to była tak naprawdę Tanja Haase.

Tym razem nie miał wątpliwości. Müller ścisnęła jego rękę.

Zaczął oddawać jej uściski, niby przypadkowo, wypowiadając, prawie wykrzykując imię Tanji Haase. Patrzył na usta Müller, które starały się uformować słowo. Wreszcie coś z nich wyszło. Nie wiedział, czy Tanja, Tilsner czy coś jeszcze innego. Ale na pewno jakieś słowo.

– Siostro! Doktorze! Emil! Chodźcie tu, wy durnie. Ona próbuje mówić.

61

Tilsner uznał, że nie powinien dalej siedzieć w szpitalu i czekać na rozwój wydarzeń. To wspaniale, że Müller zaczęła się komunikować ze światem, ale z własnego doświadczenia po strzelaninie w Harzu w zeszłym roku wiedział, że przed koleżanką długa droga do pełnej sprawności, jeśli w ogóle kiedykolwiek ją odzyska. W każdym razie wyglądało na to, że pewne rzeczy mogą się zmienić. Nawet jeśli – na co Tilsner i cała reszta liczyli – Müller będzie mogła być w pełni sprawną matką dla swoich bliźniaków, z pewnością nie zdoła pogodzić macierzyństwa z prowadzeniem zespołu do spraw zabójstw. Oczywiście dla niego to mogła być szansa na awans, ale nie zależało mu na nim. Nie chciał odpowiedzialności, wypełniania papierów i całego tego ulegania przełożonym.

Poza tym ta kwestia rozstrzygnie się w dalszej przyszłości. Teraz był zdeterminowany sformułować zarzuty wobec Franziski Traugott, obciążyć ją odpowiedzialnością za wszystko, co zrobiła. Kluczem była Tanja Haase – wiedział to. Ktoś ją zabił. Nie sądził, by to był Johannes. Na pewno zachowywał się dziwnie, miał obsesję na punkcie utraconego rodzinnego domu i najwyraźniej mocno przeżył śmierć swoich dzieci w wypadku, jednak trudno było przypisać mu mordercze skłonności, choć los syna Andereggów pozostał niewyjaśniony. A jeśli nie Hansi zabił, musiała to zrobić Franzi. Nie chodziło zresztą tylko o postawienie jej przed sądem. Franzi mogła okazać się użyteczna, jeśli tylko – jak podejrzewał – powiedziałaby mu coś więcej o pijanym kierowcy, sfałszowanych raportach, a co najważniejsze, o tym, kto je sfałszował. Tilsner miał swojego podejrzanego – tego wstrętnego kapitana Janowitza, który od początku starał się spowolnić śledztwo milicyjne. Franzi była Tilsnerowi potrzebna, by mógł potwierdzić swoje podejrzenia.

– Nadal twierdzisz, Franzisko, że za śmierć Tanji odpowiedzialny jest twój mąż?

Kobieta zaśmiała się cienkim, piskliwym i bezwzględnie niestosownym śmiechem, od którego zatrzęsła się cała jej szeroka klatka piersiowa. „Ma czym trząść" – pomyślał Tilsner. Ale nie była atrakcyjna. Spojrzał znacząco na Eschlera, który siedział obok niego w pokoju przesłuchań.

– Tak – odparła kobieta. – Tak pewnie było. Zabrano mi Heike. Mówicie, że miała na imię Maddalena, ale dla mnie to zawsze była Heike. Potem wróciła. Ciągle się martwiłam, że wygląda jakoś inaczej. – Znowu się zaśmiała, ale szybko ucichła, gdy uświadomiła sobie, że Tilsner i Eschler nie podzielają jej wesołości. – To pewnie była ta Tanja, o której mówicie. Hansi powiedział, że Heike wyzdrowiała.

– Co to była za choroba? – spytał Tilsner, coraz bardziej przekonany, że od Franzi niczego się nie dowiedzą. Powinna trafić do psychiatry, a nie w ręce milicji.

– A... – Kobieta sprawiała wrażenie lekko zagubionej. – Nigdy tak naprawdę go o to nie spytałam.

Tilsner walnął pięścią w stół. Kobieta aż podskoczyła na krześle.

– To stek bzdur, prawda, Franzi? Wymyślasz to sobie na poczekaniu.

– Nie, jak Bóg mi świadkiem. Próbuję powiedzieć wam prawdę.

– Hmm. Musisz się bardziej postarać.

Następnego dnia znowu odwiedził Müller w szpitalu. W drzwiach do jej sali skamieniał. Nie było jej w łóżku. Siedziała na krześle, trzymając jedno z bliźniąt przy prawej piersi, podczas gdy Emil trzymał drugie po jej lewej stronie.

– Mam zaczekać? – spytał Tilsner.

– Ależ skąd, Werner – uśmiechnęła się. Policzki znowu miała zaróżowione. Obraz matczynej radości.

– Niezła zmiana, co nie? – zaśmiał się Emil.

Tilsner uniósł ręce.

– Wielka transformacja. Nic nie rozumiem.

– Jeśli śpiączka jest wywołana utratą krwi – wyjaśnił Emil – i trwa krótko, można bardzo szybko dojść do siebie. Jakąś godzinę po twoim wyjściu zaczęła mówić, prawda, *Liebling*?

– Niewiele pamiętam z tamtej pierwszej godziny – przyznała Müller. – Ale już czuję się dobrze. Jestem słaba, zmęczona, ale czuję się dobrze.

– Wybraliście imiona?

Tilsner zauważył, że wymieniają spojrzenia.

– Jeszcze nie doszliśmy w tej kwestii do porozumienia – zaśmiała się Karin. – Tak więc nie. – Poklepała prześcieradło. – Ale usiądź, Werner. Opowiedz mi, co się dzieje w sprawie. Czy Johannes prze...

– Nie. Oczywiście nadal trzymamy jego żonę w areszcie. Tyle że ona jest chora na umyśle, ma nie tyle świra, co całe pieprzone stado świrów.

Emil spojrzał na niego znacząco.

– Przepraszam – westchnął Tilsner.

– A więc zmarł z powodu obrażeń po upadku?

– Dlaczego pytasz? – Tilsner zmarszczył czoło.

– Gdy traciłam przytomność i zabierali mnie do helikoptera, przysięgłabym, że usłyszałam pewien dźwięk stłumiony przez śnieg i zagłuszony przez huk silników. To były strzały.

Müller wracała do zdrowia szybciej, niż można się było spodziewać. Napędzała ją radość macierzyństwa. Mimo że bliźnięta ciągle domagały się jedzenia, adrenalina krążąca w ciele Karin utrzymywała ją na chodzie. Miała nawet siłę złościć się, że nie pozwolono jej dołączyć do przesłuchania Franziski Traugott. Świeżo upieczeni rodzice nadal nie zdecydowali w delikatnej sprawie powrotu Karin do pracy – kiedy i czy w ogóle, a jeśli tak, to w jakim zakresie. Ta decyzja należała jednak do przełożonych Karin. Ona chciała wrócić do stolicy, nawet jeśli znowu przydzielono by ją do biurowej roboty na Keibelstrasse, zanim poczuje się gotowa, by prowadzić śledztwa w wydziale kryminalnym. Naciskała na Emila, by jak najszybciej zakończył pracę w szpitalu w Halle i połączył się z nią i bliźniakami w Berlinie.

Bliźniaki. Uśmiechnęła się do siebie. Nadal nie wybrali im imion, odrzuciła wszystkie jego sugestie – w większości tradycyjne imiona osób z jego rodziny. To sprawiło, że wizyta jego rodziców minęła w dziwnym nastroju, gdyż matka Emila, która miała na drugie Clothilde, upierała się, by nazwać tak Bliźniaczkę – Müller zaczęła tak mówić o swojej córce. Nie spodobało jej się to imię. Propozycja Emila i jego ojca, by nazwać Bliźniaka Meinhardem, także jej nie zachwyciła. Miała już swoje pomysły, ale pomyślała, że gdy jeszcze przez jakiś czas kwestia imion pozostanie nierozstrzygnięta, Emil łatwiej się zgodzi na jej pomysły. Bezimienne bliźnięta w mieście bezimiennych ulic. W jakiś sposób wszystko się zgadzało.

Ekstatyczny nastrój Müller, który napełniał jej ciało ciepłem i dobrocią, zmienił się kilka dni po wybudzeniu ze śpiączki, gdy Emil wręczył jej list. Zobaczyła na kopercie godło Ministerstwa Bezpieczeństwa Państwowego i zamarła z przerażenia. Emil spojrzał na nią pytająco, ale ona zwalczyła pokusę natychmiastowego otworzenia listu. Wiedziała, jakie informacje może zawierać, to było coś prywatnego. Natomiast jeśli list niczego by nie wyjaśnił, nie chciała, by ktokolwiek był świadkiem jej rozczarowania.

Wreszcie wyszedł z pokoju, by położyć dzieci w łóżeczku i dać jej szansę na odpoczynek. Rozerwała kopertę.

Od razu wiedziała, że Jäger dowiedział się tego, o co go prosiła.

Imię dziewczyny trzymającej dziecko na fotografii, którą dała jej adopcyjna matka. Adres rodziny w Lipsku. I potwierdzenie od Jägera, albo od jego źródeł w Stasi, że tak, dziecko na fotografii to Müller, i tak, ta dziewczyna jest jej matką.

62

Müller wiedziała, że nie czuje się jeszcze wystarczająco dobrze, by pojechać do Lipska. Nawet jeśli fizycznie wróciła już do formy, nie była pewna, czy emocjonalnie podoła kolejnej traumie, chociaż bardzo gorąco pragnęła wyjaśnić swoją rodzinną historię. Chciała poznać prawdziwą, biologiczną matkę. Co chwilę dotykała fotografii dziewczyny z dzieckiem, prawie nie wierząc, że to wszystko może być prawdą.

Gdy tylko poczuła się na siłach wybrać się dokądkolwiek, Tilsner zabrał ją do Czerwonego Wołu, gdzie nadal trzymano Franziskę Traugott. Świeżo upieczona mama musiała tylko się upewnić, że Emil poradzi sobie z opieką nad dziećmi. Sporo straciła z przesłuchania kobiety i teraz chciała to nadrobić. Tilsner twierdził, że Franziska jest niespełna rozumu i że niczego z niej nie wyciągną, Müller nie była jednak tego taka pewna. Chciała usłyszeć z ust aresztowanej, dlaczego postąpiła w tak okrutny sposób, a także dlaczego zrobił to jej mąż, przyjaciel Müller z dzieciństwa. Jeśli uda jej się zrozumieć Franzi, może nawet jej współczuć, istniała szansa, że znajdą klucz do całej tej złożonej sprawy.

– Nie rozumiem – powiedziała kobieta, kiedy powtórzyła swoją wersję wydarzeń, taką samą, jaką podała już wcześniej Tilsnerowi – co się dzieje z Hansim. Dlaczego przynajmniej nie pozwolicie mu mnie odwiedzić?

Müller popatrzyła na Tilsnera, który nerwowo poruszył się na krześle. „Nie powiedzieli tej biedaczce, co się stało?" – pomyślała. Kobieta była zamieszana – co najmniej – w porwania dzieci, jeśli nie coś poważniejszego. Jednak ukrywanie przed nią losów jej męża wydawało się niepotrzebnym okrucieństwem.

– Przykro mi, Franzisko. Hansi cię nie odwiedzi. On...

Nim dokończyła zdanie, twarz Franziski Traugott wykrzywiła się w bólu pochodzącym z głębi jej ciała.

– Nie! Nie! – wrzasnęła i zasłoniła twarz dłońmi.

Müller sięgnęła ponad stołem i delikatnie pogłaskała ją po nadgarstku.

– Przykro mi, Franzisko. To był okropny wypadek.

Franziska odsłoniła oczy, patrzyła prosto na Müller. W jej spojrzeniu została tylko pustka. Müller poczuła, że kobietę wciąga jakaś czarna dziura.

– Dlaczego oni mi nie powiedzieli? – spytała słabym głosem.

Müller nie puszczała jej ręki. Westchnęła głęboko.

– Przykro mi, Franzisko. Powinni byli to zrobić. – Spojrzała na Tilsnera.

Wzruszył ramionami, jakby chciał dać do zrozumienia, że to nie jego wina.

Wreszcie aresztowana trochę się uspokoiła i Müller postanowiła wydobyć z niej więcej informacji.

– Wiem, że to może okazać się bolesne, Franzisko, ale chciałabym, żebyś wróciła do wydarzeń sprzed dwudziestu lat. Końcówka lat pięćdziesiątych, wtedy miałaś dzieci po raz pierwszy. To były bliźnięta, prawda?

– Nie lubię rozmawiać o przeszłości – odpowiedziała kobieta. – Hansi uważa, że to nie jest dla mnie dobre.

Tilsner walnął pięścią w stół.

– To ci już nie pomoże. Jego tu nie ma. Musisz nam odpowiedzieć na wszystkie pytania.

– Chcemy poznać – powiedziała łagodniejszym tonem Müller – tylko kilka szczegółów. – Zajrzała do notatnika, chociaż od razu zapamiętała, jak nazywały się dzieci. Chciała po prostu na chwilę uniknąć spojrzenia tej kobiety. – Ich imiona to Tomas i Monika, prawda?

Aresztowana tylko skinęła głową.

– Sądzimy, że sprawca ich śmierci nie został odpowiednio ukarany. W naszej bieżącej sprawie pomogłoby, gdy... – Zastanowiła się, co powiedzieć. Nie chciała bezpodstawnie dawać kobiecie nadziei. – ...gdybyśmy mogli ustalić, co się zdarzyło tamtej nocy.

Franziska Traugott patrzyła prosto przed siebie, bez słowa – jakby koncentrowała się na jakimś punkcie na ścianie za plecami Müller i Tilsnera. Wyraz jej twarzy był dziwny – wzniosły, jakby była w transie. To wyprowadziło Müller z równowagi.

– Słyszałaś, co powiedziała porucznik? – spytał Tilsner.

Franziska prawie niezauważalnie skinęła głową.

– Więc... co... nam... powiesz? – Tilsner dokładnie wymówił każde słowo, jakby mieli do czynienia z obcokrajowcem, który słabo zna niemiecki.

Kobieta zamknęła oczy i wciągnęła powietrze. Potem zaczęła mówić, nie otwierając oczu.

– Był pijany. Kompletnie pijany. Tak powiedział Hansi. Nigdy nie powinien usiąść za kierownicą. Byliśmy na skrzyżowaniu, pchałam wózek, a chwilę później...

Müller ponownie pogłaskała ją po ręce.

– Na szczęście Hansi był trochę z tyłu i w niego nie trafiło. Ale wszystko widział. Nigdy się z tego nie podniósł. Ja też nie. Całe tygodnie spędziłam w szpitalu. Stwierdzili, że mam poważne obrażenia mózgu. Gdy odzyskałam przytomność, Hansi powiedział, że... że... moje... dzieci...

Kobieta ponownie zacisnęła powieki i zapadła cisza. Müller obserwowała, jak aresztowana raz za razem przełyka ślinę, jakby powstrzymując wspomnienia.

– Już dobrze – uspokoiła ją. – Nie musisz nam opowiadać wszystkich szczegółów, jeśli to dla ciebie zbyt trudne. Czy kierowca się zatrzymał?

Kobieta powoli wciągnęła powietrze, potem równie powoli je z siebie wypuściła, starając się pozbierać.

– O tak. Hansi powiedział, że w końcu się zatrzymał. Wysiadł z samochodu i podszedł, zataczając się i ze złością machając rękami. Ani przez ułamek sekundy nie myślał o dzieciach ani o mnie. Równie dobrze mógł walnąć w kawał końskiego gówna, tyle go to obchodziło. Hansi powiedział, że od niego woniało. Całą skrzynką gorzały. Hansi go zignorował i podbiegł do wózka, ale było wiadomo, że zginęły. Ja jeszcze dawałam znaki życia. To był cud, że mimo to nadal mogłam mieć dzieci...

Nagle przestała mówić i oddychała ciężko. Wciągała powietrze bardzo głęboko, do samego dna płuc.

– Przepraszam. Hansi mówi, że nigdy nie powinnam o tym myśleć, że tak wiele jeszcze mamy przed sobą. Że to nie jest dla mnie dobre, wspominanie tamtych dni. Mogę od tego zwariować.

Müller ścisnęła jej palce.

– Powoli, Franzisko. To nam bardzo pomaga. Nie spiesz się.

– Gdy wojna się skończyła i przyszła Armia Czerwona. Baliśmy się. Ukrywaliśmy się przed nimi.

Müller poczuła rosnący strach. O czym ta kobieta mówiła?

– Miałam tylko trzynaście lat. Trzynaście! Dacie wiarę? Gwałcili mnie jeden za drugim. Zaszłam w ciążę – w wieku trzynastu lat.

Müller nagle pomyślała o zdjęciu własnej matki. Czy ją też to spotkało? Poczuła, że serce jej pęka na myśl o losach Franziski –

nic dziwnego, że Johannes, czy też Hansi, cały czas powtarzał jej, by o tym nie myślała. Kolejne obrazy wcisnęły się jej do głowy. Gwałt, którego ona też doświadczyła. Wstrząsnęły nią dreszcze.

– Urodziłam, ale nie miałam nikogo. Siostra trafiła do strefy amerykańskiej. Matka umarła. To było okropne. Moje wnętrze było potrzaskane – po gwałtach i porodzie. Powiedzieli, że już nigdy nie będę mogła mieć dzieci. Ale zabrali moją córeczkę. Zabrali mi ją. Te dranie.

W głosie Franziski Traugott zabrzmiał tak jadowity ton, że Müller cała się skurczyła. Zerknęła na Tilsnera i stwierdziła, że jego niecierpliwość rosła, że w jego mniemaniu aresztowana zbaczała z tematu. Müller domyślała się jednak, dokąd zmierzały te wyjaśnienia.

– Więc możecie sobie wyobrazić, jak bardzo Hansi i ja się ucieszyliśmy, że będziemy mieli bliźniaki. Nie mogliśmy w to uwierzyć. To był prawdziwy cud.

Müller pomyślała o własnej sytuacji. Abortowana przed laty ciąża, bliźniacza, poczęta prawie w tych samych okolicznościach, chociaż już za Republiki Demokratycznej. W jednej z państwowych instytucji.

– A potem – Franziska Traugott wypluwała z siebie słowa w totalnej furii – ten drań, ten pijany kretyn je zabił. I mnie prawie też zabił. Jak byście się czuli? Ten drań był za to odpowiedzialny. Za wszystko, mówię wam. Wszystko.

Müller zaczerpnęła powietrza i zerknęła na Tilsnera. Pokręcił lekko głową. Wiedziała, co sobie myślał. Że kobieta zwyczajnie chce zrzucić winę na kogoś innego. Najstarsza sztuczka w repertuarze. Ale na razie Müller była gotowa pozwolić sobie na wątpliwość.

– Czy byś go poznała, gdybyś go znowu zobaczyła, Franzisko?

– Mogło sobie minąć dwadzieścia lat – rzuciła trzęsąca się z gniewu kobieta. – Mógłby leżeć na łożu śmierci, ale poznam go zawsze po oczach. Najwyraźniej był bardzo pijany, jechał bez świateł. Więc widziałam tylko błysk jego oczu, gdy się do nas zbliżał. Ludzkie oczy się nie zmieniają.

– Co, u diabła, masz na myśli? – wrzasnął Tilsner.

– Miał wilcze oczy.

– Co? To nie ma sensu.

Kobieta energicznie pokręciła głową.

– Nie, nie. To prawda. Jak u wilka.

Müller poczuła rosnące podniecenie. Franziska Traugott może była obłąkana, prawie na pewno miała dużo na sumieniu, ale w tym się nie myliła.

Müller też mogła sobie wyobrazić te oczy. Oczy wilka.

Takie, które wpatrują się w ciebie i obserwują, obserwują, czekając na odpowiedni moment, by zaatakować.

Tak jak wilk.

W tym samym kolorze.

Bursztynowym.

Bursztynowe oczy majora Uwe Malkusa.

Wilka ze Stasi.

63

Tilsner uważał, że zeznania Franziski wcale nie pomagają im wyjaśnić sprawy. W 1958 roku, gdy doszło do wypadku w ówczesnym Halle-West, zanim jeszcze zbudowano nowe miasto, Malkus dostał ochronę ze strony swoich szefów z Ministerstwa Bezpieczeństwa Państwowego. Dlatego wydrapano jego nazwisko z raportu, a do tego pokryto je korektorem. Nikt nie miał się o tym dowiedzieć. Malkus piął się w górę i został majorem Stasi. Tilsner tłumaczył, że nic się nie zmieniło. W gruncie rzeczy dzisiaj – w roku 1976 – był nawet ważniejszy, a minęło tyle czasu, że raczej nikt nie dopuści, by coś mu się stało.

Müller może była naiwna. Może jej zastępca miał rację. Ale nie wiedział tego na pewno. Ona widziała Malkusa, w towarzystwie Janowitza, w grupie oficerów, którzy zbliżyli się do mocno pokiereszowanego ciała Johannesa w Oberhofie, po tym jak spadł w zaspę obok Interhotelu Panorama. Była pewna, że słyszała te stłumione strzały, które ostatecznie zakończyły życie jej przyjaciela z dzieciństwa. Nie zamierzała tego wszystkiego puścić płazem – przynajmniej bez próby walki.

Chociaż chciała, by zatriumfowała sprawiedliwość, wiedziała, że Tilsner w zasadzie miał rację. Jeśli jednak istniała jakakolwiek szansa, by doprowadzić Malkusa przed sąd za jazdę po pijanemu sprzed blisko dwóch dekad, cóż, czuła, że musi się postarać ją wykorzystać.

Ku jej zaskoczeniu pułkownik Frenzel wysłuchał ich rewelacji bez słowa. Nie odrzucił ich wywodu, lecz zwyczajnie poprosił o opuszczenie gabinetu, by mógł odbyć kilka rozmów telefonicznych.

Kilka minut później wezwał ich z powrotem. Zobaczyli w jego rękach podpisaną kartkę maszynopisu.

– Zadbałem o to, towarzysze – powiedział pułkownik. – Prawdopodobnie w całej waszej karierze nigdy już nie zobaczycie takiego dokumentu. Być może nawet jest to jedyny taki dokument w historii Republiki Demokratycznej. Z pewnością ja takiego jeszcze nie podpisywałem. To upoważnienie ode mnie, szefa lokalnej Milicji Ludowej, by aresztować Uwe Malkusa, oficera Stasi.

– I Jezus zapłakał – powiedział Tilsner.

Müller udała, że strzela gola niczym napastnik Oberligi.

– Jak powiedziałem, nigdy już czegoś takiego nie zobaczycie. Milicja Ludowa nigdy nie działa przeciwko Ministerstwu Bezpieczeństwa Państwowego. Zawsze współpracujemy. Jesteśmy po tej samej stronie. Na szczęście w oddziale ministerstwa dla okręgu Halle są tacy, którzy chętnie zobaczą upadek Malkusa, podobnie jak ja.

– Jak wy? – dopytała Müller.

Frenzel skinął głową.

– Jak wiecie, nie byłem zadowolony, że moi oficerowie kryminalni zostali odsunięci od sprawy. Że sprowadzono tutaj was. To były machinacje Malkusa. Dobrze będzie mu się teraz odpłacić. Ale kluczem jest Janowitz.

– Janowitz? Przecież to on od początku stara się uniemożliwić prowadzenie śledztwa – zaprotestował Tilsner. – Jest tak samo wrednym wrzodem na dupie jak...

– Ostrożnie, towarzyszu podporuczniku. Macie, czego chcieliście, ale to nie znaczy, że jesteście bezkarni. – Müller rzuciła mu gniewne spojrzenie. Byli tak blisko złapania Malkusa. Nie chciała, żeby Tilsner coś zepsuł.

– W jaki sposób pomógł kapitan Janowitz, towarzyszu pułkowniku? – spytała.

– Może wydawać się ponury i pozbawiony poczucia humoru, Karin, ale wie, co za ręka go karmi. Nikomu, także jemu, nie spodobało się to, co Malkus zrobił w Oberhofie. Był przy tym, gdy Malkus strzelił, i mu to odradzał. W ten sposób może teraz odsunąć Malkusa. I pewnie zajmie jego miejsce.

Müller zobaczyła, że Tilsner wznosi oczy do nieba.

– Tak to działa, podporuczniku – mówił dalej Frenzel. – Dobrze o tym wiecie, tak samo jak ja. W każdym razie Janowitz będzie na was czekał przy wejściu do lokalnej siedziby Stasi. Miejmy nadzieję, że Malkus wcześniej się nie połapie.

To była pierwsza wizyta Müller w siedzibie Stasi w Ha-Neu od pamiętnego spotkania z Malkusem zeszłego lata. Tym razem jednak nie wzywał jej szef Stasi i nie miała wysłuchiwać ostrzeżeń. Teraz ona i Tilsner mieli asa w rękawie: nakaz aresztowania podpisany przez pułkownika Frenzla.

Janowitz uśmiechnął się do nich porozumiewawczo w punkcie kontroli bezpieczeństwa, na skraju terenów należących do Stasi. Pierwszy raz Müller widziała jego usta z kącikami uniesionymi do góry. No, może zdarzyło się to także wtedy, gdy w jego obecności oskarżono ją o jakieś zaniedbania.

– Nie spodziewa się – powiedział. – Nie mogę się doczekać jego miny.

Szeroko otwarte drzwi, wyciągnięte szuflady biurka Malkusa i porozrzucane papiery powiedziały Müller wszystko.

– *Scheisse!* – zawył Janowitz. – Ktoś musiał go ostrzec.

Tilsner skoczył do okna.

– Tam jest, sukinsyn. Biegnie przez parking.

Janowitz natychmiast złapał za telefon i ogłosił alarm, tymczasem Müller i Tilsner popędzili do wartburga. Zanim zdążyli ruszyć, dołączył do nich Janowitz.

– Jakieś pomysły, dokąd mógłby pojechać? – spytał Tilsner.

Kapitan Stasi pokręcił głową i wzruszył ramionami.

– Mieszka po drugiej stronie Ha-Neu, w Kompleksie Mieszkaniowym Szóstym. Możemy tam spróbować.

Tilsner z piskiem opon ruszył na południe, potem skręcił w Magistralę, na zachód.

Właśnie wtedy w radiu usłyszeli przebijającą się przez trzaski wiadomość.

„Volvo podejrzanego zostało otoczone w centrum Ha-Neu. Uciekł pieszo w stronę stacji".

Na skraju drogi dostrzegli porzucony samochód. Tilsner natychmiast zahamował i cała trójka pobiegła na podziemną stację kolejki. Müller dzielnie starała się dotrzymać kroku swoim towarzyszom, choć czuła, że ponownie założone na ranę po cesarce szwy ciągną. Niemal sfrunęli po schodach, krzycząc na przechodniów i wracających z pracy robotników z zakładów chemicznych, by zrobili im przejście.

Wpadli na peron. Na jego północnym krańcu dostrzegli jakieś zamieszanie. W tunelu pojawiły się światła nadjeżdżającego pociągu. Nagle szum i krzyki zmieniły się w przeraźliwy wrzask.

Nawet z daleka Müller dostrzegła strach w oczach motorniczego.

Czas jakby się zatrzymał. Niczym w zwolnionym tempie zobaczyli czyjeś ciało rzucające się pod pociąg.

Na końcu peronu Tilsner odepchnął gapiów. Müller zbliżyła się do krawędzi.

Pod metalowymi kołami pociągu leżała górna część ciała Uwe Malkusa. Tchórzliwy oficer Stasi nie chciał przeżywać wstydu swojego upadku.

Jego oczy patrzyły martwo w sufit stacji.

Nawet teraz, po śmierci, błyszczały jak bursztyny.

Te oczy, które według Franziski Traugott wyglądały jak oczy wilka.

64

KILKA DNI PÓŹNIEJ

– Na pewno nie chcesz, bym z tobą poszedł, Karin? – spytał Tilsner, gdy wysiadali z nieoznakowanego milicyjnego wartburga w Plagwitz, na zachód od centrum Lipska, przed kamienicą z początku wieku. Tilsner zgodził się przywieźć tu koleżankę z Halle – nie czuła się na siłach, by prowadzić – ale do mieszkania wolała pójść bez asysty.

– Jest dobrze. Muszę to zrobić sama. – Spojrzała na wypłowiałą fasadę budynku, zastanawiając się, jak wyglądał, gdy go zbudowano, albo jak wyglądałby, gdyby oczyszczono go z brudnego osadu węglowego. Był imponujący, a ulica – Karl-Heine-Strasse – sprawiała wrażenie paryskiego bulwaru. Müller widziała Paryż w zachodniej telewizji. Owinęła się szczelnie kurtką, otworzyła drzwi samochodu i wysiadła.

– Przyjadę po ciebie za jakieś, powiedzmy, pół godziny.

Müller pochyliła się ku oknu.

– Dobrze. Ale zostań jeszcze chwilę, na wypadek gdyby nikogo nie było w domu.

Miała jednak nadzieję, że będzie inaczej. Celowo przyjechali wczesnym wieczorem, gdy dzień pracy powinien już się zakończyć.

Drzwi wejściowe do budynku były otwarte. Müller trzymała je, dzwoniąc do mieszkania 3C, w którym mieszkała Helga Nonnemacher – to nazwisko podał jej Jäger. W domofonie zabrzmiał ostry kobiecy głos.

– Kto tam?

Müller odpowiedziała instynktownie.

– Porucznik Karin Müller. Z wydziału kryminalnego – krzyknęła w ciemność.

Natychmiast pożałowała tych słów. Zdała sobie sprawę, że kobieta będzie bardziej ostrożna i raczej się przed nią nie otworzy.

– Ale jestem tu prywatnie. To nie ma nic wspólnego z żadnym śledztwem, nie ma pani powodu do obaw. Chodzi o... – O co właściwie jej chodziło? – To sprawa rodzinna – krzyknęła w końcu, w nadziei, że w ten sposób zapewni sobie zaproszenie do środka.

– Proszę wejść. Trzecie piętro.

Helga Nonnemacher przyjrzała się Karin z poważną miną, ale zaprosiła gościa do środka. Miała siwe włosy, schludnie przycięte, i Karin wyobraziła sobie, że w młodości musiała być bardzo atrakcyjna. Nadal zresztą taka była, elegancka, choć zatroskana. Miała wystające kości policzkowe, dzięki czemu jej skóra pozostała gładka, mimo że Müller oceniła kobietę na sześćdziesiąt kilka lat. Wyczuła w niej coś znajomego. Coś, co przypominało Karin, a także nastolatkę z czarno-białej fotografii zrobionej tuż po zakończeniu wojny czy nawet tajemniczą kobietę, która przed laty odwiedziła dom w Oberhofie.

Frau Nonnemacher zaprosiła Müller do przytulnego dużego pokoju. Meble były staroświeckie, tapeta na ścianach wyblakła, ale wszystko lśniło czystością. Usiadła naprzeciwko gościa i pochyliła się do przodu, z dłońmi opartymi na kolanach.

– Skoro nie jest to śledztwo milicji, to o co chodzi? Co miała pani na myśli, mówiąc, że to sprawa rodzinna?

Müller wstrzymała się z odpowiedzią. Jej mózg pracował na wysokich obrotach, wszystko dzięki adrenalinie. Czy to na pewno ona? Moja matka? Ale chyba jest za stara, by miała nią zostać jako nastolatka? – myśli przelatywały jej przez głowę. Z kieszeni kurtki wyjęła małe pudełko. Kobieta spojrzała na nie zaciekawiona. W jej oczach pojawiło się coś jakby błysk zrozumienia, ale również cień smutku. Straty. Tęsknoty.

Gdy Müller podała jej stare zdjęcie, na twarzy kobiety nie było zaskoczenia. Za to osuszyła kąciki oczu, wciąż patrząc na zdjęcie.

– Wie pani, kto to jest? – spytała Müller.

– Oczywiście. To moja córka Jannika. Z... – Słowa uwięzły jej w gardle, wydała z siebie tylko stłumione westchnienie. Zasłoniła dolną część twarzy dłonią i przyjrzała się uważnie Müller. – Boże drogi. – Jeszcze raz spojrzała na fotografię, a potem na milicjantkę. – Ty jesteś Karin, prawda?

Müller skinęła głową, czując nagły przypływ miłości do dziewczyny ze zdjęcia. Gdy w zeszłym roku dowiedziała się, że została adoptowana, sądziła, że imię nadano jej już po tym akcie. Najwyraźniej było inaczej. Nic więc dziwnego, że kobieta, która odwiedziła ich pensjonat w latach pięćdziesiątych, znała jej imię.

Jej rozmówczyni potrząsnęła głową, pełna zadziwienia.

– Byłaby z ciebie taka dumna, tak bardzo dumna.

Te słowa były dla Müller ciosem. Złapała się za ranę po cesarce.

– Byłaby? – Zmusiła się, by to powiedzieć. Wiedziała, co to znaczy.

Kobieta wstała z krzesła, uklękła obok Müller i pogłaskała ją po twarzy.

– Tak mi przykro, *Liebling*. Bardzo mi przykro. Nie po taką wiadomość tu przyszłaś.

Müller próbowała powstrzymać łzy, ale jej hormony nie wróciły jeszcze do normy po wymuszonym przedwczesnym porodzie.

Helga wzięła jej obie ręce w swoje dłonie i delikatnie je ścisnęła.

– Po wojnie czasy były ciężkie. Zobacz tylko, jaka szczuplutka jest Jannika. – Pogładziła fotografię córki. – Miała nadzieję, że wróci twój ojciec, ale to nigdy nie nastąpiło. To złamało jej serce. A potem Sowieci zabrali jej dziecko, zabrali jej ciebie. Po raz drugi złamano jej serce. Nigdy się z tego nie podniosła.

Müller przygryzła dolną wargę, odwzajemniając uścisk ręki. Potem zaczerpnęła powietrza.

– Więc ona...

– Nie żyje? Niestety, tak, kochanie. Umarła jeszcze w czterdziestym dziewiątym. Oficjalnie na gruźlicę, ale ja nigdy tak nie uważałam. Po prostu zgasła. Gdy cię zabrano, straciła wolę życia. Udało mi się ciebie odnaleźć jakiś rok lub dwa po jej śmierci, uruchomiłam sporo kontaktów. Pojechałam do Oberhofu. Chciałam przekonać twoją adopcyjną matkę, by pozwoliła mi być kimś dla ciebie. Byłaś jedyną rodziną, jaka mi została. – Nagle, o dziwo, kobieta się roześmiała i potrząsnęła głową. – A teraz, dwadzieścia pięć lat później, ty odnalazłaś mnie. To cud. A Jannika byłaby z ciebie taka dumna. Gdyby cię mogła teraz zobaczyć, tak piękną, młodą kobietę.

Uśmiech rozświetlił jej rysy i Müller przez chwilę widziała, jak Helga Nonnemacher mogła wyglądać w młodości. Dostrzegła w jej twarzy siebie, było to niczym spojrzenie w lustro, które przenosi nas w czasie. Następnie – niczym soczewka aparatu fotograficznego skupiająca się powoli na obiekcie – zdała sobie sprawę, że Helga Nonnemacher była częścią niej. Wreszcie znalazła kogoś swojej krwi. Poczuła się jak w domu. Prawdziwym domu.

– Bardzo się cieszę, że cię poznałam, Karin. W końcu. Po tylu latach.

Müller przełknęła ślinę.

– Jesteś moją babcią.

Mimo strasznych wiadomości o losie Janniki – jej biologicznej matki – Müller zdobyła się na słaby uśmiech.

– *Oma* – zaśmiała się. – Muszę mówić do ciebie *Oma*!

– Proszę, nie. – Helga przycisnęła ją do siebie. – Nie czuję się na tyle staro, by zostać babcią. Jeszcze nie.

Müller uniosła brwi i sięgnęła po portfel, z którego wyciągnęła małe zdjęcie przedstawiające ją, Emila i bliźniaki.

– To chyba mam gorsze wieści. – Wyszczerzyła zęby. – To twoja prawnuczka, a to twój prawnuk.

– O, Karin, Karin! – zawołała kobieta. – Widzę w nich tyle z Janniki. Tak dużo wspólnego. Uwielbiałaby je. Zjadłaby je z miłości, tak jak było z tobą, kochanie. – Pogłaskała zdjęcie, jakby w ten sposób nawiązywała kontakt ze zmarłą córką. – Jak się nazywają twoje śliczności?

Müller się uśmiechnęła.

– Nie uwierzysz. Mają już prawie tydzień, ale ciągle nie nadaliśmy im imion. Nie możemy się w tym temacie zgodzić z moim facetem.

– Nie mężem?

– Jeszcze nie. Masz kolejną rzecz, na którą musisz poczekać – jeśli w ogóle kiedykolwiek poprosi mnie o rękę.

– Nie bądź taka tradycyjna. Ty go poproś. Ja tak zrobiłam z moim Helmutem.

– Moim dziadkiem?

– Oczywiście. Ale jego też już nie ma, kochanie. Zginął na wojnie, jak wielu innych. Na froncie wschodnim. Nie lubię o nim myśleć, o tym, co musiał tam przejść. A potem jeszcze zabrano nam ciebie, no i Jannika... Już nie miałam do tego serca. Żeby zacząć od nowa. – Ponownie z miłością dotknęła zdjęcia bliźniąt. – Ale nigdy nie myślałam, że tyle jeszcze dostanę. Że cię odnajdę, to... cóż, to cud. Nie mogę się doczekać, aż poznam tę parkę. Ich *Oma* już nie żyje, biedactwa, ale twoja *Oma* tu jest. To będzie dla mnie wielki honor wypełnić miejsce mojej córki w twojej małej rodzinie.

Obie kobiety – babka i wnuczka – wymieniały uśmiechy i łzy prawie po równo, opowiadając sobie nawzajem o swoich losach. Wreszcie Müller zdała sobie sprawę, że dawno minęło pół godziny uzgodnione z Tilsnerem.

– Czy możesz mi coś powiedzieć o moim ojcu, Helgo?

Kobieta patrzyła na nią przez chwilę, jakby chciała opóźnić udzielenie odpowiedzi.

– Cóż, Karin. Nie lubię źle o nim mówić. Nigdy go nie poznałam. Po twoim poczęciu Jannika i ja zostałyśmy rozdzielone w wojennej zawierusze. Ona ciągle na niego czekała, ale się nie zjawił.

Popatrzyła na Müller, mierząc ją wzrokiem, jakby się zastanawiała, czy może jej zaufać.

Milicjantka wiedziała co nieco o powojennych horrorach. Nigdy się o tym publicznie nie mówiło, nigdy nie zostały oficjalnie uznane. Wiadomo było tylko, że część Niemców – zwłaszcza kobiet – została bardzo pokiereszowana. Miała nadzieję, że podobna tragedia nie była przyczyną gwałtownie przerwanego życia jej matki.

Przysięgłaby, że Helga zauważyła strach w jej oczach. Wyciągnęła do niej rękę.

– Chodź. Coś ci dam.

Wysunęła górną szufladę komody i ku zaskoczeniu Müller wyciągnęła stamtąd identyczne pudełeczko jak to, które zeszłego lata dała jej adopcyjna matka w Oberhofie.

– Powinno być twoje – powiedziała, wręczając je Müller. – Masz do niego więcej praw niż ja. Ale jeśli mogłabyś zrobić mi kopię, byłabym wdzięczna.

Karin podniosła zdjęcie i uważnie mu się przyjrzała. Niemal identyczne ujęcie jak na fotografii od Rosamund Müller. Tylko mina Janniki – szerszy uśmiech – wskazywała, że zrobiono je w innym momencie. Kilka sekund wcześniej lub później.

Błysk metalu na dnie pudełeczka zwrócił uwagę Müller.

– Co to jest?

– Nie wiem na pewno. Jannika dostała to podczas ich pierwszego... spotkania. Jej i twojego ojca. Trzymała w tym schowku, popatrz na pismo.

Müller obróciła ośmiokątny dysk i teraz widziała inskrypcję lub stempel. Nagle zrozumiała. Lekcje rosyjskiego w szkole. To był napis cyrylicą. Przeciągnęła powoli palcami po metalu, tłumacząc. Jej podniecenie rosło razem ze strachem. *Licznyj znak* – dwa najdłuższe słowa. Coś jakby znak identyfikacyjny. Potem cyfry i litery. Druga kompania, batalion 404, żołnierz numer 105.

Z otwartymi ustami wpatrywała się w babkę.

– Powiedziałaś „spotkanie". Co to tak naprawdę znaczy?

Helga Nonnemacher spuściła wzrok.

– Nie! – krzyknęła Müller. – Tylko mi nie mów, że została zgwa...

Kobieta przycisnęła dłoń do jej ust.

– Nie mów tego, Karin. Nie myśl o tym. Jak ci mówiłam, spotkałyśmy się dopiero po wojnie. Do tego czasu coś się wydarzyło, on musiał ruszać dalej. Ale Jannika nigdy nie sprawiała wrażenia, że było w tym coś z przymusu. Powiedziałam ci, że się załamała, gdy do niej nie wrócił.

– Czy wiedział o mnie? – spytała Müller, zwijając dłonie w pięści i próbując powstrzymać łzy.

– Nie wydaje mi się, Karin. Nie wydaje mi się.

65

Zapakowali samochód Emila i ułożyli bliźnięta na siedzeniu. Müller poprosiła, by pojechali wzdłuż Soławy, a potem Magistralą – chciała ostatni raz popatrzeć na to dziwne betonowe miasto, w którym spędziła niemal rok. Nastała wiosna i atmosfera przypominała tę, która panowała, gdy Müller rozpoczęła śledztwo. Znowu pracowały liczne fontanny, a tryskające z nich pióropusze wody dosłownie zmywały zimowy smog. Matki spacerowały z wózkami, pokazując swoje potomstwo – tak jak w lipcu zeszłego roku – a mozaiki zdobiące ściany bloków podświetlało słońce. Kolorowe dekoracje przełamywały monotonną toporność szarego betonu.

– Myślałem, że się cieszysz z powrotu do Berlina – zdziwił się Emil. – A tymczasem wyglądasz prawie na smutną.

Müller wyciągnęła rękę i ścisnęła go za udo.

– Cieszę się, naprawdę. Berlin to mój dom. – Spojrzała na bliźnięta śpiące spokojnie na tylnym siedzeniu. Czas spędzony w tym mieście zmienił całe jej życie. Nie wiedziała, czy jego bezimienne ulice, specyficzny system numerowania oraz identyczne mieszkania w każdym bloku to zapowiedź przyszłości. Wraz z nastaniem wiosny Ha-Neu – które przytłaczało ją w trakcie długich zimowych nocy – wydawało się mniej odrażające. Tutaj urodziły się jej dzieci, chociaż sądziła, że nigdy nie zostanie matką. Dlatego w jej sercu może na zawsze znajdzie się miejsce dla tego miasta.

Epilog

CZTERY MIESIĄCE PÓŹNIEJ: LIPIEC 1976

HALLE-NEUSTADT

Słowa tej ładnej milicjantki – ta jej krótka przemowa, której o mały włos nie pozwolono by jej wygłosić w sądzie – musiały dobrze zadziałać, Dagno. Wiem, że zrobiłabyś dla mnie to samo, tak samo jak ona przemówiłabyś w mojej sprawie. A po niej mówił doktor. Że wypadek sprawił, że mam uszkodzony mózg. Nie zgadzam się z tym. Czuję się dobrze. Ale jeśli to uratowało mi życie...

Zawsze, gdy prowadzę te rozmowy w mojej głowie, myślę o tobie, Dagno. Zabawne, że byłaś dwa lata młodsza ode mnie, ale o wiele bardziej rozsądna. *Mutti* zawsze to powtarzała. Z czułością wspominam nasze zabawy w kopalnianym domku pokrytym blachą falistą. Tak dobrze się tam bawiłyśmy. Chociaż to miejsce powinno kojarzyć mi się strasznie, wcale tak nie jest. Pamiętam nasze zabawy sprzed wojny, gdy byłyśmy dziećmi. Nie to, co się stało, gdy przyszła Armia Czerwona.

Nadal muszę regularnie zgłaszać się do szpitala na badania, i na milicję. Wszystkie te rzeczy da się znieść. Nie mogę tylko pogodzić się z tym, że więcej cię już nie zobaczę. Siedzę tutaj, przy biurku, z jedynym twoim zdjęciem, jakie mam, i gadam do maszyny. Hansi używał jej do swojej pracy dla Ministerstwa. Z jakiegoś powodu jej nie zabrali.

Tak więc pomyślałam, że nagram tę ostatnią rozmowę z tobą, chociaż sądzę, że nigdy jej nie wysłuchasz. Wszystkie moje próby odnalezienia ciebie w Republice Federalnej zakończyły się fiaskiem. Więc może lepiej, jeśli nie będę do ciebie mówić już w mojej głowie, tylko ten jeden, ostatni raz do maszyny.

Bo widzisz, chciałam ci coś powiedzieć. Tylko ty możesz to zrozumieć.

Te oczy to sprawiły. Oczy i fałdki nakątne. Kilka tygodni po tym, jak wyszła ze szpitala, stało się jasne, że to nie jest dziecko Hansiego, tylko tego barmana z Berlina. Bo widzisz, my nie tylko się całowaliśmy i obściskiwaliśmy. Nie do końca powiedziałam prawdę. Myślę, że sama się okłamywałam.

Biedna, biedna Heike. Ciągle mi mówią, że nazywała się Tanja, ale to nieprawda. Była moją Heike. Nie mogłam pozwolić, by Hansi się dowiedział. Dlatego to zrobiłam. Mógłby się jej wyrzec, biedaczki. I mnie też, a co ja bym bez niego zrobiła. Nie wiem, co teraz ze mną będzie.

Widzisz, życie jest bardzo delikatne. Nauczyłam się tego zaraz po wojnie, gdy zabrali mi dziecko, zanim jeszcze zdążyłam nadać mu imię. Nie mogłam pozwolić, by to się powtórzyło. Musiałam ją uratować w jedyny sposób, w jaki mogłam – pomóc jej zasnąć.

Mam nadzieję, że w sercu mi to wybaczysz, Dagno. Hansi by się dowiedział. Na pewno.

To przez jej oczy.

Od autora

Chociaż socjalistyczne miasto Halle-Neustadt istniało naprawdę – i nadal istnieje w zjednoczonych Niemczech jako część sąsiedniego Halle – wszystkie opisane w książce wydarzenia są wytworem mojej wyobraźni.

Wykorzystałem z dużą swobodą kilka prawdziwych historii z życia w Niemieckiej Republice Demokratycznej jako punkty wyjścia mojej historii. Na początku lat osiemdziesiątych w Halle--Neustadt popełniono jedno z najbardziej okrutnych morderstw w Republice Demokratycznej. Ofiarą tak zwanego morderstwa krzyżówkowego (*Kreuzworträtselmord*) padł chłopczyk. Jego ciało wyrzucono w walizce przy linii kolejowej. Sprawę rozwiązał jednak zespół pod dowództwem kapitana Siegfrieda Schwarza z wydziału kryminalnego Milicji Ludowej w Halle (zob. też Podziękowania), a nie detektywi przysłani z Berlina. Udało się tego dokonać dzięki identyfikacji charakteru pisma w krzyżówce wypełnionej w gazecie, w którą owinięto zwłoki – tyle że najpierw porównano setki tysięcy próbek (ponoć była to największa taka próba w historii kryminalistyki). Sprawa morderstwa siedmioletniego Larsa Bense w Halle nadal powraca – w 2013 roku postawiono zarzuty ówczesnej dziewczynie skazanego sprawcy, chociaż rok później z braku dowodów śledztwo trzeba było ponownie zamknąć. Wykorzystałem pewne elementy tej sprawy nie po to, by otwierać stare rany lub używać tragicznych wydarzeń dla rozrywki – mam nadzieję, że moją książką nikomu nie przysporzę cierpienia.

Wątek porwanych ze szpitala dzieci opiera się na historii, którą opowiedział mi doktor Remo Kroll, ekspert kryminalny z byłej NRD. Stasi przejęła śledztwo w sprawie zabójstw niemowląt w szpitalu w Lipsku, bo nie chciała, by społeczeństwo zaniepokoiło się tymi wydarzeniami. Pałac Republiki w Berlinie oddano do użytku w 1976 roku, lecz o ile wiem, nie powstał na gruzach nielegalnej kliniki aborcyjnej – to już moja inwencja twórcza.

Przypadki porwań ciężarnych kobiet, by zabrać im dzieci, są niezwykle rzadkie i praktycznie zawsze kończą się śmiercią matki. Nie słyszałem, aby w jakimkolwiek szpitalu wymuszono poród w celu porwania dzieci, i to, co przydarzyło się Karin, jest oczywiście produktem mojej wyobraźni.

Z Oberhofu, „rodzinnej wioski" Karin Müller, rzeczywiście masowo wywłaszczano właścicieli pensjonatów, ale działo się to w roku 1950, nie 1951. Pensjonaty rodzin Müllerów i Traugottów są fikcyjne. Nieliczni wywłaszczeni odzyskali swoje domy kilka lat później, ale większości to się nie udało – przynajmniej nie w czasach Niemieckiej Republiki Demokratycznej. Ta kwestia nadal wzbudza kontrowersje. Podobna, lecz szerzej znana nacjonalizacja została przeprowadzona na wyspie Rugii w lutym 1953 roku (*Aktion Rose*).

Topografia Halle-Neustadt mniej więcej odpowiada rzeczywistości, chociaż troszeczkę zmieniłem ją w mojej opowieści. Na przykład Kompleks Mieszkaniowy VI nie został ukończony przed 1975 rokiem, ale na planie miasta z roku 1977 już się pojawia. Także wysokie bloki w kształcie litery Y nie znajdują się naprzeciwko komendy straży pożarnej. Fidel Castro odwiedził miasto, ale było to kilka lat przed wydarzeniami wymyślonymi na potrzeby tej książki, w 1972 roku. „Oszukałem" także w kilku innych kwestiach, na przykład program „Der Schwarze Kanal" był emitowany raczej w poniedziałki, nie w piątki – tak sądzę. Proszę, nie prostujcie tej kwestii w listach do mnie.

Prolog jest wymyślony, chociaż w tym czasie podobnej zbrodni żołnierze Armii Czerwonej rzeczywiście się dopuścili w kopalni na terenie Halle-Bruckdorf (podejrzewam, że działo się to raczej w nieużywanej kopalni odkrywkowej, chociaż węgiel brunatny wydobywano w kilku miejscach pod ziemią, jednak, o ile mi wiadomo, nie w okolicach Halle). Historia ta została opowiedziana w 2009 roku przez osiemdziesięciotrzyletnią Ruth Schumacher. Jako osiemnastolatka została zgwałcona przez pięciu rosyjskich żołnierzy w zalanej kopalni Halle-Bruckdorf. W komunistycznej Niemieckiej Republice Demokratycznej Ruth została zmuszona do podpisania dokumentu, w którym zaprzecza, by gwałtu kiedykolwiek dokonano – wszystko dlatego, że wojska sowieckie oficjalnie uznawano za „wyzwolicieli" i „przyjaciół". Z powodu obrażeń odniesionych w trakcie gwałtu Ruth nie mogła mieć dzieci – w 2009 roku była wdową po byłym kapitanie U-Boota i żyła samotnie w ciasnym mieszkaniu w Lipsku. Jej małżeństwo trwało czterdzieści pięć lat, chociaż – jak wyjaśniła w rozmowie z American National Public Radio – nie pobrali się z miłości. „Ale gdy mu powiedziałam, że nie jestem już czysta i niewinna, nie opuścił mnie".

Podziękowania

Do powstania tej książki przyczyniło się wiele osób i jestem za to wdzięczny im wszystkim. W Niemczech spędziłem niezwykły czas na rozmowach z dawnym szefem zespołu do spraw zabójstw z Halle, Siegfriedem Schwarzem – to on rozwiązał sprawę „mordercy krzyżówkowicza". „Sigi", jak go nazywają, jest lokalną sławą i niezwykłym człowiekiem. Oprowadził mnie po swoich dawnych ścieżkach w Ha-Neu, a potem zaprosił na herbatę do swojego domku myśliwskiego. Serdecznie dziękuję również jego przyjaciółce Janie Reissman – urodzonej i wychowanej w Halle-Neustadt (nadal tam mieszka i miło wspomina spędzone tam dzieciństwo) – za to, że wzięła urlop, by zostać moją tłumaczką.

Berndt Marmulla, dawny szef Zespołu do spraw Poważnych Zbrodni Niemieckiej Republiki Demokratycznej w Berlinie, udzielił mi wielu pożytecznych wskazówek (tłumaczył je Thomas Abrams).

Dziennikarz BBC World Service i dawny obywatel NRD Oliver Berlau był uprzejmy przeczytać pierwszą wersję książki, wyłapując niezgodności (wszystkie pozostawione błędy to moja wina). Zrobili to także Stephanie Smith oraz moi dawni koledzy z kursu pisania Uniwersytetu City: Rod Reynolds (autor wspaniałych powieści detektywistycznych, w tym *The Dark Inside,* opublikowanej przez wydawnictwo Faber) i Steph Broadribb (znana jako Gloger Crime Thriller Girl, której powieść *Deep Down Dead* wydało Orenda Books). Wielkie podziękowania także dla pozostałych członków naszej grupy Crime Thriller MA z lat 2012–2014: Roba, Laury, Seuna, Jamesa i Jody.

Oczywiście specjalne podziękowania należą się mojemu agentowi Adamowi Gauntlettowi i innym agentom: Petersowi, Fraserowi i Dunlopowi, oraz zespołowi Bonnier Zaffre, szczególnie mojemu redaktorowi Joelowi Richardsonowi.

TYTUŁ ORYGINAŁU *Stasi Wolf*
PRZEKŁAD Katarzyna Sosnowska

REDAKTOR PROWADZĄCY Adam Pluszka
REDAKCJA Magdalena Jankowska
KOREKTA Małgorzata Kuśnierz, Jan Jaroszuk
PROJEKT OKŁADKI I STRON TYTUŁOWYCH Agnieszka Wrzosek
ŁAMANIE manufaktura | manufaktu-ar.com

ZDJĘCIE NA OKŁADCE © Agencja Fotograficzna Caro / Alamy Stock Photo

ISBN 978-83-65780-43-0

WYDAWNICTWO MARGINESY SP. Z O.O.
UL. FORTECZNA 1A, 01-540 WARSZAWA
TEL. 48 22 839 91 27
redakcja@marginesy.com.pl
www.marginesy.com.pl

WARSZAWA 2017
WYDANIE PIERWSZE

ZŁOŻONO KROJAMI PISMA Scala ORAZ Futura

KSIĄŻKĘ WYDRUKOWANO NA PAPIERZE Creamy 70 g vol 2.0
DOSTARCZONYM PRZEZ Zing Sp. z o.o.
ZiNG

DRUK I OPRAWA OPOLGRAF S.A. www.opolgraf.com.pl